MANOEL VALENTE FIGUEIREDO NETO

A PROPRIEDADE PRIVADA IMÓVEL NO SÉCULO XXI

PRIVATE PROPERTY IMMOBILE IN THE TWENTY-FIRST CENTURY

Manoel Valente Figueiredo Neto

A PROPRIEDADE PRIVADA IMÓVEL NO SÉCULO XXI
Private property immobile in the twenty-first century

EDITORA CRV
Curitiba - Brasil
2016

Editor-chefe: Railson Moura
Diagramação e Capa: Editora CRV
Revisão: O Autor

DADOS INTERNACIONAIS DE CATALOGAÇÃO NA PUBLICAÇÃO (CIP)
CATALOGAÇÃO NA FONTE

L732

Figueiredo Neto, Manoel Valente.
A propriedade privada imóvel no século XXI (Private Property Immobile in the Twenty-First Century)/Manoel Valente Figueiredo Neto - Curitiba: CRV, 2016.
327 p.

Inclui bibliografia
ISBN 978-85-444-0979-4

1. Direito 2. Constitucionalismo 3. Propriedade privada - história I. Título II. Figueiredo Neto, Manoel Valente. III. Série.

CDD 347.23

Índice para catálogo sistemático
1. Direito: propriedade privada 347.23

2016
Foi feito o depósito legal conf. Lei 10.994 de 14/12/2004

Editora CRV
Tel.: (41) 3039-6418
www.editoracrv.com.br
E-mail: sac@editoracrv.com.br

NOTA DO AUTOR

A presente obra é fruto da tese de doutorado que se apresentou a Universidade de Fortaleza, no Programa de Doutorado em Direito Constitucional. Teve como orientadora a professora doutora Gina Vidal Marcílio Pompeu e como coorientador o professor doutor Eduardo Rocha Dias. Foi defendida e aprovada com louvor em vinte e sete de novembro de dois mil e quinze. Compôs a banca examinadora a orientadora, na condição de presidente, e, as seguintes personalidades: Eduardo Rocha Dias, Doutor em Direito – UL (Universidade de Lisboa); Rubens Beçak, Doutor em Direito – USP (Universidade de São Paulo); Antônio Jorge Pereira Júnior, Doutor em Direito – USP (Universidade de São Paulo); Sidney Guerra Reginaldo, Doutor em Direito – UNIFOR (Universidade de Fortaleza); Ana Carla Pinheiro Freitas, Doutora em Direito – PUC/SP (Pontifícia Universidade Católica de São Paulo).

O desenvolvimento da pesquisa contribuiu para o amadurecimento e (re)construção dos conhecimentos do jurista e pesquisador que se apresenta, tanto na sua vida profissional, nas possibilidades jurídicas, como na sua vida pessoal, nas possibilidades fraternas, pois "a coisa mais indispensável ao homem é reconhecer o uso que deve fazer do seu próprio conhecimento" (Platão). Foi com otimismo que se realizou a tese de Doutorado em Direito e, com humildade, que se propôs desenvolver o estudo, na expectativa de que, em cada momento, se tivesse a oportunidade de descobertas com instigação e desenvolvimento. E, ao me indagar se valeu a pena, tenho a resposta de que "tudo vale a pena, se a alma não é pequena" (Fernando Pessoa). Por toda a aprendizagem, fica em meu ser não apenas o que passou, mas o que existe. E, para existir, tem-se que viver e compartilhar.

Minha gratidão aos professores, familiares e amigos, em especial a minha mãe (professora Rita Neuma Gomes Figueiredo), meu pai (professor Hélio Araújo) e meus irmãos (Ciro Ricardo Figueiredo Araújo, Marcus Leonardo Figueiredo Araújo, Helineuma Figueiredo Araújo e Hélio Araújo Segundo).

AUTHOR'S NOTE

This work is the result of the doctoral thesis presented to the University of Fortaleza, in the Doctoral Program in Constitutional Law. It had as advisor teacher Dr. Gina Vidal Marcilio Pompeu and as co-advisor teacher Dr. Eduardo Rocha Dias. It was defended and approved with praise on November 27th 2015. The examination board was composed of the advisor, in the condition of president, and the following personalities: Eduardo Rocha Dias, Doctor in Law - UL (University of Lisbon); Rubens Beçak, Doctor in Law - USP (University of São Paulo); Antonio Jorge Pereira Júnior, Doctor in Law - USP (University of São Paulo); Sidney Guerra Reginaldo, Doctor in Law - UNIFOR (University of Fortaleza); Ana Carla Freitas Pinheiro, PhD in Law - PUC / SP (Pontifical Catholic University of São Paulo).

The development of the research contributed to the maturing and (re) construction of the lawyer's and researcher's knowledge who has shown both in his professional and personal life fraternal possibilities as "the most essential thing to man is to recognize the use he should do of his own knowledge" (Plato). The doctoral thesis in Law was held with humility and the author proposed to develop this study expecting that at any moment, if he had the opportunity of new discoveries, he would search for them with instigation. And, when I inquire if it was worth, I have the answer that "everything is worth if the soul is not small" (Fernando Pessoa). And for all learning, it is recorded in my being not only what happened, but what is still to. And to exist, one has to live and share.

My gratitude to teachers, family and friends, especially my mother (teacher Rita Neuma Gomes Figueiredo), my father (teacher Hélio Araújo) and my brothers (Ciro Ricardo Figueiredo Araújo, Marcus Leonardo Figueiredo Araújo, Helineuma Figueiredo Araújo and Helio Araújo Segundo).

APRESENTAÇÃO

A obra do jurista brasileiro Manoel Valente Figueiredo Neto, intitulada **"A propriedade privada imóvel no século XXI"** é fruto de vasta pesquisa e de densa dedicação pessoal que procurou acumular e alinhar o aprendizado acadêmico do autor, durante seu curso de doutorado em Direito Constitucional, ao tema por ele desenvolvido na obra que ora se oferece ao público."

Além de gozar da amizade fraterna do autor, durante os últimos quatro anos do curso de doutoramento, com quem desenvolvemos profícua parceria intelectual, tive o prazer e a honra de ser orientadora do Manoel Valente nesse processo de construção de um objeto de estudo original e de utilidade ímpar. Nesse contexto, ressalta-se que acadêmicos e profissionais do direito contam, agora, com minucioso trabalho científico, oferecido especialmente àqueles que se ressentem da falta de doutrina adequada acerca da relação entre os temas da análise econômica do direito, em compasso com o registro de imóveis no Brasil, após o advento da Constituição de 1988. Lembra-se que a Constituição ampliou as diretrizes atinentes ao direito de propriedade, como a majoração de sua função social, assim como entregou a atividade do registro de imóveis a juristas especialmente qualificados, haja vista que devem se submeter a concurso público e a todas as especificidades, exigidas para a investidura e exercício da função de Registrador de Imóveis no Brasil.

Na obra que se apresenta, Manoel Valente preocupa-se com a forma como a propriedade privada imóvel se reinscreve no contexto da constitucionalização do direito privado e qual o escopo a ser desempenhado por ela, no que diz respeito ao crescimento econômico e desenvolvimento humano. Para tanto, inicia seus estudos com profunda análise histórica e epistemológica do instituto da propriedade privada imóvel. Entende que, da perspectiva teórica, a propriedade privada se enquadra na perspectiva da natureza humana, sendo inerente a todo ser humano e desenvolve o seu raciocínio a partir desta premissa.

Procura analisar a propriedade, sob dois vieses tal como o Deus Jano, ou seja, o direito individual de uso, gozo e permanência sobre a propriedade privada e a harmonia entre essa face do direito com sua outra face, esta decorrente das limitações, relativas à função social da propriedade. A dita harmonia entre as faces da propriedade, na visão do autor, não deve impor ao proprietário e à atividade econômica custos maiores ou desproporcionais aos parâmetros da Análise Econômica do Direito.

O autor defende a necessidade de uma abordagem da propriedade que contemple o crescimento econômico e aponte, concomitantemente, seu elo com o que chama de “sujeitos passivos indeterminados”, ou seja, com os sujeitos aos quais diz respeito à observância da função social da propriedade. Não ouvida em seus posicionamentos, à existência de centros econômicos de interesse em torno do instituto da propriedade, assim como a complexidade que circunda o instituto, quando temos que, ao lado do interesse econômico, ela deve configurar como instrumento de liberdade apto a promover a igualdade.

Diante da amplitude e densidade das pesquisas apresentadas nas reflexões dessa obra, frutos do resultado do duelo íntimo entre o acadêmico Manoel Valente, enquanto doutorando, e o profissional Manoel Valente, enquanto Registrador de Imóveis, no Município de Camocim, interior do Estado brasileiro do Ceará, o corpo docente do Programa doutoral da Universidade de Fortaleza, Brasil, assegura-se da sensação de dever cumprido. Há esse tempo, convida-se à leitura prazerosa sobre a realidade da propriedade privada imóvel no Brasil, sob o signo do constitucionalismo no século XXI. Reverbera-se que o leitor encontrará o confronta do ideário do constitucionalismo, no que concerne à propriedade privada imóvel e os próprios fatores reais do poder (Ferdinand Lassalle), tão bem expressos nos versos da música “Funeral de um lavrador” de Chico Buarque, com a “vontade de Constituição” de Konrad Hesse, diante da constitucionalização do direito privado.

Gina Vidal Marcilio Pompeu
Coordenadora do Doutorado em Direito Constitucional
da Universidade de Fortaleza, Brasil
Doutora em Direito Constitucional pela Universidade Federal do Pernambuco
Mestre em Direito e Desenvolvimento pela Universidade Federal do Ceará
ginapompeu@unifor.br

PRESENTATION

The work of the Brazilian jurist Manuel Valente Figueiredo Neto entitled "*The privately owned property in the XXI century*" is the result of an extensive research and a dense personal dedication that sought to build and align the academic learning of the author during his PhD course in Constitutional Law, when he developed the work at issue that is now offered to the audience.

In addition to enjoying the fraternal author's friendship during the last four years of the doctoral program, and developing a fruitful intellectual partnership, I had the pleasure and the honor of guiding Manoel Valente in the process of constructing an original study object of unique utility. In this context, I emphasize that academics and legal practitioners have recently offered meticulous scientific works, especially in regard to the lack of adequate teaching on the relationship between the themes of economic analysis of law in step with property registration in Brazil, after the advent of the 1988 Constitution. It is worth remembering that the Constitution broadened the guidelines relating to property rights, such as the increase of its social function, and delivered the activity of real estate registration to properly qualified lawyers, who should submit to public tender and have all the specificities required for the investiture and exercise of the Property Registrar function in Brazil.

In the presented work, Manoel Valente is concerned with the way the privately owned property is reinscribed in the context of constitutionalization of private law as well as with its scope in regard to economic growth and human development. Therefore, he began his studies with a deep historical and epistemological analysis of the private immovable property institute. He develops his reasoning on the premise that the private property falls within the perspective of human nature, and it is inherent in every human being.

Using the figure of God Jano, he analyzes the property under two biases: the individual right of use, enjoyment and permanence on private property and the harmony between this individual right and its other face, which results from limitations on the property's social function.

The author defends the need of a proprietary approach that includes economic growth and points, simultaneously, to its link with what he calls "indeterminate liabilities subject", that is, the subjects, which concern the observance of the social function of property. When we have the existence of economic centers of interest around the property institute, as well as the complexity surrounding it in parallel with the economic interest, it should be set as freedom of suitable instruments to promote equality.

Before the breadth and density of the research presented in the reflections of this work, and the fruits of the close duel between the academic Manoel Valente, as doctoral, and the professional Manoel Valente, as Real Estate Register in the Municipality of Camocim, Ceará, the Doctoral Program of the University of Fortaleza, Brazil, ensures the feeling of accomplishment and invites you to the pleasant reading about the reality of private property ownership in Brazil, under the constitutionalism in the XXI Century. The reader will find confrontations of the ideals of constitutionalism regarding to the private ownership property and the very real power factors (Ferdinand Lassalle), so well expressed in the song "Funeral of a farmer" by Chico Buarque, with the "will of the Constitution" set by Konrad Hesse on the constitutionalization of private law.

Gina Vidal Marcilio Pompeu
PhD Coordinator in Constitutional Law at the University of Fortaleza, Brazil
PhD in Constitutional Law from the Federal University of Pernambuco
Master in Law and Development from the Federal University of Ceará
ginapompeu@unifor.br

SUMÁRIO

INTRODUÇÃO

Esta tese corrobora o pressuposto jurídico de que a propriedade privada imóvel é instrumento natural (perspectiva da natureza humana), e, por se vincular à natureza humana, não deriva do Estado e de suas leis, mas os antecede. Perfaz direito humano típico, em consonância com o artigo 17 da Declaração Universal dos Direitos Humanos, incluído como direito constitucional fundamental, com forte viés econômico, sendo que a proteção jurídica da propriedade privada imóvel é necessária para o crescimento econômico no século XXI. O estudo reescreve a propriedade privada imóvel, no âmbito das relações privadas e econômicas constitucionais, assegurando uma maneira consciente e comprometida de se promover a análise econômica do direito de propriedade que contemple o crescimento econômico (livre iniciativa) e o desenvolvimento humano (valores sociais).

A propriedade privada imóvel manifesta-se, constitucionalmente, como instituto jurídico apto a contribuir para o crescimento econômico no século XXI. Tal percepção se mostra viável, por refletir o desafio jurídico de se compreender a propriedade privada como relação complexa e dinâmica para a atividade econômica. A noção de desafio envolve a compreensão da relevância das situações proprietárias e o entendimento de como essas situações se delineiam nas décadas iniciais do século XXI. Para tal, discutem-se os papéis da função social na análise do conteúdo da relação proprietária e seus consequentes efeitos.

Tradicionalmente, a apreensão jurídica em torno do conceito de propriedade encontra repositório nas definições clássicas, que ecoam do que consta na legislação substantiva codificada (Código Civil). Porém, a perspectiva constitucional da propriedade reflete o fato de que ela abrange não só os bens móveis ou imóveis, mas também outros valores patrimoniais, como os valores creditícios. Essa análise comporta explicação melhor, no sentido de que, segundo os ensinamentos civilistas tradicionais, o campo dos "direitos reais" (de que faz parte a propriedade privada imóvel) é distinto do âmbito dos "direitos obrigacionais" (que envolve prestações obrigacionais e as relações de crédito/débito).

Assim, a afirmação da perspectiva constitucional da propriedade não deve incorrer em vício jurídico, do ponto de vista da teoria civilista. Para não incorrer em porosidades textuais e contradições, a tese levantou duas hipóteses: primeiramente, sustenta-se a relativização da diferença entre os direitos reais e os obrigacionais no âmbito das relações patrimoniais; em seguida, analisa-se que a delimitação constitucional de propriedade é diferente e mais abrangente que o conceito civilista de propriedade, infraconstitucional. No caso da relativização entre os direitos reais e os obrigacionais, o teor argumentativo da tese parte do paradigma da epistemologia jurídica, delimitando a propriedade privada nos argumentos epistemológicos da crítica racional pós-moderna. No segundo caso, explica-se, diretamente, que a concepção constitucional de propriedade é diferente da concepção infraconstitucional (legal) de propriedade, através dos fundamentos do pensamento constitucional e do constitucionalismo. Nessa categoria, a tese delimita o seu objeto de estudo na análise do direito à propriedade privada sobre bem imóvel no âmbito da atividade econômica.

Exploram-se assuntos ligados à propriedade, conforme a constitucionalização dos institutos de direito privado à luz dos fundamentos da República e princípios e normas constitucionais. Estabelecem-se diálogos entre o Estado Constitucional e a Economia com os movimentos sociais/culturais e a dinâmica global (mundial), regional e local. E parte do pressuposto de que o direito de propriedade rompe com seu caráter absoluto e assume diferentes formatos, como os que se relacionam com as propriedades imateriais, como, por exemplo, o direito de propriedade ao crédito (algo fluido).

Por meio das análises acadêmicas, na tentativa de resguardar a atenção que se fixa nos direitos e garantias fundamentais que estão imbricados na perspectiva constitucional da propriedade, objetiva-se compreender a inter-relação do Direito Constitucional com as relações privadas que se estabelecem, em meio a situações econômicas definidoras de propriedade privada. Para tal, trabalha-se com a propriedade numa perspectiva de sistema jurídico plural.

A tese estrutura-se, a partir da propriedade privada no âmbito da epistemologia jurídica, para consolidar entendimentos sobre os direitos e garantias fundamentais relativos às relações constitucionais privadas, no pensamento constitucional e no constitucionalismo. Delineia-se a perspectiva da propriedade privada imóvel, na história constitucional brasileira e nos formatos que assume com o advento da Constituição Federal de 1988. Desse modo, verifica a coerência jurídica da propriedade privada sobre bem imóvel, no Brasil, no contexto da Análise Econômica do Direito.

A propriedade privada, enquanto manifestação no signo jurídico, operacionaliza-se por meio de relação jurídica complexa e dinâmica. Mescla-se com a necessidade de sua constitucionalização, pois manifesta, modifica e faz nascer direitos constitucionais individuais, com impactos na vida da pessoa e na atividade econômica.

A constitucionalização do direito privado como fenômeno que se associa à interpretação do Direito e, especificadamente, a constitucionalização do direito de propriedade perpassa, necessariamente, as relações constitucionais privadas e seu enfoque no contexto das relações econômicas. Ela ingressa no âmago da função social e, nesse ínterim, relaciona-se com a problemática da necessidade de harmonização entre o desenvolvimento humano e o crescimento econômico.

É, nesse contexto, que a tese observa que a segurança jurídica consagra-se, no ordenamento jurídico brasileiro, como garantia fundamental que instrumentaliza o direito à propriedade privada sobre bem imóvel, no âmbito do artigo 5º, inciso XXXVI, da Constituição Federal da República Federativa do Brasil de 1988. Desenvolve-se a argumentação de que representa uma das mais importantes e sólidas garantias que o ordenamento jurídico oferece às pessoas.

O estudo considera que o Estado representa o pacto (contrato) entre pessoas que trocam parte de sua liberdade pela segurança a ser provida pelo Estado. O povo possui a soberania, uma vez que todo o poder emana do povo e, em seu nome, deverá ser exercido. Os governantes, como representantes do povo, recebem *delegação* para exercer o poder. As pessoas renunciam à sua vontade individual, para garantirem a realização da vontade geral e trocam parte de sua liberdade pela segurança a ser provida pelo Estado.

Nesse contexto, ao se utilizar o marco temporal da mudança do século XX para o século XXI, a segurança jurídica era vista, de modo amplo, como garantia que correspondia ao direito que toda pessoa tinha de exigir dos poderes públicos a proteção dos seus direitos. Nas décadas iniciais do século XXI, ao se delimitar a segurança jurídica, no âmbito dos direitos e das garantias fundamentais que a Constituição estabelece, verifica-se que a garantia fundamental da segurança jurídica ganha notoriedade em seu caráter instrumental para possibilitar a proteção e efetivação dos direitos fundamentais, correlacionando-se com os meios procedimentais e processuais que se adequam à defesa e efetividade desses direitos.

A sistemática jurídica, na área do direito à propriedade privada, aponta dificuldades na operacionalização dos ditames constitucionais no âmbito das relações constitucionais econômicas. Tal situação representa desafios jurídicos para a ponderação de interesses entre a propriedade privada adequada para as relações econômicas e as construções teóricas sobre função social, na efetivação dos direitos fundamentais.

Nesse sentido, analisam-se na tese temas complexos que exigem, por si só, certo grau de saturação acadêmica, mas que estão necessariamente inter-relacionados e se complementam. Operacionalizar a pesquisa por meio da Análise Econômica do Direito mostra-se dinâmico, o que exige do pesquisador/autor e dos leitores muito mais que a observação e o relato das referências bibliográficas. Exige a postura proativa e dialética, no sentido de buscar respostas e alternativas para os caminhos de pesquisa que se apresentam no decorrer dos capítulos.

Como norma jurídica hierarquicamente superior às demais, a Constituição estabelece regras e princípios, em relação aos mais importantes institutos do Direito Privado. Temas tradicionais desse campo de estudo do Direito, como a propriedade privada, ressignificaram-se axiologicamente para se apresentarem como institutos com valores constitucionalmente delimitados, na busca da realização dos direitos fundamentais.

A Constituição Federal de 1988 orientou-se pelo respeito à dignidade humana e pelo compromisso com a construção e promoção de uma sociedade igualitária, justa e fraterna. Desencadeou repersonalização e publicização na sistemática jurídica. Paralelamente, tensionou para o fato de que o Estado intervém em áreas que antes interessavam apenas ao âmbito privado. Na tendência de que o Estado direcione as condutas das pessoas, atesta-se, criticamente, que a liberdade individual está menor e até mesmo princípios como a autonomia da vontade nos negócios jurídicos têm sido mitigados e reinterpretados nesse marco jurídico axiológico.

As particularidades históricas brasileiras revelam que o Código Civil de 1916 teve concepção que se constituiu, historicamente, como fruto das doutrinas individualistas liberais do século XIX. Por isso, preservava-se, de forma indisputável, a propriedade privada como patrimônio individual, a "família tradicional" e a autonomia da vontade, dispondo-as a salvo das ingerências do Estado. Com o advento do Código Civil de 2002, substituiu-se a codificação civil nacional e se mitigou, em consonância com os ditames constitucionais, sob certo prisma, a autonomia privada nos negócios jurídicos e o caráter absoluto da propriedade na tentativa de harmonizar os ditames civilistas com os comandos da Constituição brasileira. As mudanças estruturais ocorreram, a partir da perspectiva de que a pessoa assumiu o centro do ordenamento jurídico, ao invés de figurar, no centro do ordenamento jurídico, a coisa ou o mercado.

A Constituição Federal de 1988 ocasionou para a sistemática jurídica a ampliação dos interesses do Estado em áreas que antes pertenciam ao âmbito estrito do Direito Privado. A propriedade privada assumiu diferentes formatos, perante a atividade econômica e sua configuração se apresenta como desafio jurídico para o crescimento econômico do século XXI. Manifesta-se, positivamente, no rol dos direitos e garantias individuais constitucionalmente previstos no *caput* do artigo quinto da Constituição Federal de 1988, o que reflete na proteção constitucional contra a tendência de o Estado direcionar a conduta das pessoas. A noção em torno da propriedade privada constitucional ganha destaque com a necessidade de segurança jurídica para o crescimento econômico, de modo que se harmonizem os interesses públicos com os privados, na perspectiva da ponderação, da sustentabilidade e do pluralismo.

Assim, mostra-se evidente que não se pode entender o enfoque jurídico dado à propriedade privada sem o necessário suporte do Direito Constitucional. Tal contexto demonstra o entendimento da propriedade privada imóvel como instigação para a dogmática jurídica, pois a sistemática jurídica deve amadurecer as formulações e possibilidades sobre a propriedade para possibilitar o aprimoramento das relações econômicas, de modo que se promova o crescimento econômico e o desenvolvimento humano no século XXI.

Paralelamente, a compatibilização da propriedade privada, tida como relação jurídica complexa e dinâmica, com a Constituição brasileira estabelece que a sistemática jurídica relativa à propriedade privada deve resultar da análise de sua natureza, conteúdo e alcance nas atividades econômicas. Isso reforça a necessidade da eficiência na sua prestação e na sua valorização como instrumento adequado, bem como o aprimoramento da liberdade nas relações econômicas que se correlacionam com a livre iniciativa.

Pela importância dos estudos sobre a propriedade privada imóvel, no signo do constitucionalismo pátrio, nos momentos iniciais do século XXI, a tese consagra a visão crítica que deve pautar estudos no âmbito de doutorado acadêmico. A partir da análise constitucional da propriedade no enfoque das relações privadas econômicas, pode-se promover a permanente e dinâmica transformação das estruturas organizatórias, conforme a matriz dogmática e teórico-constitucional que envolve as relações constitucionais privadas e suas implicações como mecanismo de conferir alternativas ao desenvolvimento que as mais diversas regiões e populações do Brasil precisam para se transformarem em espaços vitais de cidadania e de constitucionalismo.

A propriedade privada sobre bem imóvel manifesta-se como relação jurídica complexa e dinâmica, em que não mais se concebe como relação de completa subordinação de terceiros frente ao proprietário, mas sim de situações jurídicas subjetivas do proprietário e situações jurídicas outras que entram em conflito com esta e representam centros de interesses, por vezes opostos e divergentes. Assim, nos anos iniciais do século XXI, ela assume feições diversas daquelas que se formularam no decorrer dos séculos XIX e XX.

Nas diversas dimensões que contribuem para compor os formatos da propriedade privada no cerne da globalização (mundialização), existem incessantes necessidades de reescrevê-la no contexto dos direitos e garantias fundamentais. A propriedade privada sobre bem imóvel assume múltiplas feições para a atividade econômica, o que acarreta na discussão sobre seu enquadramento jurídico, entre os valores sociais do trabalho e a livre iniciativa, bem como sobre o papel do Estado na intervenção econômica.

A perspectiva da propriedade privada sobre bem imóvel, nas relações constitucionais, aponta para sua ligação transitória com sujeitos passivos indeterminados, na medida em que essa situação jurídica será exercida com aqueles que tiverem contato com a propriedade no âmago da atividade econômica. Assim, tem-se que os sujeitos passivos nos direitos reais são indeterminados. O que existe são centros econômicos de interesses. A percepção jurídica é de comportamentos, quer de abstenção, quer de cooperação, entre o proprietário e aqueles que com ele interagem, em razão da atividade econômica.

Diacronicamente, a propriedade liberal burguesa teve relevância histórica fundamental, fosse ela individual ou até mesmo com implicações na perspectiva coletiva. O *Code Civil* francês de 1804 (Código Napoleônico), por exemplo, enuncia todo o direito obrigacional dentro do livro relativo às formas de se adquirir a propriedade privada. Isso reflete o respeito que o Estado deveria ter às faculdades do proprietário de um bem de dele dispor, gozar, usar e abusar da coisa de forma praticamente absoluta.

Nas peculiaridades brasileiras, a história do direito de propriedade corresponde ao processo de ruptura, em relação à propriedade sesmarial, que tinha natureza pública de exploração e se condicionava por deveres, como o de cultivo e moradia habitual. A origem da propriedade sesmarial brasileira alude à legislação agrária de D. Fernando I, de 1375, posteriormente incorporada às Ordenações do Reino.

No período colonial brasileiro, a legislação sesmarial amoldava-se às exigências da economia, que se baseavam no latifúndio e na escravidão. Porém, manteve sua forma essencialmente condicionada pelos deveres de cultivo, da medição e demarcação das terras, dentre outros. Cumpre destacar que a sesmaria, vista como forma de exploração, não guarda relação com a visão absoluta da propriedade que coexistia nas Ordenações Filipinas.

Na passagem para a forma jurídica absoluta e individual que o Código Civil brasileiro de 1916 formulou como poder exclusivo da vontade, as etapas fundamentais, na sociedade brasileira foram: a promulgação da Lei de Terras, de 1850 – que afastou o fundamento do cultivo e procurou extremar o domínio público do particular –, e a reforma hipotecária, de 1864, que sentou as bases para a organização registral e a concepção da transcrição, como modo de aquisição da propriedade. Atendia às exigências econômicas da absolutização e da mercantilização da terra, no contexto da introdução das relações capitalistas de produção no Brasil.

Apesar das perspectivas constitucionais acima referidas, deve-se considerar também que a propriedade privada, no Brasil, pode ser compreendida como instrumento de supremacia e dominação de determinado segmento social. O latifúndio, a especulação imobiliária, a falta de regularização fundiária e as tentativas de reforma agrária ainda representam grande parte do que o imaginário social faz da propriedade privada, e que reflete o desafio jurídico que a propriedade privada sobre bem imóvel representa ao crescimento econômico no século XXI.

A tese adota a perspectiva de que deverá ser reescrito o direito à propriedade privada imóvel, no âmbito das relações econômicas constitucionais. Promove a sua reformulação jurídica como direito fundamental, que representa certo elo entre a dignidade humana e a atividade econômica. Assim, compreende a função social da propriedade privada sobre bem imóvel não como desvalor, mas como instrumento propulsor da atividade econômica.

O direito à propriedade privada sobre bem imóvel não pode ser esvaziado de qualquer conteúdo e reduzido à categoria de mera materialização de propriedade formal, como título de nobreza, por exemplo. Deve ter sua estrutura delimitada, assegurada e devidamente publicizada como instrumento jurídico propulsor da atividade econômica.

O estudo considera que as teorias acadêmicas justificam a limitação do direito de propriedade, conforme duas correntes: a teoria da utilidade social e a teoria do ato de soberania. A teoria da utilidade social entende que a propriedade possui elemento individual e elemento social, pois todo direito assenta-se sobre o pressuposto global. A estabilização da propriedade da coisa lhe é atribuída somente pelo todo que a reconhece ou pela lei. Já a teoria do ato de soberania entende que a propriedade estaria sob o direito do Estado de governar a sociedade e ao seu ofício de defender a coexistência dos indivíduos. A teoria do ato de soberania defende que o Estado exerce poder público soberano sobre a propriedade, proporcionalmente ao que exerce sobre todas as pessoas.

Após o contexto constitucional de 1988, o Brasil adotou a sistemática jurídica da repersonalização e da publicização em relação às limitações do direito de propriedade privada, tanto do ponto de vista individual, como na visão da propriedade sujeita aos interesses públicos. Impõe-se ao poder público o dever de fazer respeitar a integridade da propriedade privada, pois a função social não pode contrastar com o conteúdo mínimo da propriedade privada. Função social e conteúdo mínimo são aspectos complementares e justificativos da propriedade.

Dentro desse contexto, a Análise Econômica do Direito, aplicada à propriedade privada sobre bem imóvel, interpreta que a repersonalização e sua publicização não inibem a livre iniciativa, em face dos valores sociais do trabalho. Pelo contrário, tem-se que a delimitação da titularidade sobre o bem e a devida publicidade, advinda dos Sistemas de Registro de Imóveis, corroboram com a segurança jurídica e auxiliam, significativamente, no fomento da atividade econômica, diminuindo custos de transação e conferindo parâmetros de respeitabilidade aos negócios jurídicos que se estabelecem. Assim, no âmbito das relações constitucionais econômicas, o conteúdo da propriedade privada se enquadra no âmago dos direitos e garantias fundamentais.

O direito fundamental à propriedade privada sobre bens imóveis envolve os modos de aquisição, as formas de gozo e os limites ao seu exercício, com o objetivo de assegurar a função social e, inclusive, de torná-la acessível a todos. Ao se reescrever o direito de propriedade pela perspectiva constitucional, defende-se que a função social não é antônima da livre iniciativa. Nesse sentido, a função social é condicionante à fruição do direito de propriedade, significando limites e contornos regulatórios ao seu pleno exercício na atividade econômica, de modo que se garanta o desenvolvimento humano em harmonia com o crescimento econômico.

Dessa forma, verifica-se que a propriedade privada sobre bem imóvel tem constante aprimoramento com as jurisprudências brasileiras, que se norteiam pela Constituição Federal de 1988. A perspectiva das relações constitucionais econômicas adota modelo eficiente de propriedade para a atividade econômica e não meramente liberal. O Estado passa a intervir, se necessário, a fim de garantir a finalidade social do crescimento econômico.

Além da limitação do direito de propriedade privada, reflete-se que, ao aprimorar a sua aquisição, por mecanismos como o usucapião, por exemplo, confirma-se que função social e livre iniciativa são aspectos complementares e justificativos das relações constitucionais econômicas. A conformidade do exercício com finalidade, economicamente, relevante demonstra o atendimento da função social, apresentando-se como pressuposto de merecimento de tutela jurídica.

A tese discute que existem situações, juridicamente, relevantes no direito à propriedade privada sobre bem imóvel, que são utilizadas pelos sistemas econômicos de modo geral. Relacionam-se com a finalidade de garantir autenticidade, segurança e eficácia a atos e fatos jurídicos, diminuindo os custos das transações. Nessa vertente, retira-se, sutilmente, o indivíduo do eixo da noção de propriedade privada e lança-o no mundo vívido da atividade econômica, sujeito aos fatos naturais e econômicos, como as leis de mercado, com o devido cuidado para não ser contraditório com a noção de repersonalização do Direito Privado.

Ao mesmo tempo em que é instrumento de impulso e aperfeiçoamento do crescimento econômico, a propriedade privada compõe e realça os direitos e garantias individuais fundamentais, especialmente os relacionados com a liberdade e a segurança jurídica, o que gera consequências na órbita dos direitos subjetivos. Para cumprir suas finalidades constitucionais, o direito de propriedade privada deverá contar com princípios e normas compreendidos de modo dialético, ou seja, necessitam ser estudados não de maneira isolada e estanque, mas à luz da Constituição, inclusive para a concreção da dignidade do ser humano.

Como viés prático da relevância em se pesquisar o tema objeto da tese, tem-se o aperfeiçoamento contextual dos institutos de direito privado que adquiriram novas feições com o advento da constitucionalização. A propriedade privada, vista como instrumento de defesa e aperfeiçoamento do crescimento econômico, contribui com formatos jurídicos aptos ao impulso e aperfeiçoamento da atividade econômica, sob o ponto de vista jurídico.

A propósito, é assente que inúmeras questões devem ser objeto de reflexão para que a efetividade dos direitos constitucionais, nas relações econômicas, seja alcançada. Filosoficamente, a tese parte das formulações epistemológicas do que se denomina propriedade privada no paradigma da epistemologia jurídica. Isso representa que o Direito não fica adstrito à noção individual de propriedade privada, ou seja, a propriedade privada no paradigma da epistemologia jurídica é fruto da percepção dialética da localização da propriedade entre a esfera pública e a esfera particular.

A tese tem como objetivo geral compreender como se manifesta, constitucionalmente, a inter-relação da propriedade privada sobre bem imóvel com as relações constitucionais econômicas. Para tal, demonstra o contexto jurídico do direito de propriedade no signo constitucional brasileiro pós-Constituição Federal de 1988 e, através da Análise Econômica do Direito, delineia o Registro de Imóveis no Brasil. Adota-se o desafio jurídico de se compreender a propriedade privada sobre bem imóvel como elemento da relação complexa e dinâmica entre propriedade e Ordem Econômica, sendo essa compreensão necessária para que o crescimento econômico do século XXI proporcione desenvolvimento humano.

Nesse sentido, possui este trabalho como objetivos específicos: analisar a constitucionalização do direito privado, especificamente as implicações na esfera do direito de propriedade, discutindo a relevância econômica que os direitos individuais relativos à propriedade assumiram, ao serem inseridos no bojo constitucional, e os novos formatos de propriedade; mapear as alterações jurídicas que ocorreram, após a promulgação da Constituição de 1988, no que se refere ao entendimento jurídico de propriedade e como elas se relacionam com a Ordem Econômica que a Constituição estabelece; relacionar os aspectos, possivelmente divergentes, da dicotomia "propriedade/função social" com a adequação aos princípios constitucionais e ao desenvolvimento econômico; identificar a função social da propriedade com a necessidade jurídica e econômica de operacionalizar e otimizar a efetivação da propriedade adequada; examinar, criticamente, as implicações jurídicas e econômicas que se relacionam com a propriedade privada sobre imóvel, no contexto da Análise Econômica do Direito.

No que se refere à metodologia da pesquisa científica, quanto aos métodos que se utilizam, tem-se que a tese trabalha com as seguintes temáticas: constitucionalização do direito privado; propriedade; e, relações econômicas constitucionais. Esses temas são complexos, envolvem-se e relacionam-se com conceitos econômicos que necessitam, continuamente, da abordagem jurídica. Assim, para que a pesquisa encontre sua viabilidade científica, adota-se o paradigma da complexidade como suporte metodológico, com o objetivo de se formular ciência jurídica com consciência crítica.

Ao se considerarem as peculiaridades do objeto de estudo, o problema e os objetivos da tese, ela se encontra inserida na abordagem qualitativa de investigação. Tal corresponde a um ambiente acadêmico mais profundo das análises dos fenômenos que não podem se reduzir à operacionalização de variáveis. Assim, a tese não visa à formulação de dogmas gerais, mas à compreensão profunda do contexto jurídico, nos movimentos sociais e culturais que se investigam e analisam, com a abordagem da Análise Econômica do Direito e seus reflexos para o Registro de Imóveis.

O estudo se caracteriza como pesquisa bibliográfica com fim exploratório e descritivo, pois tem como principal finalidade desenvolver, esclarecer e/ou modificar conceitos e ideias, tendo em vista a formulação de problemas mais precisos ou hipóteses pesquisáveis para estudos posteriores. A interlocução da abordagem qualitativa com a teoria da complexidade permite diálogos problematizadores para a compreensão da relação entre o Direito Constitucional e a propriedade privada. A teoria da complexidade que a tese utiliza como recurso metodológico demonstra que os resultados se apresentam como problema e não como solução. Surgem como dificuldade, como incerteza e não como clareza ou como resposta pronta. Nesse contexto, realizou-se, conforme os seguintes métodos: a) estudo bibliográfico e documental, com proposta de escolha crítica e reflexiva; b) postura proativa do pesquisador; c) redação sistemática da tese, conforme as análises que se obtiveram.

A pesquisa bibliográfica e documental buscou atualização para dar suporte aos objetivos. Instrumentalizou a pesquisa, bem como fundamentou, teoricamente, a análise das informações e construção do conhecimento jurídico.

Para tal, utilizou-se – em um primeiro momento – a revisão de literatura, que se realizou com o objetivo de servir como reordenação teórica. Em segundo momento, o pesquisador adotou a postura proativa na feitura da tese. Assim, não foi mero cúmplice dos resultados que obteve. Problematizou o dia a dia das décadas iniciais do século XXI e também propôs mudanças. Conforme as análises que se iam obtendo, os momentos redacionais buscavam suporte contextual sobre a localização do objeto de estudo, no cerne da ciência jurídica. Identificam-se as perspectivas (futuras), as contradições presentes e os ensinamentos do passado, no sentido de contribuir para o desenvolvimento jurídico, no âmbito da propriedade privada sobre bem imóvel.

A problematização da tese formula-se em torno da inquietude acadêmica de saber como a propriedade privada imóvel se reescreve no signo da constitucionalização do direito privado e, nesse sentido, qual a sua análise econômica no crivo do crescimento econômico. Para tal, analisa-se se é possível assegurar o direito individual da propriedade em harmonia com os direitos fundamentais, sem impor ao proprietário custos econômicos desproporcionais aos parâmetros constitucionais para a atividade econômica.

Com o desenrolar dos capítulos, a tese contribui para a construção de conhecimento jurídico que leva em consideração as vertentes que a Constituição Federal de 1988 introduziu no Brasil, no que toca à propriedade privada como relação jurídica complexa e dinâmica. Analisam-se as relações constitucionais privadas, no âmbito da Ordem Constitucional Econômica. Mais especificamente, chega-se aos seguintes resultados: delimita-se o conceito de propriedade que atende às carências jurídicas do direito de propriedade na *interface* da esfera pública com a privada: a propriedade pós-moderna; mapeiam-se, historicamente, as mudanças que foram introduzidas com o advento da Constituição Federal de 1988, no que se refere à propriedade e seu conteúdo, alcance e função.

Assim, reescreve-se o direito de propriedade no constitucionalismo e se traçam contribuições para as divergências jurídicas sobre o *status* jurídico da propriedade privada imóvel no âmbito das relações constitucionais econômicas. Discutem-se proposições dos estudos em torno dos direitos privados constitucionais que refletem para o manejo de informações que introduzam o pensamento de autonomia das relações econômicas constitucionais, em especial da aplicação imediata dos direitos e garantias fundamentais, principalmente do direito à propriedade privada imóvel, inserido, constitucionalmente, como direito e garantia fundamental pela Constituição brasileira de 1988.

Ao demonstrar os conceitos que tratam, particularmente, da vertente econômica da propriedade com a realidade do ordenamento jurídico brasileiro pós-Constituição Federal de 1988, a tese defende a necessidade que o direito de propriedade privada tem de se encaixar nos ditames constitucionais, pois as formulações jurídicas não devem representar movimentos, juridicamente, contrários ao que a Constituição estipula. A relação da propriedade com a Constituição não poderá representar entravamentos jurídicos ao crescimento econômico, e – por outro lado – deve promover aprimoramento das relações constitucionais privadas, com favorecimento da função social contra o abuso individual desigual, o que propicia o desenvolvimento humano. Dessa forma, a tese mostra-se relevante para o amadurecimento da ciência jurídica, no que se refere à constitucionalização do direito privado, no âmbito das relações econômicas e à compreensão jurídica da propriedade como relação complexa e dinâmica, em prol do crescimento econômico satisfatório para o século XXI.

INTRODUCTION

This thesis corroborates the legal assumption that private property ownership is a natural instrument (human nature perspective), and bind to human nature, does not derive from the state and its laws, but precedes them. It integrates the typical human right, in accordance with Article 17 of the Universal Declaration of Human Rights included as a fundamental constitutional right, with strong economic character, and the legal protection of private property ownership is necessary for economic growth in the 21th century. The study rewrites the privately owned property within the private and economic constitutional relations, ensuring a conscious and commeasured way to promote the economic analysis of property rights that includes economic growth (free enterprise) and human development (social values).

The privately owned property constitutionally manifests itself as a legal institution able to contribute to economic growth in the 21th century. This perception is shown feasible by reflecting the legal challenge to understand private property as a complex and dynamic relationship with economic activity. The concept of challenge involves the understanding of the relevance of proprietary situations and of the way these situations are outlined in the early decades of the 21th century. For this, the roles of the social function are discussed in analysis of proprietary relationship of content and its consequent effects.

Traditionally, the legal seizure around the property concept is a repository in classical settings that echo on that stated in the coded substantive law (Civil Code). However, the constitutional perspective of the property reflects the fact that it not only covers the movable or immovable property, but also other property values, such as value-credit. This analysis involves better explanation, for according to traditional civilists teachings, the field of “real rights” (that is the part of privately owned property) is distinct from the scope of “dividend rights” (which involves dividend payments and credit relations/debit).

Thus, from the point of view of civil law theory, the assertion of constitutional perspective of property should not incur legal addiction. By not incurring textual porosities and contradictions, the thesis raised two hypotheses: the first one claims to relativize the difference between real rights and dividend within the property relations; then, it analyzes that the constitutional definition of property is different and broader than the concept of civilian property, infraconstitutional. In the case of relativity between real rights and the dividend, the argumentative content of the thesis of legal epistemology paradigm is that private property is delimited in the epistemological arguments of postmodern rational criticism. The second one is explained directly, that is, the constitutional concept of property is different from the infraconstitutional design (legal) owned by the foundations of constitutional thought and constitutionalism. In this category, the thesis defines its study object in the analysis of the right to private ownership of property within economic activity.

Issues related to property are exploited, as the constitutionalization of the institutes of private law for the fundaments of the Republic and the constitutional principles and standards. In addition, dialogues are started between the Constitutional State and the economy and social/cultural movements as well as global and local dynamics (world), assuming that property right breaks with its absolute character and takes different formats, such as those related to the intangible property, such as the credit property rights (something fluid).

Through the academic analysis, the attention is fixed on fundamental rights and guarantees that are imbricated in the constitutional perspective of the property. The objective is to understand the constitutional law interrelation with private relationships, established among the defining economic situations of private property. For this, it works with the property in a plural legal system perspective.

The doctoral thesis is structured starting from the concept of private property within the legal epistemology, up to a consolidated understanding of the fundamental rights and guarantees on private constitutional relations, constitutional thought and constitutionalism. The perspective of private property ownership is outlined in Brazilian constitutional history and its formats are in accordance with the advent of the 1988 Constitution. Thus, it verifies the legal consistency of private ownership of real estate in Brazil in the context of Economic Analysis Law.

Private property, as a manifestation in legal sign, is operationalized through a complex and a dynamic legal relationship. It merges with the need of constitutionalization, and manifests, changes and gives rise to individual constitutional rights, with impacts on people's life and economic activity.

The constitutionalization of private law as a phenomenon associated with the interpretation of Law in regard to constitutionalization of property rights permeates necessarily private constitutional relationships and its focus on the context of economic relations. It reaches the core of the social function and, at the same time, relates to the need of harmonization between human development and economic growth.

It is in this context that this doctoral thesis points out the legal certainty enshrined in the Brazilian legal system, a fundamental guarantee that exploits the right to private ownership of immovable property, under Article 5, item XXXVI of the Federative Republic of Brazil's Federal 1988 Constitution. It develops the argument that these guarantees are one of the most important and solid rights that the legal system offers to people.

The study considers that the State is the covenant (agreement) among people, who exchange their freedom for security to be provided by the State. People have the sovereignty, since all power emanates from people, and in their name it should be exercised. The governors, as representatives of the people, receive delegation to exercise power. Thus, people renounce their individual will to ensure the accomplishment of a general will.

In this context, when the transition period from the 20th to the 21th century is observed, legal certainty was broadly seen as a guarantee to the right that every person had to require public authorities to protect their rights. In the early decades of the century, when delimiting legal certainty, the scope of the rights and fundamental guarantees that the Constitution establishes, it appears that the fundamental guarantee of legal certainty gained notoriety in its instrumental character to enable the protection and enforcement of fundamental rights, correlating to the procedures suited to the defense and effectiveness of these rights.

The legal system, in the context of the right to private property, indicates difficulties in the implementation of constitutional principles regarding to economic constitutional relations. This situation represents legal challenges in the balance of interests between the appropriate private property for economic relationships and the theoretical constructions of social function in the of fundamental rights accomplishment.

In this sense, this study analyzes complex issues that require, by itself, a degree of academic saturation. They are, however, necessarily interrelated and complement each other. Operationalizing the research through Economic Analysis of Law proves to be dynamic, and requires much more from the researcher/author and from the readers that the observation and reporting of references. Also, it requires a proactive and dialectic approach in order to search for answers and alternatives for the matters raised throughout the chapters.

As a rule of law hierarchically superior to the others, the Constitution established principles relating to the most important private law institutes. Traditional themes of this study area, such as private property, assume a new axiological meaning to stand as institutions with constitutionally defined values in the pursuit of the fundamental rights.

The Federal Constitution of 1988 was guided by the respect for human dignity and the commitment in building and promoting an equalitarian, righteous and fraternal society. It unleashed depersonalization and the legal systematics publicizing. At the same time, it strained the fact that the State interferes in areas that concern only the private sphere. The tendency attested is that the State directs people's behavior and that the individual freedom is smaller. Principles like freedom of choice in the legal business have been mitigated and reinterpreted this axiological legal framework.

Brazilian historical particularities reveal that the design of the 1916 Civil Code was historically constituted as a result of the 19th century liberal individualist doctrines. So, private and individual property, traditional family and freedom of choice were preserved up in an indisputable way and kept in safe from state interference. With the advent of the 2002 Civil Code, the private autonomy in legal transactions and the absoluteness of property in line with the constitutional principles were mitigated, in a certain way as an attempt of establishing some harmony among civilists in the command of the Brazilian Constitution. Thus, the structural changes have taken place from the perspective that the person took the center of the legal system.

The Federal Constitution of 1988 led to the legal systematic expansion of the state's interests in areas that previously belonged to the strict scope of Private Law. Private ownership has taken different formats in economic activity and its configuration is presented as a legal challenge to the economic growth of the 21th century. This is positive from the point of view of the individual rights constitutionally provided for in the *caput* of the 5th article of the 1988 Constitution, which reflects the constitutional protection against the tendency of the state to direct people's behavior. The notion around the constitutional private property is highlighted with the need of legal certainty of economic growth, in order to balance public and private interests, in view of sustainability and pluralism.

Therefore, it seems obvious that one cannot understand the legal focus given to private property without the necessary support of Constitutional Law. This scenario demonstrates the understanding of private property ownership as an instigation to legal doctrine, since legal systematic should mature formulations and possibilities on the property to allow the improvement of economic relations, so that it promotes economic growth and human development.

At the same time, the compatibility between private property, considered as a complex legal and dynamic relationship with the Brazilian Constitution foresees that the systematic legal on private property should result from the analysis of its nature, content and scope in economic activities. This reinforces the necessity of efficiency in their performance and their valuation as appropriate instrument, as well as the improvement of freedom in economic relations that correlate with free enterprise.

This doctoral thesis points out the importance of studies on private property in the perspective of paternal constitutionalism in the early stages of the 21th century, and provides a critical view for guiding other studies within academic doctorate. From the constitutional analysis of the property that focus on economic private relations, it can promote a permanent and dynamic transformation, besides organizing dogmatic and theoretical structures as well as constituting a matrix involving private constitutional relations and its implications as a mechanism to check alternatives for developing vital citizenship spaces and constitutionalism in the various Brazilian regions. .

The private ownership of the property manifested itself as a complex legal and dynamic relationship, which is no longer conceived as a complete subordination relationship before the owner, but as a subjective legal situation, which does not conflict with this and represent centers of interests sometimes opposing and divergent. Thus, in the early years of the 21th century, it has taken different features from those that were formulated during the previous centuries.

In the various dimensions that contribute to compose the private property formats at the heart of globalization, there are incessant needs of rewriting it in the context of fundamental rights and guarantees. The private ownership of the property takes multiple features for economic activity, resulting in the discussion of its legal framework, including social values of work and free enterprise, and the role of the state in economic intervention.

The prospect of private ownership of the property and the constitutional relations point to a transient connection with indeterminate taxpayers, as it is carried out with those who have contact with the property at the heart of economic activity in the legal situation. So, taxable people in real rights are indeterminate. What exists is economic centers of interest. The legal perception is conduct or abstention, or cooperation between the owner and those who interact with it, because of the economic activity.

Diachronically, liberal bourgeois property had important historical significance, both in the individual and collective implications. The Civil Code French of 1804 (Napoleonic Code), for example, provides all the obligatory right within the book on ways to acquire private property. This reflects the respect that the state should have to the owner colleges to a good disposition of it, in order to enjoy, use and abuse of it in an almost absolutely.

In Brazilian peculiarities, history of property rights corresponds to the breaking process, in relation to *sesmarial* property, which had public nature of exploration and was conditioned to duties such as farming and habitual residence. The origin of the Brazilian *sesmarial* property refers to the agrarian legislation of Ferdinand I, 1375, subsequently incorporated into the Ordinances of the Kingdom.

In the Brazilian colonial period, *sesmarial* legislation molded the economy requirements, which were based on the large estate and slavery. However, it maintained its essentially conditioned form to the duties of cultivation, measurement and demarcation of land, among others. It is worth noting that the land grant, seen as a form of exploitation, is not related to the absolute view of property that coexisted in the Philippines Ordinances.

In the passage to the absolute and individual legal form, the Brazilian Civil Code of 1916 has set itself to the exclusive power of the will. The fundamental steps in Brazilian society were: the enactment of the Land Act in 1850 - which rejected the plea of cultivation and tray in order to make extreme the difference between the particular and the public domain - and the mortgage reform in 1864, which laid the foundations for registry organization and the design of transcription, such as the property acquisition mode and met the economic requirements of absolutism and the commodification of land, in the context of the introduction of capitalist relations of production in Brazil.

Despite the constitutional perspectives above, it should also be considered that private property in Brazil can be understood as an instrument of supremacy and domination of a particular social group. The large estate, land speculation, lack of land tenure and agrarian reform efforts continue to be an important part of the social imaginary that reflects the legal challenge that the private ownership of the property is related to economic growth in the 21st century.

This work adopts the perspective that the right to private property ownership should be rewritten within the constitutional economic relations. It promotes its legal reformulation as a fundamental right, which is a close link between human dignity and economic activity. So, understanding the social function of private ownership of the property is not worthlessness, but a stimulus instrument of economic activity.

The right to private ownership of immovable property cannot be emptied of any content and reduced to the status of mere materialization of formal property, as a title of nobility, for example. It must have a defined structure, and to be secured and properly publicized as a legal instrument to lead the economic activity.

The study notes that academic theories justify the limitation of property rights, as two streams: the theory of social utility and the theory of sovereignty act. The first one believes that the property has an individual and a social element, since all law is based on the overall assumption. The stabilization of the property is allocated only to the ones who recognizes it or by law. The second one, in turn, understands that the property should be under the State's right to govern society and to its office to defend the coexistence of individuals. The theory of sovereignty act argues that the State exercises sovereign power over public property in proportion to that exercised over all people.

After the constitutional context of 1988, Brazil adopted legal systematic depersonalization and publicity in relation to the limitations of private property rights, both from the individual point of view, and the property subject to the public interest. The duty of public authorities must respect the integrity of private property, the same way as the social function cannot contrast with the minimum content of private property. Social function and minimum content are complementary and supporting aspects of the property.

In this context, the Economic Analysis of Law, applied to private ownership of the property, interprets the "repersonalization" and its publicity without inhibiting the free enterprise in the face of social work values. Instead, it is the delimitation of ownership of the good and the publicity arising of Property Registration Systems corroborate legal certainty and help in a significant way in promoting economic activity, reducing transaction costs and checking parameters of respectability. In the context of economic constitutional relationships, the private property of the content penetrates the core of the fundamental rights and guarantees.

The fundamental right to private ownership of property involves acquisition modes, forms of enjoyment and the limits to its exercise in order to ensure the social function and even to make it accessible to everyone. When it rewrites the right to property by constitutional perspective, it is argued that the social function is not opposed to free enterprise. In this sense, the social function is conditioned to the enjoyment of property rights, meaning limits and regulatory boundaries to their full enjoyment of economic activity, such to guarantee human development in accordance with economic growth.

Thus, it appears that the private ownership of the property has had constant improvement with the Brazilian case law, which is guided by the Constitution of 1988. The prospect of economic constitutional relations adopts efficient model of property for economic activity, not merely liberal. If it is necessary, the State will intervene to ensure the social purpose of economic growth.

Besides the limitation of the right of private property, it reflected that, by improving its acquisition by mechanisms such as adverse possession, for example, it is confirmed that social function and free enterprise are complementary and support economic aspects of constitutional relations. The conformity with relevant purpose of the exercise demonstrates the care of social function, presenting itself as deserving assumption legal protection.

This research argues that there are legally relevant situations in the right to private ownership of the property, which are used by economic systems in general. They relate to in order to ensure authenticity, safety and efficacy of acts and legally relevant facts, reducing transaction costs. In this aspect, it cuts up the axis of the individual's notion of private property and casts it into the vivid world of economic activity subject to natural and economic facts, as market laws, which care is not to be contradictory to the notion of Private Law repersonalization.

While it is impulse tool and improvement of economic growth, private property composes and highlights the fundamental rights and individual guarantees, especially those related to freedom and legal certainty, which creates consequences in the range of subjective rights. To fulfill its constitutional purposes, the right of private property shall have principles and rules dialectically understood that is, they should not be studied in a isolated and tightly way, but in the light of the Constitution, including the concretion of human dignity.

A relevant topic developed in this research is the contextual improvement of private law institutes. They have acquired new features with the advent of constitutionalization. Private property, seen as an instrument of defense and improvement of economic growth, contributes to legal formats able to push the economic activity from a legal point of view.

By the way, it is understood that numerous issues should be subject of reflection for the effectiveness of constitutional rights in economic relations. Philosophically, this thesis approaches the epistemological formulations of what is called private property in the paradigm of legal epistemology. It represents that the Law is not attached to the individual notion of private property, nor private property in the paradigm of legal epistemology is the result of the dialectical perception of location of the property between the public sphere and the private sphere.

This doctoral thesis has the general objective of understanding how the private property interrelationship with the economic constitutional relations manifests itself in a constitutional way. For this, it demonstrates the legal framework of property rights in the constitutional sign Brazilian post-1988 Federal Constitution and, through the Economic Analysis of Law, outlines the Real Estate Registry in Brazil. It also adopts the legal challenge of understanding the private ownership of the property as a complex relationship element and a dynamic of ownership and economic order, and this necessary understanding for the economic growth in 21th century provides human development.

Thus, this study aims at: analyzing the constitutionalization of private law, particularly the implications in the sphere of property rights; discussing the economic importance that individual rights to property have taken when inserted in the constitutional bulge and in the new proprietary formats; mapping the legal changes occurred after the promulgation of the 1988 Constitution, regarding to the legal understanding of property and how they relate to the Economic Order that the Constitution establishes; relating possibly divergent aspects, such as the dichotomy "property/social function" with its adaptation to the constitutional principles and economic development; identifying the social function of property to the legal and economic need in order to operationalize and optimize the execution of the appropriate property; examining in a critical way the legal and economic implications relating to the private ownership of property in the context of Economic Analysis of Law.

Regarding to the methodology, the following themes were approached: constitutionalization of private law; property; and constitutional economic relations. These topics are complex, engaged and related to economic concepts and need continual legal approach. So, in order to the research acheive their scientific feasibility, it is adopted the paradigm of complexity as a methodological support, aiming at formulating legal science with critical awareness.

The research is qualitative. This means a deeper academic environment of the analysis of the phenomena that cannot be reduced to the operationalization of variables. Thus, the thesis is not aimed at formulating general dogmas, but a deep understanding of the legal context, with the approach of the Economic Analysis of Law and its consequences for the Real Estate Registry.

Also, the study is bibliographical with exploratory and descriptive purpose, for its main purpose is to develop, clarify and/or modify concepts and ideas, intending to identify more precise problems or raise searchable hypotheses for further studies. The dialogue of the qualitative approach to the theory of complexity allows problem-solving dialogues for understanding the relationship between Constitutional Law and private property. The Complexity theory shows that the results are presented as a problem, not as a solution. They emerge as difficult as uncertainty and not as a clear or as a prompt response. In this context, the research is carried out according to the following methods: a) bibliographical and documentary study, including proposals for critical and reflective choice; b) proactive stance of the researcher; c) systematic writing of the thesis, as the analyzes were obtained.

The bibliographic and documentary research aimed at updating and supporting the goals. It grounded them and helped in the analysis of information and in the building of legal knowledge. For this, - at first - the literature review was used for theoretical reordering. In the second stage, the researcher adopted a proactive stance in developing the thesis. He was not a mere accomplice of the results obtained, but problematized the daily lives of the early decades of the 21th century and proposed changes. The analysis showed that the text times sought contextual support for the location of the study object at the heart of legal science. Prospects (future) identify the contradictions and the teachings of the past to contribute to legal development in the private ownership of the property.

The thesis problematics is formulated around the academic concern of how the privately owned property is rewritten in the sign of constitutionalization of private law and, accordingly, what it is its economic analysis in the sieve of economic growth. To this, it analyzes if it is possible to ensure the individual right of property in harmony with fundamental rights, without imposing the owner disproportionate economic costs to constitutional parameters for economic activity.

With regard to the development of the chapters, the thesis contributes to the construction of legal knowledge and takes into account the aspects that the Federal Constitution of 1988 introduced in Brazil, regarding to private property as a complex, legal and dynamic relationship. So, it analyzes the private constitutional relations within the framework of Economic Constitutional Order. More specifically, it comes to the following results: definition of the concept of ownership that meets the legal needs of property rights in the public sphere interface with the private: the postmodern property; map of its historical changes that were introduced with the advent of the Constitution of 1988 regarding to the property and its contents, scope and function.

Thus, the research points to the right of ownership that rewrote the constitutionalism and draws contributions for legal disputes on the legal status of private property ownership within the constitutional economic relations. Studies of propositions are discussed around the constitutional privacy rights that reflect the management of information introducing the thought of autonomy of constitutional economic relations, in particular the immediate application of fundamental rights and guarantees, especially the right to private property, inserted as a fundamental guarantee by the Brazilian Constitution of 1988.

To demonstrate the concepts dealing, particularly the economic aspect of the property with the reality of the Brazilian legal system after the Federal Constitution of 1988, the thesis defends that the need of the right of private property has to fit the constitutional dictates, because the legal formulations should not represent movements that are contrary to the Constitution.

The relationship of the property with the Constitution may not represent legal barriers to economic growth, and, on the other hand, should promote improvement of private constitutional relationships with better social function against unequal individual abuse. Thus, the thesis shows to be relevant to the maturing of legal science about the constitutionalization of private law in the context of economic relations and legal understanding of property as complex and dynamic relationship, in favor of a satisfactory economic growth for the 21th century.

A PROPRIEDADE PRIVADA E O PARADIGMA DA EPISTEMOLOGIA JURÍDICA

A propriedade privada encontra-se atrelada à necessidade de cumprimento da sua função social. Isso reflete a exigência de que ela se manifeste, também, em prol da coletividade. A própria concepção de propriedade privada acompanha os debates e os momentos político-históricos das sociedades ocidentais. Nas peculiaridades brasileiras, a propriedade privada perpassou o caráter absoluto do individualismo e assumiu novas manifestações, como se depreende do texto da Constituição Federal de 1988, que positiva a propriedade como direito fundamental e como princípio da Ordem Econômica e Financeira (Art. 5º, XXII e Art. 170, II, CF).

O conceito clássico de propriedade privada vinculou-se ao de norma jurídica, em que o proprietário é aquele que preenche de modo líquido e certo os requisitos da lei, para assim ser considerado como o titular dos bens no campo jurídico. Pereira (2010) aponta que não há conceito inflexível do direito de propriedade privada. Orlando Gomes (2000, p. 97) comunga dessa ideia, enumerando três conceitos:

> Sua conceituação pode ser feita à luz de três critérios: o sintético, o analítico e o descritivo. Sinteticamente, é de se defini-lo com *Windscheid*, como a submissão de uma coisa, em todas as suas relações, a uma pessoa. Analiticamente, o direito de usar, fruir e dispor de um bem, e de reavê-lo de quem injustamente o possua. Descritivamente, o direito complexo, absoluto, perpétuo e exclusivo, pelo qual uma coisa fica submetida à vontade de uma pessoa, com as limitações da lei.

O presente capítulo analisa a propriedade privada como elemento da disciplina jurídica. Para tal, parte dos estudos da epistemologia jurídica. O objetivo do capítulo é demonstrar as múltiplas possibilidades acadêmicas que a propriedade privada adquire nas décadas iniciais do século XXI, servindo como um fio condutor para os demais capítulos. Assim, a partir das análises da propriedade privada, no contexto da epistemologia jurídica, verifica-se a necessidade acadêmica de reescrevê-la no âmbito das relações econômicas constitucionais, assegurando certo modo consciente de se promover uma análise econômica do direito de propriedade que contemple o crescimento econômico.

As disciplinas jurídicas brasileiras seguem, em sua maioria, a linha românica de Direito. Permeiam-se nos pensamentos de que o Direito deve ser positivista e de que a questão de justiça se limita à adequação do fato concreto à norma. Percebe-se, de modo claro, a complexidade jurídica que existe, quando as técnicas jurídicas se fecham em questões abstratas, com negligência da perspectiva humana e do bom senso. A afirmação foucaultiana de que "[...] as grandes mutações científicas podem ser lidas, às vezes, como consequências de descoberta, mas podem também ser lidas como a aparição de novas formas na vontade de verdade" (FOUCAULT, 2004, p. 16) sinaliza a constatação de que o método de aplicação jurídica nas décadas iniciais do século XXI, em muito se encontra imerso no paradigma segmentado nos séculos XIX e XX.

> A disciplina é um princípio de controle da produção do discurso. Ela lhe fixa os limites pelo jogo de uma identidade que tem a forma de uma reatualização permanente das regras. Tem-se o hábito de ver na fecundidade de um autor, na multiplicidade dos comentários, no desenvolvimento de uma disciplina como que recursos infinitos para a criação dos discursos. Pode ser, mas não deixam de ser princípios de coerção; e é provável que não se possa explicar seu papel positivo e multiplicador se não se levar em consideração sua função restritiva e coercitiva (FOUCAULT, 2004, p. 36).

Entre as principais contribuições epistemológicas de Fernand Braudel (1988), que ocorreram no âmbito das disciplinas científicas do século XX, podem-se destacar: a superação das introduções meramente descritivas e "passivas", fazendo com que se tenha papel "ativo" e condicionante na explicação histórica; o redimensionamento do termo "localizar", contextualizando as coerções das formas de poder; a ênfase na dinâmica espacial da economia em sua trajetória histórica com a exposição dos usos políticos e estratégicos do espaço e o próprio resgate das hegemonias territoriais do capitalismo, conectado por meio de redes de transporte, comunicações e negócios. Assim, as manifestações do conhecimento científico, nas décadas iniciais do século XXI, incorporam as críticas que Braudel (1988) fez ao método epistemológico que predominou no século XX, sendo que o autor evidenciou a necessidade de pensamento social complexo.

Nesta linha de raciocínio, Guilherme Ribeiro (2008) propõe que, ao se formular a neutralidade do trabalho científico com o primado da *longue durée*, sustenta-se que a história da epistemologia jurídica faz os homens mais do que os homens fazem a história. A concepção braudeliana de História e, consequentemente, de epistemologia, retrata posição política de não engajamento, frente às mazelas da vida social. Trata-se de epistemologia conservadora, "elaborada por fora das utopias de revolução social. Certamente que esses aspectos afastaram muitos intelectuais que até poderiam manter certa admiração por suas ideias, mas não toleravam as consequências políticas das mesmas" (RIBEIRO, 2008, p. 359).

É nesse sentido que se propõe o enfoque da epistemologia jurídica na complexidade, para romper com essa visão conservadora. A perspectiva da complexidade adquire relevância para os estudos jurídicos, pois se formulam debates, em torno dos fundamentos do conhecimento no sistema jurídico. E possibilitam-se revisões do dogmatismo, no qual o sistema jurídico brasileiro encontra-se submerso.

Nesse contexto, Zygmunt Bauman (1998) analisa a pós-modernidade e assevera que o anúncio do "fim da ideologia" é uma declaração de intenções que funciona mais do que a descrição das coisas tais como são: não mais crítica da maneira como são feitas, não mais juízo ou censura do mundo pelo confronto da situação presente com a alternativa de uma sociedade melhor. Para Bauman (1998), a teoria deve se aliar com a prática de maneira crítica como a própria vida pós-moderna: fragmentadas, desregulamentadas, autorreferidas, singulares e episódicas.

Outra questão importante, no debate da propriedade privada no paradigma da epistemologia jurídica, é a reflexão acerca do enfraquecimento do conceito de justiça e do que significa ser justo. A noção tradicionalista considera que a justiça é elemento subjetivo. Mas essa mesma noção admite que ela tem espaço na ciência jurídica com impactos nas disciplinas jurídicas.

Hans Kelsen (2001, p. 155), em sua obra "O que é justiça?", elenca a noção tradicionalista de justiça e, em seu contexto, assevera que "o problema mais crucial de nosso tempo é o princípio da propriedade privada e a justiça do sistema jurídico e econômico fundamentado nesse princípio". Leonel Severo Rocha (1998) critica a concepção tradicionalista da justiça ao observar que Kelsen generaliza a justiça, quando defende que a criação de norma jurídica é sempre regulada por outra norma jurídica superior e, assim, sucessivamente, "até atingir o topo: o fundamento de validade do ordenamento" (ROCHA, 1998, p. 69). Assim, o fundamento de validade do ordenamento não se mostra como a mera presença da norma jurídica superior, mas um sistema de cooperação equitativa.

A concepção de justiça de John Rawls (2003) menciona os princípios básicos que irão instituir uma sociedade bem ordenada, para um sistema de cooperação equitativa, entre seus membros. O primeiro princípio garante direito igual a liberdades e direitos básicos iguais para todos. O segundo se relaciona com as desigualdades sociais e econômicas. Deve-se possibilitar justiça e igualdade de oportunidades e proporcionar maior vantagem para os membros mais desfavorecidos. Assim, será possível se atingir a base de legitimidade política. Pelos princípios, garantem-se as liberdades e igualdades.

Conforme a concepção de ciência jurídica que se adota, a mera adequação do fato concreto à norma jurídica não é o que o a ciência jurídica almeja, pois o Direito deve formular teorias que sejam aptas para aprimorar as relações privadas que as pessoas estabelecem em sociedade. "A defesa de um sistema jurídico plural tem forte inspiração nas fontes do próprio Direito. Ele alimenta-se da vida, suas instâncias, mutações e aspirações. Atravessa códigos e regras para se abrigar nos princípios e fins" (FACHIN, 2006, p. 290).

Ao se propor diálogo entre a realidade social e o ordenamento jurídico, deve-se atentar para o fato de que o estudo do direito não pode prescindir da "[...] análise da sociedade na sua historicidade local e universal, de maneira a permitir a individualização do papel e do significado da juridicidade na unidade e na complexidade do fenômeno social" (PERLINGIERI, 2007, p. 1). Neste sentido, Marcel Fernandes (2010) reafirma o postulado de que a epistemologia da complexidade aplicada ao direito propõe examinar o todo na parte e a parte no todo, e, assim, a ciência jurídica não seria *ilha isolada* de conhecimento.

> A epistemologia da complexidade propõe que a ciência deve sempre buscar a multi-transdisciplinaridade na abordagem de seus temas. A hiperespecialização proposta no modelo positivista é arbitrária e perde a perspectiva do todo. Não se trata, no entanto, de um projeto holista. Propõe-se examinar o todo na parte e a parte no todo. Assim sendo, o direito não seria uma ilha isolada da filosofia, da psicologia, da antropologia ou de qualquer outro ramo do saber humano. O direito pertence ao conjunto de conhecimentos do homem, não tendo searas exclusivas (FERNANDES, 2010, p. 15-16).

Ressalta-se que o presente capítulo origina-se de pesquisa bibliográfica que envolve a identificação, seleção e análise de obras pertinentes ao tema da epistemologia jurídica e da pós-modernidade, delineando por meio da teoria da complexidade. Traz reflexão sobre as formas que o saber jurídico, como produção de conhecimento científico, assume na relação que existe entre a incerteza do futuro, as pistas reveladas pelo passado e a necessidade de aplicação jurídica no presente. Para tal, delimita a noção de propriedade privada como disciplina jurídica, como "[...] um princípio de controle da produção do discurso" (FOUCAULT, 2004, p. 36).

A ideia de sistema jurídico tipicamente brasileiro possibilita o diálogo constitucional contínuo com a perspectiva da propriedade privada nas relações constitucionais econômicas. O pensamento sistêmico de Claus-Wilhelm Canaris (2002) propõe visão inovadora sobre a concepção jurídica, superando as visões tradicionais do formalismo e do normativismo. O sistema jurídico local existe, quer se tenha, quer não, específica consciência, sendo a base de todo e qualquer discurso científico em Direito.

O capítulo reflete sobre a aplicação do saber jurídico, em relação à propriedade privada, com o objetivo de esclarecer a ciência jurídica brasileira com consciência. Contribui-se para que o ser humano alcance crítica de mundo mais coerente com o contrato social que advém do Estado Constitucional. Reverbera-se a favor da visão de mundo que inclua a análise de suas dimensões existenciais de liberdade, correlacionadas com as dimensões sociais de igualdade.

1.1 A análise da epistemologia jurídica pela teoria da complexidade

A investigação sobre o conhecimento é questão filosófica da epistemologia. Nas particularidades do Direito, ao refletir sobre "o que podemos conhecer?", levam-se em conta as objeções das teorias epistemológicas. Daí, a necessidade de se distinguir conhecimento de justificação. Não existe consenso ou definição unívoca. Porém, pode-se compreender que o conhecimento associa-se com o contexto científico e a justificação discorre ao modo como é aplicado o conhecimento científico e qual conhecimento científico prevalece, em meio às diversidades de conhecimentos científicos existentes.

Na perspectiva filosófica da epistemologia jurídica, o conhecimento científico deverá ocorrer por intermédio de conjecturas controladas por meio da crítica e da análise de casos concretos que a jurisprudência realiza, mas sem a pretensão de corroboração e justificação, antes de provocar a refutação de determinada teoria. Na defesa da análise de casos concretos advindos da atividade jurisdicional, nega-se que essa perspectiva represente regresso ao infinito. O regresso ao infinito não acontece porque o cientista do Direito procura refutar e não, justificar ou corroborar com dada teoria. "Nesse particular, os fundamentos da ciência estão em constante jogo de aprofundamento e mudança para buscar base mais sólida. E a verdade deve ser tomada como eterna busca ou tentativa de aproximação efetiva" (FABIAN, 2007, p. 137).

No âmbito das conjecturas controladas por meio da crítica e da análise de casos concretos, Pierre-Jean Labarrière (1977, p. 159-167) argumenta que o jurista deve interromper o exercício de sua ciência, quando acostumada a meramente organizar o arsenal de leis e decisões jurisprudenciais. Não se pode deixar de surpreender ante um tipo de reflexão difícil de ser situada no conhecido universo dos discursos: nem em manual de direito positivo nem na simples análise da essência das coisas. O jurista deve analisar as conivências e oportunidades que existam entre uma abordagem de tipo filosófica e de tais pontos de marcação histórica extremamente concretos.

Neste sentido, a tese desenvolvida por Eloi Pedro Fabian (2008) demonstra que as teorias científicas são comparadas às mais diversas redes e teias, porque a ciência é tão-somente o senso comum iluminado. O papel da epistemologia jurídica é buscar tornar a malha da rede científica mais fina para alcançar mais objetos. Naturalmente, encontra-se tentativa evidente de apresentar novos critérios científicos frente às filosofias positivistas do Círculo de Viena e de Wittgenstein. Com esse intuito e esforço, as considerações que se extraem são ainda bastante limitadas, porque se preserva a observação como critério para estabelecer a fronteira entre as teorias consideradas científicas e as não consideradas como tal, assim como para mantê-la ou refutá-la.

Nas teorias contemporâneas da justificação, o ressurgimento de algumas das características do fundacionismo epistêmico clássico provocou não poucas reações, no seio da comunidade epistemológica, dando início a intensos debates filosóficos. O fundacionismo clássico assume a existência de certas qualidades presentes na experiência, que se apresentam, em algum sentido, diretamente à consciência. Em cada teoria científica, expoem-se noções, a partir das quais os cientistas procuram explicar como as crenças básicas relacionam-se às experiências às quais se referem, de modo que a essas crenças pode ser atribuída justificação infalível e não inferencial. É a consciência de conteúdo constitutiva do estado mental que torna possível erigir a "ponte epistêmica" entre a crença e a experiência, sendo que é a relação de familiaridade que permite o contato direto entre o produtor de verdade (fato) e o portador de verdade (pensamento). Assim, estabelece-se vínculo seguro que dá origem ao "*status* epistêmico" peculiar de crenças básicas (ETCHEVERRY, 2009, p. 90).

A perspectiva que Kátia Martins Etcheverry (2009, p. 90) desenvolve revela que, dentro do fundacionismo epistêmico, as versões clássicas têm, em comum, a alegação de que crenças empíricas fundacionais justificadas são aquelas cujo objeto são as qualidades das experiências diretamente experienciadas pela lógica. A consciência dessas qualidades demonstra como e porquê de os pesquisadores fundamentarem sua crença de que as qualidades do fundacionismo epistêmico, no século XXI, estão presentes na experiência. Essas análises mostram-se viáveis ao se verificar o manejo do cientista do Direito com a jurisprudência.

Os estudos sobre as doutrinas paradigmáticas do Direito elaboram investigação histórica do jusnaturalismo, do positivismo e do pós-positivismo. O próprio fundamento da propriedade como direito natural e fundamental se associa às doutrinas paradigmáticas do Direito. A crítica da Epistemologia Jurídica pela teoria da complexidade considera que não se deve isolar um pensamento, conforme essas doutrinas, mas compreender que o direito se manifesta de modo simultâneo entre elas.

Didaticamente, concebe-se que o Jusnaturalismo se subdivide em jusnaturalismo ontológico, que considera que os direitos decorrem do *logos* (cosmológico), de Deus (teológico), da razão humana (racional, "raízes" em Kant); e jusnaturalismo axiológico, que analisa os direitos como valores. Atrela-se ao início do século XX, em especial com os pensamentos de Max Scheler e Nicolai Hartmann. Nessa perspectiva, Ronald Dworkin (2003) afirma que as teorias jusnaturalistas "[...] sustentam que os juristas seguem critérios que não são inteiramente factuais, mas, pelo menos até certo ponto, morais, para decidirem que proposições jurídicas são verdadeiras" (DWORKIN, 2003, p. 44).

Filosoficamente, a análise brasileira de Miguel Reale (2002, p. 590) compreende o Jusnaturalismo sob a ótica de duas teorias: a Transcendente e a Transcendental. A Teoria Transcendente concebe o Jusnaturalismo "como um arquétipo ideal, realidade ontológica válida em si mesma", o que representa um sistema perfeito que independe de qualquer outra coisa para existir, sendo autossuficiente. Por outro lado, a Teoria Transcendental delimita a ação do Jusnaturalismo "ao plano deontológico, em correlação e funcionalidade necessária com o plano da experiência histórica do Direito" (REALE, 2002, p. 590), o que restringe o Jusnaturalismo a plano de valores sociais que se estabelecem, historicamente, e são correlacionados pelo Direito.

O positivismo manifesta-se como corrente filosófica com fortes raízes político-ideológicas. Emergiu com a crise dos valores da sociedade medieval e o surgimento da sociedade burguesa industrial. A evolução histórica do positivismo moldou-se pela modernidade ocidental, como abordagem adequada de ciência e de construção do progresso científico, em que os direitos representam normas impostas pelo Estado. Na obra "O Positivismo Jurídico", Norberto Bobbio (2006) afirma que o Direito Positivo esteve presente em diversos períodos da história das sociedades e argumenta que, juridicamente, o positivismo é a doutrina que reduz a justiça à validade. Nesse sentido, só é justo o que é comandado e pelo fato de ser comandado.

Segundo Norberto Bobbio (2006), o termo positivismo jurídico já pode ser encontrado no mundo clássico, como contraposição ao conceito de direito natural. No século XIX, muitos dos *jus positivistas* foram influenciados pelo paradigma filosófico do *jus naturalismo*. Já no século XX, a abordagem do direito natural no *jus naturalismo* é tida como fonte antagônica ao *jus positivismo*. Na inter-relação das circunstâncias que acompanharam essa relação entre naturalismo e positivismo, emerge, no século XXI, o consenso de que a preservação da propriedade privada pertence ao Estado, para que a diversidade de opiniões entre as pessoas não seja reduzida a um estado de guerra e infelicidade.

A propósito, Kelsen (2001, p. 155) argumenta que os mais destacados defensores do direito natural – de Grotius a Kant – fizeram "o melhor que puderam para provar que a propriedade privada é um direito sagrado conferido pela natureza divina ao homem". Todavia, era difícil provar que a propriedade privada, isto é, o domínio sobre a coisa por um homem, com exclusão de todos os outros, estivesse em conformidade com a natureza, tal como criada por Deus.

Paralelamente, tem-se que o pós-positivismo, também denominado neopositivismo, correlaciona-se com os direitos morais, ou seja, com as exigências éticas que são produto do consenso da sociedade, encontrando como expoentes Dworkin e Habermas. Dworkin (1967), em sua obra "The model of rules I", distingue três padrões normativos: *principles*, *rules* e *policies*. Esta distinção inicial, que ele até abandona em textos posteriores, como no artigo constante do livro "Justice in Robes", em que menciona essa alteração, é importante para se compreender o neopositivismo com as exigências éticas.

Em diálogo com esses ensinamentos, Robert Alexy (2008) desenvolve sua argumentação pós-positivista que se pauta nas normas de direitos fundamentais da Constituição e amplia o conceito e o valor dos princípios, em detrimento das regras jurídicas, articulando-se no sopesamento dos princípios que lhes conferem maior flexibilidade e amplitude, enquanto as regras se atêm ao modo de aplicação "tudo ou nada".

Cabe considerar que Alexy (2008) discorre apenas sobre regras e princípios, distinguindo os padrões normativos. Assim, mostra-se viável relativizar a noção de princípios, em detrimento das regras jurídicas, pois Alexy (2008) não retira ou diminui a importância das regras jurídicas. Ao contrário, inclusive no procedimento de ponderação entre princípios, entende que se chega a uma *regra de precedência condicionada*, aplicável ao caso, ou seja, uma regra é algo necessário.

Ao demonstrar a necessidade jurídica constitucional brasileira de maior desenvolvimento e solidificação da ideia dos princípios como normas jurídicas dotadas da mesma obrigatoriedade positiva das outras, embora "gradada" de acordo com sua possibilidade de execução. Rubens Beçak (2007) argumenta que deve existir um "recorte" prévio na composição da normatização constitucional. Para o autor, deve haver a delimitação conceitual entre normas ético-jurídicas e normas jurídico-éticas.

> As primeiras seriam normas que exsurgiriam do plano ético-moral e, por decorrência da vontade do legislador constituinte, ao serem levadas ao prisma constitucional, adquirem valor normativo. As outras, já tradicionalmente advindas do plano jurídico, na medida em que compõem o panorama constitucional, adquirem inegável força ético-moral, decorrente da força primaz da Constituição. Em nossa visão, as primeiras, as ÉTICO-jurídicas, tendem a compor muito mais o tipo de normas principiológicas do que as JURÍDICO-éticas, talvez muito mais do tipo normas-regra. De qualquer forma, na nossa ideia, é algo totalmente indispensável, hodiernamente, a composição do pensar ético-moral no plano do Direito, sob pena de seu afastamento do devir da humanidade (BEÇAK, 2007, p. 319-320).

Nessa linha de raciocínio, Friedrich Müller (2005) também contribui, ao sistematizar a interpretação e a aplicação das normas jurídicas constitucionais. Para este autor, o processo de interpretação e aplicação das normas jurídicas localiza-se em três planos: a) programa da norma; b) âmbito da norma; e, c) norma de decisão.

> Normas jurídicas não são dependentes do caso, mas referidas a ele, sendo que não constitui problema prioritário se se trata de um caso efetivamente pendente ou de um caso fictício. Uma norma não é carente de interpretação porque e à medida em que ela não é 'unívoca', 'evidente', porque e à medida que ela é 'destituída de clareza' – mas sobretudo porque ela deve ser aplicada a um caso (real ou fictício). Uma norma, no sentido da metódica tradicional (isto é: o teor literal de uma norma), pode parecer 'clara' ou mesmo 'unívoca' no papel, já o próximo caso prático ao qual ela deve ser aplicada pode fazer que ela se afigure extremamente 'destituída de clareza'. Isso se evidencia sempre somente na tentativa efetiva da concretização. Nela não se 'aplica' algo pronto e acabado a um conjunto de fatos igualmente compreensível como concluído. O positivismo legalista alegou e continua alegando isso. Mas 'a' norma jurídica não está pronta nem 'substancialmente' concluída (MÜLLER, 2005, p. 61-62).

É, nesse contexto acadêmico, que as particularidades brasileiras, no século XXI, relacionam o pós-positivismo e o positivismo formalista, o que evidencia a noção de que a teoria jurídica tradicional deve ser dotada de completude. A ideia da completude do ordenamento jurídico se associa ao positivismo formalista, desenvolvido no âmbito dos países do sistema romano-germânico, tanto na versão francesa da Escola da Exegese, como na versão germânica da jurisprudência dos conceitos. Vincula-se, também, ao dogma da necessária estatalidade do Direito.

> A completude do ordenamento indicaria a possibilidade de se extrair dele a resposta para qualquer problema jurídico que venha a surgir. Porém, mesmo de acordo com esta antiquada concepção, as leis, diferentemente do ordenamento, podem conter lacunas, quando não indicarem soluções para questões juridicamente relevantes. As lacunas resultam não só da ausência de disciplina de assunto relevante, como também da percepção de que a regulação prima facie incidente sobre uma determinada situação deixou de contemplar aspecto importante, cuja consideração levaria a resultado diferente. Há, nesta última hipótese, uma dissonância entre a aparente incidência normativa e o sistema jurídico como um todo, que não pode ser imputada à intenção legal (SARMENTO, 2012, p. 30).

Criticamente, Jean François Lyotard (2002) argumenta que os séculos XIX e XX saciaram-nos de terror. Já se pagou o suficiente à nostalgia do todo e do uno, da reconciliação do conceito e do sensível, da experiência transparente e comunicável. Para o autor, a resposta é: guerra ao todo, testemunhe-se em favor do impresentificável, ativem-se os diferendos, salve-se a honra do nome.

Anthony Giddens (1978, p. 318) ressalta que se deve a Auguste Comte (1798-1857) o termo "positivismo" e, naturalmente, a ideia de que "o advento da Sociologia deveria marcar o triunfo final do positivismo no pensamento humano". Ele também adverte que coube a Émile Durkheim (1858-1917) "[...] ligar intimamente a estrutura lógica", estabelecida por Comte já em seus *Cursos de Filosofia Positiva,* "ao funcionalismo moderno".

Em outro contexto, Michael Löwy (2007, p. 30) entende que o paradigma organicista possui muitas semelhanças com a realidade social, por vezes, confundindo-se com o modelo do Darwinismo Social, no qual a sobrevivência é a recompensa dos mais aptos. Nada favorecia injustamente os concorrentes que disputavam entre si as tarefas sociais, prevalecendo os mais aptos a cada gênero de atividade. O pensamento organicista fundamenta-se numa pressuposição essencial, que pode ser entendida como homogeneidade epistemológica dos diferentes domínios e, por consequência, das ciências que os tomam como objeto.

Jean François Lyotard (2002) expressa sua versão da crise da modernidade e do advento da pós-modernidade, no sentido de que o pensamento e a ação dos séculos XIX e XX são governados pela percepção de emancipação da humanidade. O progresso das ciências, das técnicas, das artes e das liberdades políticas emancipará a humanidade inteira da ignorância, do despotismo, e não fará homens felizes, mas nomeadamente cidadãos esclarecidos, senhores de seu próprio destino. Para Jean Lyotard (2002), é na emancipação que têm origem todas as correntes políticas dos últimos séculos, excetuando-se a reação tradicional e o nazismo.

A promessa de liberdade é o horizonte do progresso e a sua legitimação. Todos levam, ou pensam levar, a humanidade transparente a si própria, à cidadania mundial. Jean Lyotard (2002) analisa que os ideais de cidadania mundial estão em declínio, na opinião geral dos países ditos desenvolvidos. A classe política continua a retórica da emancipação. Mas não consegue cicatrizar as feridas que foram feitas pelo ideal moderno, durante cerca de dois séculos de história. Não foi a ausência de progresso, mas, pelo contrário, o desenvolvimento tecnocientífico, artístico, econômico e político que tornou possível as guerras totais, os totalitarismos, o afastamento crescente entre a riqueza e a pobreza, o desemprego, os novos pobres e o isolamento das vanguardas artísticas.

Nessa perspectiva, estuda-se a Teoria da Complexidade formulada por Edgar Morin (2005), que inicia seus estudos em três campos do saber, os quais considera interpenetrantes e fundamentais na elaboração da teoria da complexidade: a cibernética, a teoria dos sistemas e a teoria da informação. Ao se observarem as ideias propostas por Edgar Morin (2002), percebe-se que esse autor concebe a realidade como algo complexo e, para dar conta da observação e compreensão dessa complexidade, propõe a epistemologia da complexidade, abordagem que poderia compreender melhor o real evidentemente complexo. Para Edgar Morin (2002, p. 89), mostra-se necessário "substituir um pensamento que isola e separa, por um pensamento que distingue e une". O autor defende que é preciso substituir pensamento disjuntivo e redutor por pensamento do complexo, no sentido de se analisar o todo.

O pensamento complexo propõe que se deve conferir ênfase à necessidade contínua de autoconsciência. A racionalização repercute sobre a percepção de incluir a realidade entre a ordem e a coerência de um sistema, sem deixar que nada exista fora do sistema; remove todas as incógnitas, mistérios, enfim, tudo aquilo que não pode ser explicado. "A complexidade da vida social implica que a determinação da relevância e do significado da existência deve ser efetuada como existência no âmbito social, ou seja, como coexistência" (PERLINGIERI, 2007, p. 1).

A participação do observador em cada observação, o papel de autorreflexão e autoinquérito, os perigos da redução e disjunção e os motivos, muitas vezes escondidos da questão da certeza científica, são temas centrais e recorrentes. Mara Selvini Palazzoli (1990) argumenta que, "desde então, na relação entre observação e observado no sistema, o observador é tanto parte do sistema observado, como o sistema observado é parte do intelecto e cultura do sistema de observação, Morin propõe que o observador se observa enquanto ele observa o sistema" (PALAZZOLI, 1990, p. 128).

Nesse sentido, a Teoria da Complexidade é proposta de mudança de paradigma, ou seja, mudança de estrutura base, que serve de modelo ou exemplo para a condução da maneira de pensar humana. Mesmo assim, não dará conta, por completo, da inteligibilidade e da complexidade do real. Edgar Morin (1998, p. 334) explica:

> O paradigma de complexidade não 'produz' nem 'determina' a inteligibilidade. Pode somente incitar a estratégia/ inteligência do sujeito pesquisador a considerar a complexidade da questão estudada. Incita a distinguir e fazer comunicar em vez de isolar e de separar, a reconhecer os traços singulares, originais, históricos do fenômeno em vez de ligá-los pura e simplesmente a determinações ou leis gerais, a conceber a unidade/ multiplicidade de toda entidade em vez de a heterogeneizar em categorias separadas ou de a homogeineizar em indistinta totalidade. Incita a dar conta dos caracteres multidimensionais de toda realidade estudada.

Articula-se que o complexo é o pensamento que melhor dá conta da realidade, mas isso não significa compreender tudo. Isso faz da complexidade, enquanto epistemologia, muito mais estímulo do que um manual. Assim, Morin (1998, p. 175-176) afirma:

> [...] a problemática da complexidade ainda é marginal no pensamento científico, no pensamento epistemológico e no pensamento filosófico [...] como a complexidade só foi tratada marginalmente, ou por autores marginais, como eu, necessariamente ela suscita mal entendidos fundamentais.

A complexidade "[...] é o pensamento capaz de reunir (*complexus*: aquilo que é tecido conjuntamente), de contextualizar, de globalizar, mas ao mesmo tempo, capaz de reconhecer o singular, o individual, o concreto" (MORIN; LE MOIGNE, 2000, p. 207). É este paradigma que nega a hiperespecialização. Morin (2005, p. 72-73) demonstra, em *O Método 6: Ética*, que a hiperespecialização contribui fortemente para a perda da visão ou concepção de conjunto, pois "os espíritos fechados em suas disciplinas não podem captar os vínculos de solidariedade que unem os conhecimentos". O pensamento cego à perspectiva global não capta aquilo que une elementos separados. Assim, o fechamento disciplinar se associa à inserção da pesquisa científica nos limites tecnoburocráticos da sociedade e gera negligência, em relação a tudo o que é exterior ao domínio especializado.

O pensamento complexo expõe que toda forma de conhecimento, todas as teorias e, particularmente, qualquer esforço, para desenvolver perspectiva integrativa como integrante da teoria, é construção, que desenha em fontes específicas (e não outras), como resultado de escolhas, e também por causa de contingências históricas e das preferências pessoais dos teóricos. Esse processo de construção indica as limitações de qualquer modo de exibição, não importa o quão desafiadores sejam os estudos, e também aponta para a abertura da análise científica criativa, que se envolve no processo de construção do conhecimento científico, com as respectivas restrições e possibilidades que marcam todos os caminhos da investigação científica.

O estudo do direito não deve ser feito por setores pré-constituídos, mas por problemas. A complexidade do sistema jurídico encontra-se no fato de que os problemas concernentes às relações privadas "devem ser colocados recuperando os valores publicísticos ao Direito Privado e os valores privatísticos ao Direito Público. Resta a ser individuada certa sistematização do direito" (PERLINGIERI, 2007, p. 55).

Essa análise parte de ampla discussão da relação da parte com o todo, incluindo crítica ao holismo, e reflete seu esforço para ir além de tais polarizações na história do pensamento. De fato, o pensamento complexo informa ressignificação dos conceitos epistemológicos como unidade e diversidade, ordem e desordem, unidade e multiplicidade, justiça e injustiça, o único e os muitos. De particular interesse para os teóricos das escolas integrais norte-americanas, Alfonso Montuori (2013) argumenta que a Teoria da Complexidade ajuda a superar as relações e interações entre os quatro quadrantes, na posição entre cérebro e mente, individual e cultural, e assim por diante.

Morin (2007) inspira-se, extensivamente, na teoria dos sistemas, mas deve-se compreender que isso não faz parte de um esforço para "mapear" o ambiente. O conhecimento é o meio de controlar o sistema. Mesmo que o conhecimento perfeito ainda não exista (e, possivelmente, não existirá), deve-se ter em mente a equação: quanto maior é o conhecimento, maior é o poder sobre o sistema.

Quanto às críticas feitas ao pensamento de Edgar Morin, Alfonso Montuori (2013) considera que, para os teóricos integrais, nos Estados Unidos, Morin apresenta abordagem muito diferente para o desenvolvimento humano, uma abordagem transdisciplinar mais apropriada. Assim, as fontes de um verdadeiro pensamento complexo são, talvez, mais comuns em pensamentos integrais, tais como Heráclito, Montaigne, Pascal, Spinoza,

Rousseau, a escola de Frankfurt, Berg-Filho, Bachelard, Von Neumann, Von Foerster, Bateson e os filósofos da ciência de Popper, Lakatos e Holton.

Enfim, a complexidade no prisma da epistemologia jurídica ingressa no século XXI, em aspecto crucial da missão original da teoria do sistema, bem como das teorias cibernéticas, ou seja, o desenvolvimento da abordagem transversal, que pode revelar-se numa maneira de repensar as especializações disciplinares e conectá-las, ao invés de separá-las. A questão é tratar os problemas de pensamento, com distinções nítidas entre o conhecedor e o conhecido, entre um objeto (ou variável) e outro e entre pares de opostos (por exemplo, o justo e o injusto).

Nesse sentido, ao analisar o assunto da complexidade cultural, Iain Chambers (1993) argumenta que a ideia de complexidade intelectual apresenta-se como ecologia social do ser e do conhecimento. O pensamento move-se no reino da incerteza, ao se conferir sentido ao pensamento científico. No entanto, não se pode estar extremamente certo nas proclamações científicas, pois se deve incorporar ao pensamento científico a noção de margem de erro.

A ideia da complexidade cultural critica os anteriores esquemas e paradigmas tradicionais da ciência. Desestabilizam-se as teorias científicas dos séculos XIX e XX, na perspectiva de que o progresso linear é substituído pelo espiral aberto de culturas híbridas e "contaminações, a que Edward Said recentemente se referiu como conjuntos atonais. A imaginação leva o conhecimento em todas as direções, até mesmo para o anteriormente impensado" (CHAMBERS, 1993, p. 189).

Daí, as críticas contumazes de Edgar Morin à hiperespecialização ou à fragmentação do saber em áreas de especialização, como propõe a ciência moderna. Morin (1998, p. 177) argumenta que "a ambição da complexidade é prestar contas das articulações despedaçadas pelos cortes entre disciplinas, entre categorias cognitivas e entre tipos de conhecimento". A epistemologia da complexidade propõe o diálogo entre as especialidades, de modo a construir a visão complexa da totalidade, e, assim, permitir ações mais conscientes e pensamentos que melhor descrevam não um campo do saber, mas o saber humano como o todo.

Ao se constituir a reforma do pensamento, lida-se com os conhecimentos científicos de modo diferente do paradigma clássico de ciência. Na complexidade, a incerteza faz parte do real, bem como incompletude deriva de universo em constante movimento e transformação.

> A reforma necessária do pensamento é aquela que gera um pensamento do contexto e do complexo. O pensamento contextual busca

> sempre a relação de inseparabilidade e as inter-retroações de qualquer fenômeno com seu contexto, e deste com o contexto planetário. O complexo requer um pensamento que capte relações, inter-relações, implicações mútuas, fenômenos multidimensionais, realidades que são simultaneamente solidárias e conflitivas (como a própria democracia que é o sistema que se nutre de antagonismos e, que, simultaneamente os regula); que respeite a diversidade ao mesmo tempo que a unidade; um pensamento organizador que conceba a relação recíproca entre todas as partes (MORIN, 2002, p. 19-20).

Ao se referir ao modelo clássico de pensamento e de ciência, Morin (2002) usa os termos "paradigma da simplificação" e "pensamento linear". Essas expressões representam antagonismo ao pensamento complexo. Assim, Morin (1998, p. 330) define o paradigma da simplificação como o conjunto dos princípios da cientificidade clássica que, ligados uns aos outros, produzem concepção simplificadora do universo (físico, biológico e socioantropológico).

Em relação à epistemologia jurídica na complexidade, os momentos constitutivos do conteúdo da lei (da individualidade da razão) são, de um lado, a própria individualidade, e, de outro, sua natureza inorgânica universal, ou as circunstâncias que ocorrem "em função dos quais a individualidade determinada tem de ser determinada" (HEGEL, 1997, p. 195). Ribeiro Júnior (1983, p. 19) assinala que, para fundamentar sua corrente filosófica antimetafísica, August Comte, embasado nesse método, parte da premissa de que é no estado positivo que o espírito humano reconhece a impossibilidade de obter noções absolutas. Assim, renuncia a indagar a origem e o destino do universo e a conhecer as causas íntimas dos fenômenos, para se consagrar, unicamente, a descobrir, pelo uso combinado do raciocínio e da observação, as suas leis efetivas, isto é, as suas relações invariáveis de sucessão e de semelhança.

Arnaldo Vasconcelos (1998, p. 55-56), em seu estudo "Direito, Humanismo e Democracia", analisa que a ideia necessária para fundamentar a ordem jurídica, o modelo que ela deve seguir em sua construção, a fim de tornar espontânea a obediência à lei, é, para Kant, como para os principais neokantianos, a noção originária de Direito Natural. A Justiça que seus princípios transmitem às normas jurídicas constitui-se pressuposto suficiente, para afastar as possíveis resistências a seus preceitos.

Com essa ligeira mudança de perspectiva na colocação kantiana, em que se substitui o sentido negativo da pena pela noção positiva de obediência espontânea, porém sem abalar a fórmula linguística de sua construção, que é muito expressiva, poder-se-ia formular o primeiro postulado das relações entre o Direito Positivo e o Natural nos seguintes termos: "o Direito Positivo é tanto mais justo quanto mais as suas normas se aproximam do Direito Natural" (VASCONCELOS, 1998, p. 56).

A incerteza do conhecimento é algo presente em todas as ciências. Incerteza, no sentido de que é impossível alcançar conhecimento verdadeiro de maneira absoluta e universal. Em outras épocas, com base no fundamento que o método científico conferia, essa *incerteza* era percebida de maneira transparente, apenas nas ciências humanas e na teologia. Para Arnaldo Vasconcelos (2000), o emprego do vocábulo *verdade*, na atividade científica, constitui problema extremamente controvertido para a ciência jurídica. Há inquietude na busca somente pela verdade, mas a ciência não consegue apreendê-la. Se algo é posto como verdadeiro, sempre restará outra face pleiteando a mesma condição. Por não se chegar à verdade absoluta e universal – adjetivos reservados mais à Filosofia – é que em ciência se valoriza e perquire a veracidade ou verossimilhança.

A Teoria da Complexidade entende que, por conta do reconhecimento da falta de fundamento último para o conhecimento, essa *incerteza* manifesta-se em todas as suas dimensões, sendo a realidade tida como complexa. Os prejuízos, para a humanidade, resultantes da distância entre a cultura humanista e a tecnológica são cada vez menos contestados. E a realidade não pode ser conhecida usando-se apenas o método que a separa em partes "simples" e que a contempla de maneira "disjunta", como assegura Morin (1997, p. 35).

Busca-se a religação dos saberes que torne o conhecimento mais humano e menos excludente. A reaproximação das culturas humanista e científica, em tese, não tem mais o impedimento epistemológico fundamental resultante da maior ou menor verdade do conhecimento alcançado em cada uma delas. Com base na perspectiva pós-moderna da realidade, é possível retomar a questão do estatuto teórico das ciências humanas, pois não é possível descartá-las, legitimamente, a partir de fundamento último para o conhecimento.

Edgar Morin (2000) sugere que a religação dos saberes passa, necessariamente, por aquilo que ele denomina de *Pensamento Complexo.* Esse pensamento tem o mérito de não excluir, de todo, o pensamento irracional, nem permitir que este seja excluído por aquele. Os dois são faces da mesma razão e estão numa constante relação dialética, procurando conhecer a realidade.

Paralelamente, a Teoria da Complexidade, sob o prisma de Tillich (2013), representa entre os teólogos protestantes a preocupação, de forma abrangente, com a questão do *Sistema das Ciências.* Procura demonstrar a *unidade* que subjaz a todas as ciências, incluindo a filosofia e a teologia, apesar da diferença entre os seus objetos e métodos. Enfatiza a necessidade de adquirir conhecimento, a partir de todas as formas de cognição. Assim, "o ser humano real busca o sentido das coisas através da propriedade e pelo sentido de conjunto das coisas que o patrimônio proprietário representa" (TILLICH, 2013, p. 59).

A proposta de Edgar Morin (2005) defende a religação entre os conhecimentos científicos. Procurar religar os saberes é entender que se tem dificuldades de alcançá-los. Em antítese, Karl Popper (1975, p. 78) considera que o Direito positivo assume postura de indiferença, em relação a qualquer concepção valorativa de bom ou mau e se abstém de cogitar o pensamento científico como elemento intrínseco à natureza do comportamento humano.

No contexto da religação entre os conhecimentos científicos, ao elaborar a Teoria do Direito Supralegal, Karl Engisch (2001) afirma que existem regras e princípios de direito que podem ou não estar positivados, no texto constitucional ou em qualquer outro texto legal. Mesmo assim, essas regras e princípios de direito não deixam de existir, pois independem de qualquer tipo de positivação, em razão de estarem acima da lei, pertencendo ao Direito Supralegal. O aplicador do direito deverá "[...] declarar inválida, ou então corrigir, qualquer estatuição positiva no caso de ela estar em contradição com o Direito Supralegal" (ENGISCH, 2001, p. 326-327).

A Teoria do Direito Supralegal argumenta que, quando, em decorrência da aplicação de uma lei, criarem-se situações relevantemente indesejáveis ou injustas, ou sempre que uma lei contrariar os princípios supremos da justiça, ou ofender o Direito Natural, ou a lei moral fundamental, os aplicadores do direito devem superar o puro positivismo. Assim,

> [...] quando a jurisprudência dos tribunais superiores se reporta por diversas maneiras ao 'direito natural' ou à 'lei moral' ou ainda a uma 'ordem de valores pré-estabelecida' situada acima de um 'relativismo destruidor', quando outros veem esta tábua de valores manifestar-se nos 'princípios jurídicos gerais' ou, com alguma reserva, nas linhas superiores de orientação da nossa Lei Fundamental, e ainda outros pensam poder rastrear a decantada 'natureza das coisas' na estrutura 'imanente' à relação de vida concretamente em discussão (casamento, parentesco, cargo público, relação laboral, serviço militar etc.), trata-se aqui certamente em todos os casos de esforços justificados, e que importam ao jurista, de superar um puro 'positivismo legalista' e de permitir à voz do 'espírito objectivo' ressonância no Direito (ENGISCH, 2001, p. 387).

Na vertente da Teoria do Direito Supralegal, Paulo Ferreira de Cunha (2014) estabelece relação entre Direito e pensamentos contemporâneos, dentre os quais menciona a complexidade como teoria que desafia o Direito no século XXI. Para o autor, a democracia sã (democracia ética) tem de ser sustentável e a sustentabilidade só pode ser democrática. Já a democracia morbosa ou crepuscular se encontra sempre em um equilíbrio muito instável (e a ditadura mais ainda). Precisamente, porque a democracia não se defende. E a democracia defende-se, antes de mais, pela cidadania, e esta se cria e se fortalece pelo exemplo e, mais vastamente, pela cultura e pela educação.

Rubens Beçak (2014) considera que a democracia está para a percepção brasileira como algo que sempre esteve presente, algo tido como óbvio e natural. Considera que essa ideia decorre de sua vitória histórica sobre outras formas de governança. O autor demonstra a evolução dos ideais democráticos, desde os primórdios, passando por diversos questionamentos, até tornar-se ideia hegemônica na realidade jurídica brasileira.

Essa linha de raciocínio corrobora a necessidade de aperfeiçoamento do conceito democrático, sem deixar de reconhecer a legitimidade da representação. Porém, o que se busca é o incremento da democracia, com a utilização da participatividade e da deliberatividade. "De qualquer forma, nesse devir da democracia, trata-se agora de buscar soluções que privilegiem a construção de um plano em que viceje a faculdade da deliberação" (BEÇAK, 2013, p. 19).

Pedro Heitor Barros Geraldo (2005) realiza interlocução entre a Ciência do Direito e a Teoria da Complexidade. O autor analisa que se podem enumerar os elementos chave para se compreenderem os ditames da ciência nova. A autonomia se constrói pela interdependência. A recursividade causal – ou causalidade complexa – em que os efeitos afetam sua própria causa, modificando-a. A ideia de sistema aberto, cognitivamente, aos novos influxos, transformando essas influências em parte de sua existência. E de partes emergentes de que deriva toda essa nova concepção de autonomia da Ciência do Direito.

Contudo, a análise de Geraldo (2005) sugere que a proposta tenha o intuito de superar a ciência moderna – tipicamente positivista – de modo a integrar as lacunas ao próprio processo recursivo de auto-organização dos sistemas, sem olvidar que o próprio paradigma da complexidade não pode ficar à mercê da simplificação e redução das ideias, pois elas mesmas são complexas. As implicações práticas são abandonar o problema da demarcação da ciência – o que é e o que não é científico. Para o autor, pelas lentes da complexidade a arte e a ciência estão integrados. A imaginação artística e o rigor científico caminham juntos para formar o sistema jurídico.

> A complexidade, portanto, contribui pela visão dinâmica de se perceber o mundo, ou seja, sempre como processos intermináveis e reconstrutores de si mesmos. Um devir criativo que garante a unidade e a diversidade convivendo complementarmente. A ciência do direito deve se valer desse paradigma que encerra a um só tempo aportes metodológicos e conteudísticos para buscar concretizar a norma jurídica. Em resumo, pode-se apontar a visão antinaturalista do mundo; uma esfera pública agonística na qual se disputa o sentido da norma; e, finalmente, a ruptura com a ideia de evolução como algo linear e teleológico. Esses apontamentos permitem afirmar que a ciência do direito pode se enriquecer com essa perspectiva que compreende a pluralidade dos pontos de vista e ao mesmo tempo é capaz de mediar as divergências para ir em busca das valiosas contribuições que cada uma delas pode oferecer. Além de sinalizar que o direito não pode prescindir jamais das análises derivadas da sociologia, antropologia e filosofia, já que todas elas compreendem o mundo de uma maneira peculiar que só auxiliam o intérprete a abarcar parte dessa realidade infindavelmente complexificada (GERALDO, 2005, p. 15).

Orlando de Carvalho (1981, p. 48-53), ao formular a teoria geral da relação jurídica, diferencia o sistema interno e o sistema externo no Direito. O sistema interno considera as situações empíricas surgidas das relações entre os seres humanos, ou mesmo da dinâmica social para repensar os institutos jurídicos. Por outro lado, o sistema externo constrói o sentido e toda a releitura que se faz dos conceitos jurídicos, baseando-se na suposta neutralidade empírica, na pureza da ciência, localizando-se em um campo ideal puramente jurídico.

Nesse sentido, Angelita Maria Maders e Isabel Cristina Brettas Duarte (2014) encontram em Edgar Morin a perspectiva complexa para abordar o que denominam novos direitos no sistema das relações jurídicas. Para as autoras, a complexidade apresentada por Edgar Morin é de grande utilidade para a compreensão e interpretação da norma jurídica no que se refere aos direitos constitucionais. Ele foi o introdutor do pensamento complexo, que pode ser lido como crítica à objetividade das ciências, dentre elas, o Direito, cujo modelo tradicional eminentemente positivista não é capaz de responder satisfatoriamente às demandas jurídicas, resultantes de uma realidade social cada vez mais complexa. Tal complexidade estende-se ao âmbito jurídico, em especial aos temas relacionados aos "novos" direitos, pois são eles que mais ensejam reflexão e instrumentalização do Direito, para que haja respostas jurídicas condizentes com essa complexidade.

> A análise que ora procedemos da teoria da complexidade é uma contribuição, uma tentativa de reflexionar sobre o pensamento complexo, principalmente quando inserido na realidade cada vez mais emergente dos 'novos' direitos, desafio este que certamente encontrou limitações inerentes a toda pesquisa. É preciso encarar o desafio de aprofundar o estudo da obra de Edgar Morin na perspectiva do Direito, encarando o fenômeno jurídico, assim como o fenômeno social, como uma desordem e/ou ordem com possibilidade de mudança e aperfeiçoamento. O modelo tradicional do Direito não é capaz de responder aos anseios dessa realidade, de sorte que nunca foi tão importante que novos olhares sejam lançados à vastidão do mundo jurídico, somente comparável à vastidão do mundo social e cultural que cerca os seres humanos (MADERS; DUARTE, 2014, p. 7-8).

Seguindo essa linha de raciocínio, Thiago Alves Miranda (2014) elabora esboço teórico sobre a ciência jurídica com consciência, delimitando a responsabilidade do pesquisador perante a sociedade e o homem. O autor utiliza como marco teórico o pensamento de Edgar Morin e demonstra que os problemas que permeiam a ética e a ciência são reflexo da complexidade e se envolvem juntos nas formulações sobre a vida pós-moderna. Nesse sentido, a Teoria da Complexidade aplicada aos sistemas jurídicos reflete a responsabilidade que não pode ser estabelecida apenas para a ciência, uma vez que ela não consegue preencher as lacunas dentro da sociedade, mas sim, para o ser humano e a complexidade de suas ações e relações, a quem a ciência deve estar ligada, disponível e a serviço. "De tal modo, esse seria o melhor comportamento para a ciência jurídica e para com seus operadores, pois são eles que exercem e lutam por um papel igualitário transformador, frente à sociedade" (MIRANDA, 2014, p. 4).

Jorge Miranda (2015) defende que "a consciência jurídica é sempre consciência formada segundo certos valores e que, sem um consenso básico acerca das relações entre a pessoa e o Estado, não existe princípio de legitimidade". Ela não deve ser um fundamento último em termos filosóficos, mas terá de ser um requisito mais efetivo do que o simples equilíbrio de forças políticas, econômicas e sociais. Assim, "nenhum regime pluralista poderá subsistir, a prazo, sem a crença arraigada no valor da liberdade política" (MIRANDA, 2015, p. 24).

Nesse sentido, Edgar Morin (2005) afirma que a condição de humano traz em si duas importantes marcas da incerteza, sendo uma cognitiva e outra histórica.

> O ser humano é um fenômeno biológico, social, cultural, psíquico e, mais que isso, será sempre um ser conhecido, mas ainda um ser por conhecer: um conhecido-desconhecido. Um ser complexo que não pode ser olhado pela mentalidade das ideias claras e distintas: a clareza e a distinção, ainda que desejadas, não são possíveis por completo (ALMEIDA; PETRAGLIA, 2006, p. 14).

Para contemplar a condição do ser humano, a ciência jurídica necessita ser revista em seus fundamentos e, acima de tudo, vislumbrar novas formas de se posicionar diante da realidade social e do ser humano. A Teoria da Complexidade se torna, com a epistemologia da complexidade, a oportunidade de rever elementos do *jus positivismo* e de possibilitar salto que projete o desenvolvimento do Direito no século XXI. O diálogo necessário é a possibilidade de revolução para a ciência do Direito, de tal modo que o Direito possa "reencontrar o sentido da Justiça, resgatar ideias abolidas, como o *jus naturalismo*, a subjetividade dos agentes operadores do Direito em suas atividades e principalmente se tornar uma ciência complexa" (FERNANDES, 2010, p. 112).

A crítica que a Teoria da Complexidade aplica à epistemologia jurídica verifica que o conhecimento jurídico, ao invés de omitir o sujeito, deve adotar postura proativa sobre o indivíduo, como parte indispensável do processo de construção do conhecimento. O resgate e triunfo do indivíduo não é apenas individualismo liberal burguês, nem apenas indivíduo social com as regras da sociedade. O indivíduo é ator social que tem vida particular com interesses próprios e particulares, mas que, igualmente, modifica o seu ambiente em prol do desenvolvimento coletivo com consciência de suas funções sociais.

O paradigma da epistemologia jurídica, na complexidade, permite perceber a existência da propriedade pós-moderna. A consciência das qualidades pós-modernas na propriedade mostra como e porquê se justifica a crença em que essas qualidades estão presentes na experiência. A consciência de conteúdo constitutiva da propriedade privada torna possível erigir a "ponte epistêmica" entre o conhecimento científico e a experiência, sendo que a propriedade é relação complexa e dinâmica que permite o estabelecimento do vínculo de existência entre centros econômicos de interesses, com manifestação de comportamentos, quer de abstenção, quer de cooperação, entre o proprietário e aqueles que com ele interagem.

Discorrer sobre a propriedade privada imóvel significa correlacionar as múltiplas possibilidades que o ser humano detém para submeter coisa imóvel ao seu domínio. Essa assertiva, por si, gera a compreensão de que o domínio individual ocasiona a exclusão da mesma possibilidade pelos demais membros da sociedade, a não ser que exista um formato jurídico que possibilite um domínio coletivo.

1.2 Investigação científica aplicada ao conhecimento sobre propriedade privada: a crítica racional pós-moderna

Refletir, como metodologia de investigação aplicada ao conhecimento, coloca os argumentos céticos no foco dos acontecimentos filosóficos, enquanto mola propulsora de teorias do conhecimento e da justificação. "O ceticismo mantém sua atualidade enquanto questão a ser enfrentada, não na qualidade de objetivo último, mas como indicador do desempenho dessas teorias" (ETCHEVERRY, 2009, p. 12). A partir da crítica racional pós-moderna, analisa-se a propriedade por meio da investigação aplicada ao conhecimento, desenvolvendo-se noção sobre "propriedade pós-moderna".

> Historicamente o direito de propriedade desenvolveu-se sob a ótica da necessidade de dar-se ao proprietário a liberdade de ele mesmo, ao seu alvedrio, escolher o que fazer ou o que não fazer de sua propriedade, prestigiando-se, portanto, a sua liberdade e a sua personalidade. Essa construção liberal absoluta se tornou insuficiente para a realização do bem comum, daí porque o Estado, que assegurou ao proprietário amplos poderes para usar e gozar da propriedade, também passou a criar condições para que esse uso e gozo alcançassem efetivamente benefícios maiores, de interesse da sociedade. O recurso à função social explica, historicamente, o destaque da nova dimensão dada à propriedade, que, diferente do individualismo oitocentista, deve corresponder a um funcionalismo que, não fazendo do proprietário um oficial ou funcionário do Estado, impõe-lhe, no entanto, deveres para que os intentos sociais possam ser realizados de modo diferente do sistema tradicional. A conquista da concepção social da propriedade deu-se passo a passo, ao longo da história. Como na vida natural, também na vida social nada acontece por geração espontânea, os fatos se sucedem e a sociedade aprende e evolui. Assim, da propriedade absoluta, plena, chegou-se à propriedade com uma função social (FALCONE, 2005, p. 128).

O pensamento moderno entende que a propriedade se perfaz por ser estruturante e linear, caracterizando-se pela habilidade em organizar o sistema jurídico e conservar direitos individuais. O pensamento pós-moderno sobre a propriedade apresenta-se como alternativa não substituta, mas complementar ao pensamento moderno, pois introduz a complexidade, a diversidade e os antagonismos nas relações que envolvem a propriedade. Representa possibilidades para romper com o tradicional. "Apesar das nuvens negras dos dias que passam, acreditamos que o direito ao sonho e à utopia tem hoje mais razão de ser do que nunca. Afinal, [...] a humanidade há-de um dia saltar do reino da necessidade para o reino da liberdade" (NUNES, 2011, p. 106).

Neste sentido, enquanto a modernidade tendia a procurar as diferenças e a marcar as distâncias, "a pós-modernidade tende a procurar as semelhanças e a complexificar as aparências para melhor sublinhar as proximidades. Já não se trata, aqui, de opor as escolas, mas de capitalizar os saberes" (POURTOIS; DESMET, 1997, p. 32). Essa linha de raciocínio comunga com o entendimento de que os princípios da modernidade e do Iluminismo que foram incluídos com apelos à racionalidade, progresso, humanidade, justiça, e mesmo à capacidade de representar a realidade, foram fatalmente solapados. Assim, "a pós-modernidade é a modernidade chegando a um acordo com a sua própria impossibilidade, uma modernidade que se automonitora, que conscientemente descarta o que outrora fazia inconscientemente" (BAUMAN, 1999, p. 288).

Ressalte-se que a crise de decadência da modernidade tem o seu centro de gravidade numa nova forma concreta de economia capitalista. Helmut Thielen (1998, p. 20) assinala que a característica mais central é a passagem da exploração integrativa à excludente incapacidade de exploração da mão de obra. Desse centro econômico de crise da modernidade, resultam as seguintes tendências: em primeiro lugar, trata-se de desvinculação entre a economia capitalista do mercado e a da sociedade civil, democrática, de tal forma que a economia capitalista de mercado destrói, gradativamente, a civilidade e a democracia. Na impossibilidade, está conectada a segunda tendência do desenvolvimento humano em consonância com o crescimento econômico. Nas próprias metrópoles capitalistas, desaparece o poder de regulação econômica e soociopolítica da crise econômica e da desigualdade social. Em vez disso, crescem a crise econômica e a miséria social. A terceira tendência é a transformação da clássica dependência do chamado Terceiro Mundo em uma mistura de autonomia negativa com persistente e agravada dependência.

Essa convicção é básica para o entendimento pós-modernista da sociedade e emerge das críticas pós-estruturalistas que se fazem às manifestações linguísticas, à subjetividade e à representação. Mas enquanto o pós-estruturalismo é a teoria, o pós-modernismo é a prática. "Em outras palavras, enquanto os pós-estruturalistas criticavam os fundamentos do modernismo, os pós-modernistas interpretavam as críticas como injunções para rejeitar por completo os fundamentos" (STABILE, 1999, p. 147).

A propriedade pós-moderna valoriza ambientes não formais de aplicação do conhecimento jurídico como potenciais transformadores das pessoas, organizações e sociedades. Trata-se da ampliação na capacidade de contemplar o complexo e, assim, acredita-se na possibilidade de esta ser melhor alternativa, alinhada às questões socioambientais. A propriedade pós-moderna implica situações legítimas. Pietro Perlingieri (2007, p. 113) considera que o ordenamento jurídico não se perfaz somente como um conjunto de normas, mas também um sistema de relações. Assim, "o ordenamento, no seu aspecto dinâmico, não é nada mais que nascimento, atuação, modificação e extinção de relações jurídicas, isto é, o conjunto das suas vicissitudes".

A propósito, Luiz Edson Fachin (2006) avalia que a construção de possibilidades, recuperando alavancas de sustentação dentro do próprio sistema jurídico, pode ser um caminho para enfrentar a crise que afeta o Direito, nas décadas iniciais do século XXI, depreendendo-se, dela, um papel criativo e propício às verdadeiras transformações. "Não se eleve tal proposta à solução apriorística nem modeladora de procedimentos; percorre, tão-somente os desígnios de hipótese que não se reduz a reproduzir saberes ou a promover exegese estéril. Propõe-se, enfim, um novo modo de ver a realidade" (FACHIN, 2006, p. 283).

A propriedade pós-moderna guarda estreita ligação não somente com a noção de justiça como também com as noções de verdade, falsidade e diferença. As perspectivas sobre a noção de propriedade pós-moderna relacionam-se com a aceitação de propriedades negadas, e sua análise, em termos de diferença, são desdobramentos naturais da noção geral de propriedade. Parte-se do pressuposto de que "o conceito unitário de propriedade, decalcado sobre a noção de propriedade fundiária, tem, pouco a pouco, cedido lugar à ideia de que não existe única propriedade, mas múltiplas propriedades" (PRATA, 2010, p. 186).

Não se pode confundir a propriedade moderna com a propriedade pós-moderna, nem ingressar no mérito de que esta superou aquela. Mas, igualmente, não se pode ignorar que suas semelhanças incorrem em consequências igualmente similares e, nem sempre, politicamente despretensiosas. Se o homem, pela propriedade moderna, alcançou na ciência a base sólida para a explicação dos fenômenos naturais e humanos, pela propriedade pós-moderna, a ciência também é invocada para a discussão das normas de convivência social.

José Isaac Pilati (2009) analisa o conceito e classificação da propriedade na pós-modernidade, o que denomina de era das propriedades especiais. Para esse autor, a propriedade é a instituição central da civilização, não só por constituir o conjunto básico de valores – uma mentalidade – com que se orientam e pautam pessoas e coisas, mas também por determinar e materializar a estrutura com que, historicamente, regem-se e reproduzem as relações de Estados, de indivíduos e de sociedades.

> Resumindo, a propriedade pós-moderna é um salto qualitativo em relação à propriedade dos códigos e da modernidade. No plano político, surge e se exerce no seio da república participativa; no plano jurídico, caracteriza-se como propriedade especial constitucional; e perante o Código Civil, substitui a velha propriedade comum imobiliária, no plano concreto. Hoje, toda propriedade que o leitor possa ter ou obter, é propriedade da categoria especial: urbana ou rural ou étnica ou intelectual. Mas a categoria mais notável é a da propriedade coletiva propriamente dita, extrapatrimonial, como o ambiente, que em sua autonomia de bem coletivo constitui a base da função social (PILATI, 2009, p. 116).

A propriedade pós-moderna não apenas traz lições para os direitos econômicos e ambientais. Ou mesmo para a intervenção jurídica em geral, extensão da zona livre de direito, como espécie de reserva ecológica da privacidade à sombra da intervenção reguladora. De qualquer modo, a sustentabilidade – que a propriedade pós-moderna preconiza – só será realmente harmônica e equilibrada, com a convocação de dois fatores essenciais: Democracia e Justiça, as duas pedras de toque do Desenvolvimento Sustentável (CUNHA, 2014).

Mostra-se necessário conhecer, dialogar e refletir sobre a concepção de propriedade moderna, para que novas possibilidades possam auxiliar a aprimorar os modelos existentes de pensamento sobre a realidade e o mundo jurídico. Nesse sentido, dialoga-se o marco teórico sobre a Epistemologia da Complexidade com as análises sobre a propriedade no século XXI. A Teoria da Complexidade aplicada às noções jurídicas sobre a propriedade demonstra como é possível reescrever, de modo mais amplo, o conhecimento que se produz sobre propriedade e os conteúdos nele encontrados.

O conteúdo do direito de propriedade relaciona-se com a natureza jurídica que a propriedade adquire em determinado texto constitucional. No caso brasileiro, o direito à propriedade consagra-se, na Constituição Federal de 1988, como direito e garantia fundamental (artigo quinto, *caput*). O conteúdo consiste na delimitação do seu objeto, na composição jurídica de seus poderes e faculdades e na própria verificação da extensão do direito de propriedade, se individual ou se coletivo.

Nesse sentido, a crítica racional pós-moderna sobre a propriedade privada deve ter o cuidado para não ser contraditória com o pressuposto adotado da propriedade como direito natural. Isso porque, se ocorre a redução do conteúdo da propriedade privada ao conteúdo delimitado, constitucional e/ou infraconstitucionalmente, em verdade, adota-se concepção convencionalista de propriedade, e não concepção natural. Assim, evidencia-se o desafio jurídico que as concepções sobre propriedade privada manifestam no século XXI.

As análises sobre o conteúdo do direito de propriedade impactam no exercício, pelo proprietário, sobre os atos e fatos que pratica. Seguindo essa linha de raciocínio, Francisco Luciano Lima Rodrigues (2008) ensina que o direito de propriedade sob o prisma de direito fundamental consagra a garantia institucional e individual da propriedade privada. Daí, derivam-se as dimensões objetivo-institucional e subjetivo-individual do direito de propriedade.

A dimensão objetivo-institucional do direito de propriedade "diz respeito exclusivamente ao legislador, impondo-lhe a proibição de exarar normas tendentes a abolir o direito de propriedade" (RODRIGUES, 2008, p. 171). Já a dimensão subjetivo-individual "pretende assegurar ao titular dos bens o exercício das faculdades inerentes ao direito de propriedade – usar, gozar, dispor e reaver" (RODRIGUES, 2008, p. 173).

> A dimensão subjetivo-individual do direito de propriedade pretende assegurar ao titular dos bens o exercício das faculdades inerentes ao direito de propriedade, ou seja, usar, gozar, dispor e reaver, concedendo ao proprietário o direito de exercer as prerrogativas inerentes à propriedade, de forma plena, de acordo com a conformação estipulada pela legislação ou, ao contrário, na impossibilidade de exercê-los, ter ao seu alcance as garantias processuais e patrimoniais para garantir o exercício de suas prerrogativas ou, em caso extremo, a garantia da justa indenização (RODRIGUES, 2008, p. 223).

A propriedade é manifestação da liberdade, pois se perfaz como decorrência do conceito de pessoa, manifesta-se no mundo do direito e pressupõe a atividade econômica. É dessa relação, entre bens significativos reivindicados e o titular que os reivindica, que trata o direito de propriedade. O direito de propriedade deduz-se do movimento dialético que a vontade livre do titular dos bens encena, em seu próprio desenvolvimento do exercício das faculdades que lhe são inerentes. Por isso mesmo, deve ser afirmado e assegurado, como forma de garantia contra um retorno à barbárie.

Sérgio Christino (2010) adota a perspectiva do individualismo possessivo, para comentar a propriedade no viés pós-moderno. Na verdade, aponta-se a abordagem hegeliana da propriedade como sendo de autêntico individualismo possessivo, pois, sua quase total ausência de outras vontades caracterizará o tratamento dado à propriedade, nas esferas subsequentes – da vida ética.

Do ponto de vista da crítica racional pós-moderna, as transformações nos formatos que a propriedade assume dão-se como manifestação que põe fim à era das revoluções.

> Trata-se de um oposto à revolução francesa, que sobrepuja na raiz o terror sem sustos, nascido da razão. Os inquietos sonhos da razão, dos quais se erguem demônios há dois séculos estão esgotados. A razão não desperta; é ela mesma o pesadelo que se desfaz com o despertar (HABERMAS, 2005, p. 50).

Os estudos em economia e a importância do trabalho foram o subsídio inicial para que Hegel (2008) viesse a reformular a filosofia sobre a propriedade em seu aspecto prático. Assim, desde cedo a tríade dialética é aplicada em sua explicação da propriedade no âmbito da realidade. O Sistema da Vida Ética e a necessidade-trabalho-fruição correspondem às tardias e superiores conexões que caracterizam as determinações da propriedade posse-uso-alienação.

Sérgio Christino (2010) argumenta que, na busca de atualização concreta da noção hegeliana de propriedade, constatam-se certas dificuldades para acolher a noção de propriedade interna ou do próprio corpo, em face da fenomenologia da relação de emprego, vigente no mundo capitalista. Porém, a partir da perspectiva unitária da abordagem hegeliana do direito de propriedade, que unifica posse e propriedade, parece ser possível instrumentalizar, diferentemente, a casuística jurídica pós-moderna, no que se refere a essa nova concepção de propriedade.

A propriedade pós-moderna permeia-se pela dialética entre uma Propriedade Negada e uma Negação Predicativa, em especial, no que se refere aos Aspectos Lógicos e Ontológicos da negação. O conhecimento das propriedades de identidade e diferença e de sua incompatibilidade e complementaridade se constituem um pressuposto lógico e ontológico da própria noção de propriedade, compreendida como algo idêntico a si mesmo e diferente de tudo o mais. Desse modo, Richard Fumerton (2005, p. 135) argumenta que "não é que as propriedades mais determinadas não sejam exemplificadas – nós apenas não estamos diretamente conscientes delas".

> A principal objeção que se coloca contra nossa análise diz respeito ao princípio de não contradição. De um esclarecimento adequado

> da negação deve-se seguir a validade do princípio da não contradição. Em nossa caracterização, porém, o princípio da não contradição dependeria da incompatibilidade e complementaridade entre identidade e diferença, o que, por sua vez, pressuporia o princípio de não contradição. Respondemos a essa objeção mostrando que a incompatibilidade entre identidade e diferença não pressupõe o princípio de não contradição. Antes, o conhecimento das propriedades de identidade e diferença e de sua incompatibilidade e complementaridade se constituem um pressuposto de toda a nossa compreensão, na medida em que nossa compreensão é sempre compreensão de algo que é idêntico a si mesmo e diferente de tudo o mais. A incompatibilidade e complementaridade de identidade e diferença, dessa forma, não é um caso do princípio de não contradição mas sim é seu fundamento (SCHULTZ, 2010, p. 180-181).

É nesse sentido que a propriedade privada, no âmbito da dimensão humana que se discute na presente tese, relaciona-se com a propriedade no sentido de característica de algo. As próprias objeções às propriedades negadas somente possuem sentido na perspectiva particular sobre o que seriam relações de propriedades. As objeções contra propriedades negadas também partem de certas suposições sobre o comportamento lógico da negação predicativa.

Em especial, somente é legítimo afirmar que a instanciação de não-F consiste na ausência de F se supusermos o terceiro-excluído. Sem esse princípio, não podemos passar de "a não instância F" para "a instância não F" e concluir que a posse de propriedade negada nada mais é do que a ausência ou falta da propriedade positiva correspondente. Novamente aqui, a pergunta sobre se propriedades negadas obedecem ou não ao *tertium non datur* envolve concepção mais geral sobre propriedades. Se toda propriedade como característica de algo se define em função das relações que se estabelecem entre elas, então a noção sobre o terceiro-excluído vale também para a propriedade privada. Assim, "se ele falha é devido a deficiências da linguagem – por exemplo, a existência de termos sem denotação ou de predicados vagos – e não devido às condições de instanciação da propriedade em questão" (SCHULTZ, 2010, p. 12).

> O desenvolvimento de um sistema ético individual é considerado fator indispensável para proporcionar ao sujeito a fibra necessária para suportar os dilemas do trabalho e da vida pessoal. Também merece destaque a necessidade do fomento à confiança, de modo a tirar melhor proveito das oportunidades de aprendizagem comuns àqueles que

> decidem. Finalmente, a resiliência se constitui em uma necessidade para que o estrategista se mantenha firme na busca contínua por aprender a pensar melhor. Dessa forma, conseguirá enxergar cada vez com mais clareza, decidindo com maior sabedoria (BORN, 2009, p. 199).

Na pós-modernidade, a propriedade privada não pode se afastar do uso sustentável dos recursos naturais nem do cuidado com o meio ambiente nas suas diversas concepções, tanto natural quanto artificial. Assim, um dos embates do século XXI é o desenvolvimento econômico sustentável e como compatibilizá-lo com o exercício de atividades econômicas. E, do ponto de vista constitucional, seguem sendo importantes a questão da tensão entre princípios constitucionais e a ponderação de interesses. Na realidade jurídica brasileira, tem-se a Constituição Federal de 1988 como constituição social-democrata, pós-liberalismo do pós-guerra e da guerra fria. Essa constituição cidadã traça objetivos e normas programáticas que ganham concretude em várias disposições infraconstitucionais.

Entre os dilemas jurídicos das décadas iniciais do século XXI, muitos aspectos relacionam-se com constituições clássicas da social-democracia, como a Constituição de Weimar, de 1917, em que a seção sobre a vida econômica abre-se com uma disposição que estabelece, em seu artigo 151, como limite à liberdade de mercado, a preservação de patamar mínimo de existência, conforme a dignidade humana. A função social da propriedade foi marcada por fórmula que se tornou célebre: "a propriedade obriga" (Constituição de Weimar, de 1917, artigo 153, alínea segunda). No que tange à relação entre a propriedade e os direitos sociais, é imprescindível analisar e comentar a Constituição mexicana de 1917. Dessa Constituição, extraem-se as bases dos dispositivos normativos que, posteriormente, foram incorporados às Constituições brasileiras, como a de 1934, ao se referir à propriedade.

Nas relações constitucionais econômicas, muitos institutos podem ser analisados sob o prisma da propriedade pós-moderna. Assim, por exemplo, o próprio poder de controle societário assumiu, desde a lei brasileira das sociedades anônimas, a conotação de poder-dever a serviço da coletividade e dos interesses de *stakeholders*. Outros institutos também são assim analisados, como a desconsideração de personalidade jurídica que se relaciona com o abuso dos poderes que advêm da propriedade. Trata-se de certa relativização da autonomia patrimonial entre a pessoa jurídica e os sócios, permitindo que as quotas e até mesmo bens particulares dos sócios possam ser apreendidos para a reparação do dano. Nesse sentido, a existência de leis ambientais, as de defesa da concorrência e do consumidor, que contêm dispositivos sobre a desconsideração da titularidade patrimonial da pessoa, caracterizam manifestação da propriedade pós-moderna. A propósito, meio ambiente, consumidor e concorrência são princípios da ordem econômica e se relacionam, diretamente, com a propriedade no século XXI.

1.3 A propriedade privada de bem imóvel: argumentos epistemológicos

A propriedade privada de bem imóvel se situa no campo das questões materiais, ou seja, das questões que envolvem, em especial, os aspectos econômicos e sociais. Os defensores da importância da propriedade privada sobre os bens imóveis argumentam, em geral, que ela promove liberdade individual, estabilidade política e prosperidade econômica.

Por outro lado, comentaristas como Marx (2013) e Engels (2014) analisam que a criação da propriedade privada sobre bens imóveis é uma fonte de males, particularmente à desigualdade na distribuição de riqueza e à fragmentação das comunidades mais orgânicas em sistemas atomizados, o que estimula ambientes sociais de competição individual. Referidos autores classificam a propriedade privada nas questões materiais (econômicas e sociais), junto com a situação do roubo de lenha, das leis repressivas e da censura à imprensa.

Karl Marx (2013), em sua obra "Crítica da Filosofia do Direito de Hegel", defende que a propriedade privada se relaciona com o segredo do Estado – que é a sociedade, e não o espírito absoluto, como defendido por Hegel. Nesse sentido, tem-se o elo da propriedade privada com a acumulação de capital e da própria força de trabalho. Esse elo representa movimento que se materializa em acumulação que não decorre do modo capitalista de produção, mas a propriedade privada representa o ponto de partida do movimento de acumulação. "Todo esse movimento tem, assim, a aparência de círculo vicioso, do qual só podemos escapar admitindo uma acumulação primitiva, anterior à acumulação capitalista" (MARX, 2013, p. 835).

Nesse raciocínio, a propriedade privada encaixa-se na formulação de Estado e deve ser compreendida pelas relações constitucionais econômicas. Assim, assevera-se que a propriedade privada prevista na Constituição deve servir ao povo, e não o povo servir à propriedade privada. Sob o prisma jurídico, essa percepção remete para a defesa da presente tese do direito de propriedade como instrumento natural, que se relaciona diretamente às *Razões de Estado*. A própósito, criticamente, tem-se que "a expropriação do produtor rural, do camponês, que fica assim privado de suas terras, constitui a base de todo o processo" (MARX, 2013, p. 838).

A perspectiva de que a criação da propriedade privada sobre bens imóveis é uma fonte de males ganhou relevo no contexto histórico e político do século XIX. Relaciona-se com o materialismo histórico e destaca a relação intrínseca da concepção de priopriedade privada imóvel no século XX. Os argumentos epistemológicos sobre a propriedade privada no século XXI analisam a fusão entre a teoria materialista da história e o movimento operário que existiu no século XIX e seu desnudamento durante o século XX.

Em geral, argumenta-se que o conceito de direito de propriedade privada imóvel encontra-se intimamente ligado ao capitalismo e à sociedade industrial moderna. Porém, Martin Bailey (1992) argumenta que há, também, benefícios na propriedade privada imóvel observáveis nas sociedades indígenas que vivem não integralizadas. Na revisão de estudos antropológicos de 50 sociedades aborígines, Bailey (1992) descobre certos padrões. Em geral, os direitos de propriedade à terra são mais alocados, provavelmente, quando atitudes individuais melhoram a produtividade da terra (por exemplo, limpando a terra ou fornecendo algum tipo de fertilizante). Em contraste, os direitos comunais são mais distribuídos quando o grupo é composto de caçadores-coletores.

Nessa linha de raciocínio, os estudos correspondentes de juristas e economistas sobre a propriedade imóvel nas sociedades sem a presença de Constituição são peremptórios e não conseguem, em tese, atingir as conclusões já alcançadas por meio de estudos interdisciplinares, como os estudos antropológicos. Assim, a análise acadêmica sobre a propriedade imóvel e a sua credibilidade podem ser melhoradas pelo uso de mais dados relevantes que discutam uma ampla variedade de casos.

Para Bailey (1992), o estudo dos aborígines pode esclarecer, especialmente, as vantagens de um tipo de propriedade sobre outra (como a vantagem, em certos casos, da propriedade coletiva sobre a propriedade privada), porque, na maioria dos casos, essas pessoas vivem à margem da subsistência. Segundo o autor, os artigos de vestuário quase sempre são considerados propriedade privada móvel e a correlação desse fato com a propriedade imóvel possibilita a percepção científica de novas possibilidades de manifestação da propriedade para o direito e para a economia no século XXI.

Analisa-se que, sobre os bens imóveis, como a terra, os seguintes recursos ou tecnologias favoreceram a adoção da propriedade coletiva sobre a propriedade privada: (1) a baixa previsibilidade das presas ou plantações na localização do território tribal; (2) o aspecto público de informação sobre a localização dos recursos alimentares que eram imprevisíveis (dependiam da natureza); (3) a alta variação de sucesso do indivíduo, por causa de circunstâncias alheias à sua vontade; (4) a produtividade superior de técnicas de caça de grupo, tais como condução de presas em emboscada ou sobre um penhasco; (5) a segurança do grupo contra grandes predadores, especialmente quando traziam para casa o produto de uma caça bem sucedida. Esses atributos ocorreram em várias combinações, em diferentes grupos.

Por outro lado, Bailey (1992) sustenta a tese de que aquelas pessoas que se engajaram na horticultura ou agricultura, em geral, tendem a ter os direitos sobre a propriedade privada imóvel (temporário ou a longo prazo), no uso da terra para uma colheita. Esses direitos foram, em alguns casos, hereditários, e esse atributo, mais confiantemente, prevaleceu naqueles poucos grupos que souberam manter e melhorar a fertilidade do solo.

A análise da propriedade imóvel nas sociedades indígenas que vivem não integralizadas fornece bases para o pensamento jurídico e econômico ocidental, sobre como as prováveis interações das várias influências dos contextos históricos levaram ao reconhecimento do direito de propriedade privada imóvel, nos próprios ordenamentos jurídicos. Nas organizações indígenas, não era incomum às famílias terem propriedade privada em terra com fronteiras reconhecidas, como recurso de comida. Na verdade, propriedade privada em alimentos e outros bens pessoais era a regra, e a propriedade privada imóvel era a exceção (os bens móveis eram de todos, os bens imóveis eram coletivos). Havia exceções ocasionais, geralmente onde a partilha do imóvel era fornecida como forma de garantir um seguro social contra a fome localizada, ou seja, como um meio de reduzir a variância para as pessoas que estavam compreensivelmente avessas ao risco. O risco de fome inclinou o equilíbrio em favor da propriedade imóvel.

Nesse sentido, mostra-se pertinente a discussão sobre a tributação na Grécia, uma vez que a tributação guarda estrita relação com o reconhecimento da propriedade privada. Assim, no que se refere à própria Antiguidade Clássica, deve-se verificar que, conforme Arnaldo Moraes Godoy (1999), os gregos desconheciam categorias contemporâneas de propriedade privada apta a contribuir para a manutenção do Estado, não alcançavam as ideias de tributo, de obrigação tributária, de crédito tributário, de lançamento e de compensação. Conquanto gerissem intuitivamente a máquina tributária por intermédio de propriedades privadas, não havia distinção precisa entre impostos, taxa, contribuição, não obstante percebam-se receitas originárias e derivadas.

> Essa suposta ausência de base teórica dos gregos (em matéria tributária) é um pouco paradoxal. Embora tenham os gregos lançado as bases da política, da democracia, da filosofia, do teatro, da retórica, seu gênio abstrato não alcançou formulações tributárias mais precisas. Mas

> as cidades-estados lançaram e cobraram as variadas exações e, tornando-se Atenas como paradigma (dada uma relativa copiosidade de fontes indiretas), tem-se um panorama do Direito Tributário da Grécia Clássica (GODOY, 1999, p. 5-6).

Arnaldo Moraes Godoy (1999) ensina que, na antiguidade da Grécia Clássica (antes de Cristo), o patriotismo da vida pública fomentava cultos, procissões, certames, concursos, competições dramáticas, disputas musicais, torneios atléticos. O poder público subvencionava os necessitados, distribuindo entradas para as peças teatrais, o chamado ingresso *teórico.* Gastava-se com obras portentosas, a exemplo do Partenon, símbolo mais acabado da superioridade ática. Pagavam-se indenizações com propriedades privadas: *misthoí* (prestação única) e *katástasis (*de trato sucessivo). Pagavam-se também os *Epístataitôn demosíon érgon*, fiscais que supervisionavam os trabalhos públicos.

Atenas precisava alocar recursos para pagar o pessoal civil, as inúmeras obras públicas, o Exército, os cultos, as festas, a assistência aos necessitados. Um quase permanente estado de guerra exigia grandes somas em face de tantas despesas extraordinárias. O equilíbrio contábil entre entrada e saída das finanças públicas parece informar a essência do modelo arrecadatório ateniense, que em muito remonta às bases ocidentais de um pensamento constitucional. A propósito, ao se adotar uma posição ciceroniana (*historia magistra vita est),* esse equilíbrio financeiro e orçamentário faz as vezes de uma lição da história, um possível exemplo a ser seguido na realidade brasileira (GODOY, 1999).

Em paralelo a esta percepção da Grécia clássica, em especial da propriedade como problema econômico relacionado à apropriação dos bens, Fernando Araújo (2008), em sua obra "A tragédia dos baldios e dos antibaldios: O problema econômico do nível óptimo de apropriação", destaca alguns conceitos que procedem, necessariamente, à abordagem da propriedade privada imóvel, como sendo a caracterização dos direitos de apropriação pela análise econômica que caracteriza formas mais fluidas e fragmentadas do que aquela que tem sido desenvolvida pela tradição jurídica que, por vezes, limita-se à identificação da questão social que emerge no acesso conflituante aos recursos advindos da propriedade.

> A propriedade vê enfatizada a sua funcionalidade, o seu carácter de <<estado de apropriação>> puramente contingente a um quadro social que a admite (mesmo quando a conhece como <<fundamentante>> desse próprio quadro), mas ao mesmo tempo a doutrina sujeita

> essa propriedade a todas as consequências de uma abordagem analítica radical, não recuando da sua <<pulverização>> em microtitularidades, a serem, ou não, recompostas em posições agregadas – de que a <<propriedade>> será apenas um dos resultados, ou melhor, um conjunto de resultados, dada a amplitude de formas de apropriação que se admitirá sejam subsumidas ao conceito geral de <<propriedade>> (ARAÚJO, 2008, p. 12).

Desse modo, a propriedade privada de bem imóvel encontra argumentos epistemológicos na situação em que "o realismo jurídico pôs em crise a ideia da propriedade como uma relação direta na propriedade privilegiando a componente pessoal, sendo as coisas meros pontos focais nas relações interpessoais" (ARAÚJO, 2008, p. 250). As implicações das relações constitucionais econômicas privadas redefinem os sujeitos privados, em relação ao acesso às coisas, de modo geral, e à propriedade privada imóvel, em particular, sendo que a liberdade de acesso pode ser retirada pelo Estado em circunstâncias, potencialmente, lesivas aos parâmetros adequados constitucionalmente. Assim, "a propriedade é um acervo de direito não neutro, porque dele dependem os termos básicos da inclusão de cada indivíduo no jogo social" (ARAÚJO, 2008, p. 251).

1.3.1 A perspectiva filosófica da propriedade privada em Hobbes, Locke e Rousseau

Filosoficamente, em antítese ao pressuposto de que a propriedade privada é algo natural, tem-se a tese de que a propriedade privada pode ser entendida como fruto da criação do Estado, representando um direito que é disponível para a pessoa de modo que assegure a sua liberdade. A propriedade privada, tida como prerrogativa concedida pelo Estado, por meio do ordenamento jurídico, encontra-se sujeita às limitações necessárias para a consecução dos fins do Estado e do bem comum.

Nesse contexto, cumpre destacar a perspectiva filosófica da propriedade privada em Hobbes, Locke e Rousseau. As perspectivas em torno da propriedade, na concepção de autores clássicos (em especial, Thomas Hobbes, John Locke e Jean-Jacques Rousseau) contribuem para o entendimento da relação dialética que se estabelece entre a propriedade privada e o contexto das décadas iniciais do século XXI.

A caracterização da propriedade privada na concepção dos autores clássicos Thomas Hobbes, John Locke e Jean-Jacques Rousseau contribui para o entendimento dessa categoria, sendo que seus pensamentos dialogam com o próprio embasamento teórico do constitucionalismo europeu continental, que materializou a propriedade como um direito fundamental. Por óbvio, tal situação repercutiu nas particularidades brasileiras.

A perspectiva de Thomas Hobbes, defensor do Estado Monárquico Absolutista na Inglaterra, no século XVII, em seu trabalho "Leviatã" (HOBBES, 1983), obra na qual o autor se contrapôs aos que defendiam o Estado Liberal Democrático, contribui para o enriquecimento e fortalecimento da filosofia do Direito a respeito do Estado Soberano. Nesse pensamento, o rei é mais capaz do que república, por si.

Hobbes (1983) entendia que todas as terras e bens deveraim ser controlados pelo soberano. O autor afirma que a propriedade é do poder soberano e que ele deve atribuir a todos os homens uma porção, conforme o que ele considerar compatível com a equidade e com o bem comum. Para esse autor, as leis eram mecanismos jurídicos, para isolar ou inibir aqueles que, por acaso, reivindicassem algum tipo de direito, sendo que o soberano criava as leis de forma que somente ele e os seus fossem os beneficiados. O homem poderia violar as leis sob três formas: por presunção de falso princípio, por falsos mestres e por inferências erradas feitas a partir dos princípios verdadeiros.

No que se refere à propriedade privada, Hobbes (1983) considera a impossibilidade de sua existência no estado de natureza, em que todos têm direito sobre todas as coisas. Nessa condição "não há propriedade, nem domínio, nem distinção entre o meu e o teu; só pertence a cada homem aquilo que ele é capaz de distinguir, e apenas enquanto for capaz de conservá-lo" (HOBBES, 1983, p. 77).

Para Hobbes (1983), o poder se origina, quando os indivíduos, para fugirem dos riscos e das angústias do estado de natureza, decidem instituí-lo. Os sujeitos, para salvarem suas vidas e preservarem os seus bens, instituem um poder soberano comum, que lhes deveria proteger a existência e o desfrute da propriedade privada e a quem entregariam os seus amplos direitos, de que dispunham no estado de natureza.

Rubens Beçak (2013) verifica que Hobbes dedica papel primordial à tarefa de definição e conceituação de Soberania. Para o autor, quando Hobbes formula sua obra "Leviatã", exponencia-se que a autoridade e o poder reais são aqueles que possuem condições concretas de assegurar a paz da sociedade e a existência do Estado.

> Na medida em que expressa a ideia do "*homo homini lupus*" e a renúncia original do exercício de soberania pelo povo vai construir teoria que dará roupagem doutrinária ao fenômeno político em andamento. O absolutismo solidificará a reunião da soberania com a pessoa do monarca (BEÇAK, 2013, p. 346-347).

Verifica-se, historicamente, que o pensador inglês John Locke (1632-1704) personificou as tendências liberais opostas às ideias absolutistas de Hobbes, na Inglaterra, no final do século XVII. Locke sustenta que, mesmo no estado de natureza, o homem é dotado de razão e deve se guiar pela liberdade como manifestação de seu livre arbítrio, tendo como destino a preservação da paz e o respeito aos direitos dos outros.

A transição do estado natural para o estado social deve ser feita pelo consentimento dos homens. Com o objetivo comum de evitar os percalços que tencionam as relações entre as pessoas, no estado de natureza, elas se unem em sociedade, "para que a somatória de suas forças reunidas lhes garanta e assegure a propriedade, e para que desfrutem de leis fixas que a limitem, que esclareçam a todos o que lhes pertence" (LOCKE, 2002, p. 101).

Tendo-se como referência os direitos naturais que o homem possui, Locke (1979) menciona o direito à propriedade privada que é fruto de seu trabalho. Ele defende os princípios liberais de liberdade individual, direito à propriedade privada e divisão dos poderes do Estado.

> O poder supremo não pode tirar de qualquer homem parte de sua propriedade sem o consentimento dele [...]. Tendo, portanto, os homens propriedade quando em sociedade, cabe-lhes tal direito aos bens que, por lei da comunidade, lhes pertencem, que ninguém tem o direito de tirar-lhes esses bens ou qualquer parte deles, sem que deem assentimento; sem isso, não teriam qualquer propriedade naquilo que outrem pode, por direito, tirar-me quando lhe aprouver, contra meu consentimento. Daí ser errôneo pensar que o poder legislativo ou supremo de qualquer comunidade pode fazer o que quer e dispor das propriedades dos súditos arbitrariamente, ou tirar-lhes qualquer parte à vontade. A propriedade de qualquer um não está de modo algum segura, embora existam leis equitativas e boas que delimitem entre eles e os outros homens, se quem os governa tem o poder de tirar de qualquer pessoa particular a parte que quiser da propriedade desta, usando-a e dela dispondo conforme lhe aprouver (LOCKE, 1979, p. 86).

Esse autor defendeu que propriedade privada é um direito natural, de cunho individualista, necessária ao homem como membro da sociedade. Nesse sentido, para Locke (1979), a propriedade privada independe do Estado, sendo que o Estado tem a função de garantir a proteção de tal direito, não sendo passível de limitação ou intervenção pelas leis instituídas pelo Estado, visto que anterior ao próprio aparecimento do Estado.

Jean-Jacques Rousseau formulou seus pensamentos, na França, no século XVIII, sob a influência iluminista. A obra *Discurso sobre a Origem e os*

Fundamentos da Desigualdade entre os Homens divide-se em duas partes. A primeira analisa o homem, tanto no seu estado natural como no civilizado, enquanto a segunda defende a ideia de que as desigualdades têm sua origem nesse estado de sociedade civilizada.

Rousseau (1971) argumenta que, com a conglomeração humana é que se delimitou a propriedade privada. Por meio de sua divisão, geraram-se as primeiras regras de justiça, sendo que o trabalho deu origem aos direitos sobre os produtos da propriedade privada imóvel (terra) e os produtos do próprio terreno (utensílios). Assim, instituíram-se práticas da agricultura e metalurgia, sendo que essas técnicas eram coletivas, já que não trariam benefícios ao homem individualmente.

Com a aquisição da propriedade privada, ela era repassada aos sucessores, geralmente familiares, sob a forma de herança, o que originou as primeiras ideias de dominação e, consequentemente, violência e roubos. Assim, originou-se o estado de guerra, que só poderia ser suprimido com a evolução de uma sociedade que se baseasse em regras e princípios que deveriam ser respeitados para se obter uma sociedade mais justa e suportável.

Na obra "O Contrato Social" (ROUSSEAU, 1971), o filósofo defende que os homens renunciaram a sua liberdade ilimitada em troca das vantagens do convívio em uma sociedade, organizada, na qual dispusessem da liberdade civil, limitada em nome do bem comum. Rousseau (1971) entende que a propriedade privada se originou, a partir da instituição do Estado pelo contrato social. A posse do primeiro ocupante adquire feição de propriedade, garantida pelas leis civis e instituída por ato positivo. Desse modo, delimita-se o que pertence a cada um e se repele o direito ilimitado sobre as coisas oferecidas, em comum, pela natureza.

Rousseau (1971) argumenta que a instituição da propriedade privada, pelo Estado, surge como reflexo do acúmulo de bens e da necessidade de garanti-los, juntamente com o trabalho necessário ao cultivo do excedente de terras acumuladas. O trabalho feito pelo homem, em face da terra, é o elemento caracterizador da propriedade privada.

Se, para Hobbes, o direito à propriedade privada surge como consequência da criação do Estado, para Locke, o direito à propriedade privada é inerente ao homem no estado de natureza, sendo que o Estado civil é instituído com a intenção de protegê-lo. Na análise de Locke (1979), o Estado deve reconhecer e proteger a propriedade privada, pois ela independe do Estado, não sendo passível de limitação ou intervenção pelas leis instituídas por ele, uma vez que a propriedade privada é anterior ao próprio aparecimento do Estado.

No que se refere à origem da propriedade privada, Rousseau (1971) concorda com o entendimento de Hobbes (1983), de que ela se originou a partir da instituição do Estado. Para Rousseau, a partir do contrato social, a posse do primeiro ocupante adquire feição de propriedade, garantida pelas leis civis e instituída por ato positivo. Assim, delimita-se o que pertence a cada um e repele-se o direito ilimitado sobre as coisas oferecidas, em comum, pela natureza.

Ao se analisarem esses aspectos filosóficos clássicos, mostra-se interessante dialogá-los com as ideias de Nozick (1981) sobre a propriedade privada. A pessoa, enquanto ser, confere sentido à sua vida, contribuindo e originando valor por meio da propriedade privada; assim, ela deverá ser respeitada. Nozick (1993) argumenta que os direitos relacionados à propriedade privada como valor não devem ser violados. E, ao se indagar quais seriam esses direitos, Nozick (1993) defende que os direitos de outrem determinam as restrições das ações de cada. Assim, o valor da pessoa impõe-se como restrição, não ao valor de outrem, mas à sua liberdade de atuar.

Em seguida, mostra-se interessante fazer contraponto com Nagel e Murphy (2005), autores que se destacam na transição do século XX para o século XXI, que evidenciam o desafio de se compreender a propriedade privada imóvel nas décadas iniciais do século XXI. Em "O mito da propriedade privada", Liam Murphy e Thomas Nagel (2005) entendem que a tributação relaciona-se, diretamente, à propriedade privada. A argumentação parte da filosofia moral e política contemporânea. Os autores defendem que, na economia capitalista, os tributos não são simples meios pelos quais a estrutura do Estado se paga. Para eles, os tributos representam instrumentos significativos, pelo qual o sistema político põe em prática uma determinada concepção de justiça econômica.

1.3.2 A configuração jurídica da propriedade privada imóvel por meio da epistemologia

Robert Ellickson (1993) argumenta que a visão do coletivo vivendo na terra compartilhada teve um apelo amplo e duradouro. Inspirou, entre outros, sectários protestantes, os "kibutzniks" seculares e experimentalistas de contracultura, que fundaram comunidades intencionais. Durante o século XIX, os céticos de propriedade privada na terra vieram ao poder em certo número de Estados-nação.

Assim, Ellickson (1993) cita que, em Israel, onde a filosofia comunitária é predominante, mantém-se que a terra deve pertencer coletivamente à nação judaica, 93% da área terrestre é estatal. A lei básica israelense de terras proíbe o governo de transferir qualquer propriedade imóvel, exceto em circunstâncias especiais. Atrelando-se ao programa propugnado por Marx e

Engels, Stalin tornou coletivizadas as agriculturas russas de 1929 a 1933, ao preço de vidas (cerca de nove milhões de mortes, em decorrência da fome). Desenhado sob a mesma inspiração, Mao começou o mesmo sistema comunitário na China, em 1957, ocasionando uma fome que matou cerca de 20 milhões de pessoas. A configuração jurídica da propriedade privada imóvel, nas particularidades teóricas brasileiras, no século XIX, aponta que:

> A personalidade humana, a existência, a propriedade e a liberdade que constitue o assumpto da lei individual se acha assim repartida. A propriedade, a faculdade por excellencia, o direito suserano, enche quasi todo o âmbito do codigo. Ella aparece sob dous aspectos: ou como propriedade certa, imediata, incisiva aderente à cousa; ou como propriedade vaga, remota, ainda não formada, dependente de um facto alheio. – Sob o primeiro aspecto a propriedade recebe o nome significativo de domínio, único direito real, de que os outros não são mais do que porções ou fragmentos. Sob o segundo aspecto a propriedade é considerada apenas como um meio de adquirir domínio, e fórma a máxima parte do direito pessoal (ALENCAR, 1883, p. 30).

Nessa perspectiva, depreende-se que a questão mais fundamental, em relação aos direitos de propriedade, é se a terra deveria ser propriedade privada ou comunitária. Essa questão foi fundamental para as ideologias concorrentes do século XX – o capitalismo e o comunismo. Não só a titularidade jurídica e econômica da propriedade imóvel é afetada por essa escolha, mas também a produtividade, a comunidade e a privacidade. Robert Ellickson (1993) explora essa questão, tanto teórica quanto historicamente. Argumenta que a propriedade privada da terra reduz os custos de decisão coletiva e de monitoramento. Por outro lado, considera que a propriedade coletiva mostra-se viável a longo prazo somente quando os interesses são homogêneos e/ou existe uma clara hierarquia de controle.

Interessante analisar os momentos constitutivos da propriedade privada de bem imóvel no Direito Abstrato da Filosofia do Direito de Hegel (2005). O conceito de propriedade privada é bastante singular para essa perspectiva, sendo que representa uma dimensão jurídica que acolhe certo grau de abstração, pois se concebe a propriedade esvaziada de seu marco de aparecimento no mundo real, que é a posse. Considera-se que os conceitos jurídicos de propriedade e posse estão distantes, mas, ao mesmo tempo, próximos. "Quando a carência é convertida no que é primeiro, ter propriedade aparece como meio com respeito a ela; mas a posição verdadeira está em que, do ponto de vista da liberdade, a propriedade, enquanto o primeiro ser-aí dessa liberdade, é fim essencial para si" (HEGEL, 2005, § 45).

No que se refere à propriedade privada de bem imóvel, Hegel (2005) argumenta que a estrutura da Filosofia do Direito aponta que o homem (visto como espírito) se reconhece, sucessivamente, por intermédio da relação que o Estado estabelece com a propriedade privada. Primeiro, o homem se reconhece como pessoa imersa na sociedade civil. Em seguida, reconhece-se na condição de sujeito moral autônomo, quando percebe a si mesmo e examina os limites precários fixados pelo Direito Abstrato para o exercício de sua vontade individual. Por fim, o homem se reconhece como membro de uma comunidade, o que lhe faz desenvolver sua autoconsciência.

O desenvolvimento humano da autoconsciência ocasiona a constatação de que a propriedade privada sobre bem imóvel manifesta-se no direito abstrato como figura precária, a ser suprassumida por meio da eticidade. Nesse sentido, Bernard Bourgeois (2004) argumenta que o meio propriamente histórico do espírito objetivado está, em seu sentido global, submetido à razão.

Entretanto, nele, a contingência é acrescida, nas situações particulares e singulares, pela intervenção do livre-arbítrio, como momento inevitável da liberdade. "Ora, no seio do espírito objetivo ou do direito no sentido geral do termo em Hegel, é exatamente no nível do direito abstrato *stricto sensu* que essa positividade está mais presente" (BOURGEOIS, 2004, p. 44).

Dialéticamente, Hegel (2005) entende que a instituição da propriedade é a primeira manifestação da liberdade, sendo a conjunção do "comportamento teórico" e do "comportamento prático", ou seja, a determinação exterior da vontade livre. Essa situação relaciona a propriedade com a abstração da personalidade, pois uma vontade livre considera uma coisa como de sua propriedade, apresentando um domínio real de sua liberdade.

> Ao relacionar a propriedade com a abstração da personalidade, Hegel não está negando o fato óbvio de que a atividade de aquisição e preservação de uma propriedade é alimentada pelas necessidades e interesses específicos do titular da propriedade. Pelo contrário, o foco de Hegel é que, para ser concebida como uma encarnação da liberdade, a propriedade deve ser uma expressão da universalidade característica da liberdade. Assim como a personalidade abstrai as escolhas particulares em face do universal, através do qual todas as escolhas são entendidas como operações de uma vontade livre, a propriedade abstrai as necessidades específicas, que impulsionam a aquisição de coisas particulares, em face do universal, que torna todos os direitos de propriedade inteligíveis sob o conceito de direito (CHRISTINO, 2010, p. 34).

Nessa perspectiva, a propriedade privada mostra-se tão necessária para a existência da pessoa que esta só passa a ter existência por intermédio da apropriação das coisas do mundo externo que a ela se opõe. Denis Rosenfield (1983) considera que, para Hegel, a efetivação da liberdade por meio da concepção de propriedade pressupõe movimento reflexivo de saída de si sem que resulte, necessariamente, "numa espécie de perda na alteridade estrangeira no sentido específico de uma alienação (*entfremdung*), embora a alienação permaneça sempre possível, considerando as condições históricas particulares da luta pela liberdade" (ROSENFIELD, 1983, p. 71).

A noção de propriedade privada sobre bem imóvel manifesta-se, filosoficamente, no Direito Abstrato, mas não se trata meramente da condição de abstrato, representa a intenção de valer em qualquer tempo e em qualquer espaço. Sérgio Batista Christino (2010) disserta que o conceito hegeliano de propriedade deduz-se do movimento dialético que a vontade livre encena em seu próprio desenvolvimento da liberdade. Por isso, o direito à propriedade privada sobre bem imóvel deve ser reafirmado e assegurado como mecanismo de garantia contra um retorno à barbárie. "Assim, a propriedade, ainda que enquanto ideia no Direito Abstrato, é já uma determinação, embora simples, da liberdade" (CHRISTINO, 2010, p. 80).

Nessa linha de raciocínio, a propriedade privada implica uma relação legítima, pois contém uma interrupção da exterioridade que caracterizaria a coisa até então. O direito à propriedade privada de bem imóvel é capaz de efetivar-se, totalmente, penetrando e saturando a coisa. A coisa é suprassumida enquanto coisa em si, torna-se vontade objetivada, ou, a vontade se torna objetiva na própria coisa. "Com a propriedade encontramo-nos além da mera vontade livre natural, instaura-se a esfera do direito" (CHRISTINO, 2010, p. 76).

Ressalte-se que Bobbio (1991) afirma que o lugar que o direito ocupa no sistema da filosofia hegeliana é um tema que tem sido negligenciado ou pelo menos relegado a segundo plano, ao se comparar com os estudos que avaliam a contribuição de Hegel à economia política. Assim, "o tema dos estudos jurídicos de Hegel – do modo pelo qual se foi formando e transformando a sua cultura jurídica, em relação à formação e à transformação das escolas jurídicas de seu tempo – continua na sombra" (BOBBIO, 1991, p. 15).

Luiz Edson Fachin (2006, p. 39) argumenta que há esforço expressivo no sentido de recuperar a preponderância da pessoa, em relação ao patrimônio, inclusive na teoria filosófica. Para o autor, a jusnaturalista-racionalista, por considerar a propriedade como um direito natural e fundamental do homem, acaba por "construir princípios jurídicos que levam em conta apenas os interesses de uma burguesia sedentária e proprietária". Já o idealismo dilui a pessoa como um dos elementos da relação jurídica e constrói "o Direito a partir da relação da pessoa com a coisa, sendo o patrimônio uma emanação ou prolongamento da pessoa" (FACHIN, 2006, p. 39). Interessante ressaltar que essa linha de raciocínio tenciona para uma contraposição com a perspectiva da propriedade privada como direito natural.

Pela teorização que se apresentou, percebe-se que a concepção jurídica de direito à propriedade privada sobre bem imóvel modificou-se com o tempo. Consequentemente, alteraram-se as análises normativas que concediam caráter absoluto para se defender que a propriedade deve ser utilizada de modo eficiente. José Carlos Moreira Filho (2003, p. 192) argumenta que a publicização do direito da propriedade privada ocorreu junto com a limitação da autonomia da vontade, em especial da liberdade dos particulares em dispor de sua propriedade, tendo em vista o interesse da coletividade, sendo que se refere, também, ao caráter econômico da propriedade, devendo ela ser explorada adequadamente. Isso contribuirá para o crescimento econômico com desenvolvimento humano, uma vez que a resolução dos problemas sociais ligados à falta de inclusão social promove socialização do direito à propriedade privada imóvel.

Vista pela epistemologia como disciplina jurídica, a propriedade privada imóvel consolida o entendimento de que o direito de propriedade (direito sobre a propriedade imóvel) permeou-se pelo caráter de absolutismo (individualismo) – o que se atribui à doutrina do direito natural – para adquirir os contornos da função social, no sentido de competir para o crescimento econômico. É esse o enquadramento da propriedade privada imóvel no âmbito das relações econômicas constitucionais: o direito à propriedade privada imóvel é direito natural e fundamental necessário para o crescimento econômico.

A propriedade privada de bem imóvel configura-se juridicamente como o direito de usar, gozar e dispor de bens imóveis, e de reavê-los do poder de quem quer que, injustamente, possua-os ou os detenha. A tese defende que a propriedade privada imóvel é um direito humano típico, como preceitua o artigo 17, da Declaração Universal dos Direitos Humanos. No caso brasileiro, inclui-se como um direito constitucional fundamental, com forte viés econômico, sendo que a proteção jurídica da propriedade privada imóvel é necessária para o crescimento econômico do Brasil, no século XXI, e o fortalecimento das relações constitucionais econômicas. A propósito, cumpre destacar que a Constituição brasileira de 1988 positiva a propriedade como direito fundamental, bem como princípio da Ordem Econômica e Financeira (art. 5º, XXII e art. 170, II, ambos da CF).

PENSAMENTO CONSTITUCIONAL, CONSTITUCIONALISMO E DIREITOS E GARANTIAS FUNDAMENTAIS: o encaixe jurídico da propriedade privada

O segundo capítulo da tese diferencia o pensamento constitucional do constitucionalismo e analisa a perspectiva dos direitos e garantias fundamentais. Objetiva mapear o encaixe jurídico da propriedade privada como direito fundamental, na pós-promulgação da Constituição brasileira de 1988, tendo-se como referência as relações constitucionais. Para tal, utiliza recursos teóricos da formulação ocidental, em torno do Estado, e correlaciona-a com a teoria constitucional.

A teoria da constituição é a formulação daquilo que constitui o Estado constitucionalmente organizado, tido como a "[...] unidade política de um povo" (SCHMITT, 2003, p. 29). Com essa análise, percebe-se que há diferença entre a ideia material de Constituição e o seu sentido formal, que menciona que ela é mero sistema de normas, sem obrigatoriedade de consonância com a realidade do povo e sem obrigatoriedade de ser ideal. "*El Estado no tiene una Constitución – según la que se forma y funciona la voluntad estatal –, sino que el Estado es Constitución, es decir, una situación presente del ser, un status de unidad y ordenación*" (SCHMITT, 2003, p. 30).

Em sua obra *Teoria da Constituição*, Schmitt (2003) sistematiza a matéria do Direito político com a análise de diversos conceitos abrangidos pela palavra "constituição". Elabora a distinção entre constituição e lei constitucional, sendo que a constituição é o todo unitário com unidade concreta e planejada. A constituição é a decisão política do poder constituinte, pela qual se pronuncia ou decide a unidade política. Ela corresponde ao sistema fechado de norma de caráter distintivo e conteúdo ideal.

A teoria constitucional traduz verdadeiro processo público com dupla *interface*: estrutura, ao mesmo tempo, o Estado, como também a própria esfera pública. É, nesse sentido, que Peter Häberle (1997) rejeita a possibilidade de tratar as forças sociais como meros objetos, devendo haver integração ativa delas como sujeitos. O processo político é manifestação de comunicação de todos para com todos, no qual a teoria constitucional deve tentar ser ouvida, encontrando espaço próprio e assumindo sua função, enquanto instância crítica. "A teoria constitucional democrática aqui enunciada tem também uma peculiar responsabilidade para a sociedade aberta dos intérpretes da Constituição" (HÄBERLE, 1997, p. 55).

Karl Loewenstein (1986) desenvolveu, no século XX, o que se denomina conceito ontológico de Constituição. Ontologia é a área da filosofia que estuda o ser e a existência. O critério ontológico de Constituição que Loewenstein formulou identifica a correspondência entre a realidade política do Estado e o texto constitucional.

> A classificação ontológica de Karl Loewenstein leva em consideração a correlação da constituição com a realidade. Quando uma constituição não conseguia impor as suas normas à vida política da sociedade, era chamada pelo autor de uma constituição nominal ou nominalista. Na Constituição Nominal ou Nominalista, a dinâmica do processo político não se adapta às suas normas, embora ela conserve, em sua estrutura, um caráter educativo, com vistas ao futuro da sociedade. Seria uma Constituição prospectiva, isto é, voltada para um dia ser realizada na prática. Mas, enquanto não realizar todo o seu programa, continua a desarmonia entre os pressupostos formais nela insculpidos e sua aplicabilidade. É como se fosse uma roupa guardada no armário que será vestida futuramente, quando o corpo nacional tiver crescido (BULOS, 2008, p. 32).

José Ribas Vieira e Deilton Ribeiro Brasil (2007) argumentam que a teoria constitucional tem como função precípua analisar a efetividade dos Direitos Fundamentais insculpidos na Constituição. Nesse enfoque, devem-se examinar os fundamentos filosóficos que alicerçam a ordem jurídico-constitucional, para erigir temática que busque a Justiça Constitucional. Trata-se de tema complexo, no âmbito da Teoria do Direito e da Teoria da Constituição, e que persegue densidade teórica capaz de enfrentar os desafios da realização da Justiça Constitucional e implementar o Estado Democrático de Direito.

A teoria constitucional, no século XXI, pressupõe que as constituições detêm espécie de normatividade autônoma capaz de regular as relações privadas, harmonizando, pela via da reciprocidade, a tensão entre norma e realidade. Paulo Roberto dos Santos Corval (2007) argumenta que a teoria constitucional desenvolvida na segunda metade do século XX (a teoria pós-1945) assenta a produção teórico-dogmática hegemônica no direito constitucional brasileiro. Entretanto, o consenso teórico alcançado com a tese da normatividade autônoma da constituição acha-se desestabilizado e sua reestruturação mostra-se necessária.

Desse modo, disserta-se sobre a exceção permanente como introdução à categoria para a teoria constitucional, no século XXI. A análise sobre a exceção permanente aponta que a teoria constitucional deve abrir horizontes à ação emancipatória e à nova compreensão da própria normatividade. E, no que se refere à ampliação do espaço que se destina "ao agir político decorre de se reconhecer zona de indiscernibilidade entre norma e realidade, em que não se afigura possível inscrever no registro jurídico a totalidade do fenômeno político-constitucional" (CORVAL, 2007, p. 142).

Assim, a teoria da constituição se manifesta de modo limitado ao não enxergar a continuidade que existe no processo constituinte ao qual se vincula e pretende descrever. Pedro Capanema Thomaz Lundgren (2012) verifica se a configuração adequada ao processo constituinte pode passar pela reabilitação de teoria do conflito e disserta que o constitucionalismo brasileiro se manifesta, nas décadas iniciais do século XXI, com o impasse do consenso de que negar as divergências e buscar um único ideal de vida boa não permite realizar o devido arranjo dos conflitos no seio da sociedade. Assim, a tensa relação entre Direito, Economia e Constituição encontra-se sobrecarregada com a demanda, por integração, de uma pluralidade de sociedades e culturas.

O Estado Contemporâneo condicionou a formulação de uma Teoria Constitucional. Contextualmente, o pensamento constitucional se estrutura em seu conteúdo e forma dentro da experiência ocidental contemporânea, o que remete à menção às experiências anteriores, sendo que, "[...] com os gregos se verifica a conjunção de uma experiência institucional extremamente variada com um teorizar idôneo e desenvolvido" (SALDANHA, 2000, p. 14). Assim, deve-se entender que as categorias essenciais da Teoria Constitucional já "[...] radicam em arquétipos que provêm do mundo grego e das formas políticas que os gregos usaram e definiram" (Idem, p. 14).

Karl Loewenstein (1986) correlaciona o constitucionalismo com a necessidade que os "gênios dos introspectivos gregos" sentiu em justificar a submissão ao poder pela razão, mais do que simplesmente pela tradição ou conveniência. Pela racionalização e, com isso, a limitação do poder, os gregos idealizaram certas instituições e técnicas políticas pelas quais o cidadão podia participar na formação da vontade comum e proteger sua esfera de autodeterminação contra o capricho e a arbitrariedade dos governantes, tendo-se o governo constitucional e, ao mesmo tempo, a democracia constitucional.

Do conceito de *politeia* de Aristóteles, Loewenstein (1986, p. 7) deduz que "a essência" de perspectiva constitucional como limitação do poder social sempre esteve presente no pensamento grego. O autor reconhece, porém, que o constitucionalismo moderno se inicia com a revolução puritana na Inglaterra.

Ao se analisar a Antiguidade Clássica, Karl Loewenstein (1986) argumenta que, entre os hebreus existiu, mesmo que timidamente, o constitucionalismo, pois se estabeleceu, no Estado teocrático, limitações ao poder político, ao assegurar-se aos profetas a legitimidade para fiscalizarem os atos governamentais que extrapolassem os limites bíblicos. No século V a.C., a experiência das Cidades-Estados gregas representa, de certo modo, importante exemplo de democracia constitucional, pois a democracia direta consagrava o único exemplo conhecido de sistema político com plena identidade entre governantes e governados, no qual o poder político estava igualmente distribuído entre todos os cidadãos ativos.

Karl Loewenstein (1986) defendeu a tese de que existiu o Constitucionalismo Antigo (Constitucionalismo na Antiguidade Clássica) e que ele se manifestou na civilização grega – sendo que havia, inclusive, uma escolha de cidadãos para os cargos públicos –, na civilização romana e também na civilização hebraica (que era teocrática), sendo que a "Lei do Senhor" limitava o poder. As críticas às formulações de constitucionalismo, na Antiguidade, que Loewenstein desenvolveu, advêm do fato de que os gregos se fixaram em modelo de cidade restrita, sem chegar a conceber comunidades maiores, salvo quando se tratava da aproximação das ligas e na noção cosmopolítica dos estoicos. Esse modelo seria, de certo modo, retomado pelos romanos. Junto às críticas a essa tese, estabelecem-se parâmetros para se diferenciar pensamento constitucional de constitucionalismo.

> Loewenstein, a nosso ver com certo exagero, afirma que os gregos tiveram 'um regime político absolutamente constitucional' durante dois séculos, admitindo as concepções da *eunomia* e da *isonomia* como expressadoras de um Estado de Direito completo e regulável 'democrática e constitucionalmente'. [...] Loewenstein analisa que a República Romana fora um arquétipo clássico do Estado Constitucional, embora não organizado plenamente como democracia. 'No caso romano, encontra-se uma espécie de retrospecto da experiência grega, com sequência diferente e diversas ampliações. Encontram-se também alguns momentos terminológicos mais próximos da linguagem do Ocidente, a começar do termo *constitutio*' (SALDANHA, 2000, p. 15).

Em sequência, cumpre destacar o legado romano. Saldanha (2000) explica que o vocábulo *constitutio*, em Roma, tinha significado diferenciado do que se formulou na modernidade. Daí, estabeleceu-se a reviravolta linguística e pragmática, na maneira de se compreender o desenvolvimento de diferenciação entre pensamento constitucional e constitucionalismo, tendo como referência a filosofia contemporânea (OLIVEIRA, 1996). No caso romano, as *constitutiones* eram normas provindas diretamente do poder do monarca, mas não atinentes a problemas genéricos da estrutura do Estado (aqueles que correspondiam a uma "matéria" constitucional com o advento do constitucionalismo da modernidade); "[...] eram normas referentes a recomendações administrativas, ou decisões remetidas a agentes especiais e a determinados grupos de pessoas, como no caso das *constitutiones ad Populum*" (SALDANHA, 2000, p. 16). Em Roma, surgiu a Teoria de Políbrio (com origens platônicas) sobre a constituição mista e a Teoria de Cícero "[...] ecletizante, estóico-aristotélica, retórica e humanística, oportunista e universal" (SALDANHA, 2000, p. 15-16).

Nessa linha de raciocínio, tem-se que a Idade Média sofreu o preconceito iluminista-positivista ao ser caracterizada como Idade das Trevas. Esse preconceito se deu, em parte, aos séculos iniciais da Idade Média serem denominados de épocas deslúcidas. Tal contexto desenvolveu imagem caricatural de falta de racionalidade e de pensamento constitucional durante a Idade Média.

> A imagem hoje mais aceitável, ao que parece, é a de que, na Idade Média, o poder sempre foi limitado, controlado, repartido, refratado. E isso por vários motivos: a concepção teocêntrica das coisas, a ideia de que todo poder vinha de Deus e passava ao rei através do povo, a valorização do costume como expressão de vida da comunidade, a dispersão dos centros de produção e de consumo, e a presença de graus e focos de poder nos vários feudos, nas cidades, nos parlamentos, no Império, no Papado, nos reinos (SALDANHA, 2000, p. 17).

Ao se analisar que a Idade Média desvincula-se da imagem caricatural de Idade das Trevas, delineia-se a diferenciação que existe entre o pensamento constitucional e o constitucionalismo propriamente dito. Neste sentido, a organização constitucional do Estado por meio de uma constituição escrita mostra-se como elemento lógico de sustentáculo para o que se convém denominar *Razões de Estado*.

Foi no decorrer da Idade Média que a Magna Carta de 1215 representou o grande marco do constitucionalismo medieval, ao estabelecer, mesmo que formalmente, a proteção a importantes direitos e garantias individuais. A experiência medieval do poder, por um lado tão diferente da experiência pós-moderna, contém, por outro, um lastro de problemas e de ideias que se tornou permanente, por intermédio da constante alusão histórica que se fez a ela. "E com isso é evidente que aceitamos a renovada imagem da Idade

Média, não mais considerada como média nem como hiato, nem como época de trevas nem de pura superstição" (SALDANHA, 2000, p. 35).

Associa-se, na Idade Média, antecedente da moderna Constituição nas chamadas Leis Fundamentais, a cuja competência cabia indicar o soberano e dispor sobre a sucessão do trono, além de assentar a religião do reino, regularem-se temas relativos à moeda e à alienação de bens da Coroa. Canotilho (2000, p. 59) explica que as Leis Fundamentais da Idade Média eram normas que o rei não poderia alterar nem revogar. Assim, na França, no século VI, distinguiram-se as leis do reino (as Leis Fundamentais) das leis do rei.

Jorge Miranda (2002, p. 323) argumenta que essas Leis Fundamentais tinham aspecto assemelhado aos da Constituição moderna, pois diziam como as estruturas do poder deveriam se estabelecer e reconheciam força superior. Contudo, as Leis Fundamentais da Idade Média nem sempre eram escritas e não buscavam regulação extensiva e minuciosa do poder, ao contrário do que preconizou o constitucionalismo compreendido nos quadros revolucionários da Europa continental do século XVIII.

Nesse sentido, para desconstruir a imagem caricatural da Idade Média como Idade das Trevas, cumpre destacar que existem autores políticos medievais cujas obras oferecem traços para formulação de pensamento constitucional com tendência para a concepção moderna de constituição (para concepção de constitucionalismo propriamente dito). Na Inglaterra, tem-se Salisbury, Glanvill, Bracton e Fortescue, por exemplo; bem como na Itália, tem-se Maraílio de Pádua e Dante.

O Renascimento marcou-se por transição e sequência racional de ideias e não por ruptura ilógica. Os autores Taine e Burkhardt formularam teses do Renascimento com muito vigor e discrepantes da Idade Média. Entre os Séculos XV e XVII ocorreram grandes transformações nos países europeus com confluência de revoluções. Mas a crítica científica da presente tese entende que não houve brusquidade e sim, transição e sequência racional de amadurecimento de ideias. "Portanto, não há que pensar numa 'época renascentista' surgindo de pronto com aspectos inteiramente distintos dos de 'época medieval'" (SALDANHA, 2000, p. 18). Essa percepção mostra-se viável para o entendimento das tênues diferenciações que se estabelecem entre pensamento constitucional e constitucionalismo.

Criticamente, Max Weber (2005) demonstra que as transformações renascentistas estruturam a sociedade com o sentimento do novo, mais móvel que a sociedade medieval, com menos tradicionalismo e menos apego às noções de terra e de sangue. O capitalismo e a racionalização burguesa da vida possibilitaram a prática do individualismo que, no século XVIII, tornar-se-ia genérico e fundamental para a concepção moderna de Constituição.

O Estado Moderno surgiu como concentração do poder e absorção de forças históricas. Com ele, as questões culturais e as econômicas se tornaram questões políticas. E, as nações assumiram formato jurídico e papel central na política, pondo-se o problema da soberania e, logo depois, o direito das pessoas (*direito das gentes*). Com ele, e com a unificação das fontes e dos ordenamentos jurídicos, fez-se possível o moderno juspositivismo, com diversas variantes e conexões.

> E é no Estado moderno, ou sobre seu arcabouço, que se darão as alterações constitucionais trazidas pelas revoluções demo-liberais burguesas, cujo acompanhamento doutrinário forma, precisamente, o pensamento constitucional em sua acepção própria, correspondente aos séculos contemporâneos. A ideia essencial do constitucionalismo moderno se acha na submissão da ação estatal a uma norma positiva que deve vincular a existência mesma dos poderes e garantir a subsistência de previsões e certezas para o convívio com o poder (SALDANHA, 2000, p. 33).

O Estado Moderno nasceu de termos absolutistas. Representou concepção do indivíduo como ponto de partida. A noção de contrato assumia uma dimensão coletiva e individual, em busca de consenso. Assim, Saldanha (2000, p. 23) considera que "a superação das antinomias feudais" se deu com a concentração do poder e com o robustecimento das dinastias.

Jorge Miranda (2002) distingue o que se entende por Constituição, antes do constitucionalismo moderno do conceito da mesma realidade, nas décadas iniciais do século XXI. Argumenta que, inevitavelmente, "todo o Estado carece de uma Constituição como enquadramento de sua existência". Nesse sentido, a Constituição assim considerada se antolha de alcance universal, independentemente do conteúdo com que seja preenchida, mas os políticos e juristas da Antiguidade não a contemplaram em termos comparáveis aos do Estado Moderno. "Na Grécia, por exemplo, se Aristóteles procede ao estudo de diferentes Constituições de Cidades-Estados, não avulta o sentido normativo de ordem de liberdade" (MIRANDA, 2002, p. 323).

A luta política do liberalismo destinou-se a destruir o absolutismo, tanto retirando do rei o poder pleno, e distribuindo-o por meio dos poderes divididos, como restaurando, sob novas formas, a velha ideia de que a comunidade representa a verdadeira fonte do poder. Essa ideia anexou-se à concepção do indivíduo como ponto de partida. A noção do contrato servia em grande medida para isto: para fundar o poder, por um lado, sob a anuência coletiva e, por outro, sob a individual, na forma de consenso.

O liberalismo fora elemento histórico a condicionar o constitucionalismo moderno, estando em conexão vital com o Estado de Direito. O liberalismo apareceu como credo, como movimento e como sistema em ascensão. Não apenas sistema político ou sistema econômico. "O liberalismo representou todo um modo de ser para a vida, nos tempos em que cresceu e dominou: para a vida individual e a coletiva, a oficial e a privada; para a literatura, a pedagogia, o comércio, a legislação, a religião, as relações internacionais" (SALDANHA, 2000, p. 20-21).

No plano institucional, Saldanha (2000, p. 24) considera que o liberalismo significou a construção de um Estado em que o poder se fazia função do consenso e em que a divisão de poderes se tornava princípio obrigatório. O direito prevalecia em seu sentido formal e a ética social repudiava as intervenções governamentais. Na luta ideológica contra o absolutismo, a mentalidade liberal desenvolveu uma série de questionamentos conceituais e axiológicos que incrementaram, caracteristicamente, o pensamento político contemporâneo em seu conjunto. A luta ideológica contra o absolutismo representou, também, a luta contra a aristocracia.

2.1 Os fundamentos do pensamento constitucional e do constitucionalismo: a perspectiva dos Estados Unidos e a da Europa continental para as particularidades brasileiras

Tendo-se como referência a concepção dos fundamentos constitucionais do sistema jurídico que o Brasil manifesta, mostra-se necessário entender a existência de duas tendências acadêmicas que influenciaram o pensamento constitucional e o constitucionalismo no Brasil: a dos Estados Unidos e a da Europa continental. Parte-se da premissa de que as obras de pensador nada mais são que a expressão de concepção unitária e total do mundo, e que sua compreensão é possível, quando se consegue "[...] captar a estrutura do conjunto e compreender cada obra como parte de um todo, dentro do qual ela tem uma função e uma importância precisa que é necessário estabelecer" (GOLDMANN, 1979, p. 55).

Os Estados Unidos da América reconheceram o valor normativo da Constituição como documento máximo da ordem jurídica, desde o início do século XIX. O Poder Executivo nos Estados Unidos tinha sua representação pelo Presidente da República, eleito pelo voto popular. Historicamente, não era considerado o adversário a ser temido, como o eram os monarcas europeus do final do absolutismo. O percurso histórico que os norte-americanos formularam para si foi o do equilíbrio dos poderes, precavendo-se contra as ambições hegemônicas do Congresso (Poder Legislativo).

Nesse sentido, o discurso de Jefferson, recolhido por Madison no *Federalista* (número 48) enunciava que os "déspotas serão tão opressivos como um só. Não lutamos por um despotismo eletivo, mas por um governo baseado sobre princípios livres". Horst Dippel (1998, p. 5), em sua obra *Soberania popular e separação de poderes no constitucionalismo revolucionário da França e dos Estados Unidos da América*, argumenta que o constitucionalismo nos EUA fortaleceu-se, já no século XVIII, em face do controle contra as intenções hegemônicas do Congresso. "Se não há nenhum limite para a Legislatura [...] nós não somos mais um país livre, mas um país governado por uma oligarquia tirânica. [...] Um governo puramente legislativo como o da Inglaterra [...] era considerado como um mero parlamentarismo despótico", destacou o *Providence Gazette*, de 5 de agosto de 1786.

Roberto Blanco Valdés (1998) argumenta que a República norte-americana exigiu que os limites dos poderes estivessem bem delineados em documento vinculante, insuscetível de ser alterado pelas mesmas maiorias contra as quais as limitações eram dispostas. Isso colaborou para que se encontrasse valor jurídico único na Constituição, como instrumento de submissão dos poderes a limites, tornando-se viável a ideia da supremacia da Constituição sobre as leis. "A supremacia da Constituição, afinal, exprimia a consequência inelutável da sua superioridade formal, resultado da primazia do Poder Constituinte Originário sobre os Poderes por ele constituídos" (VALDÉS, 1998, p. 162-163).

Nas décadas iniciais do século XXI, José Ribas Vieira (2011), em sua obra *Teoria Constitucional Norte-Americana Contemporânea*, contempla universo analítico a respeito dos principais expoentes, quais sejam: Bruce Ackerman, Cass Sustein, Edward White, Jeremy Waldron, Larry Kramer e Stephen Griffin. Esses estudos são articulados e sistematizados e servem de base comparativa para as particularidades brasileiras. Demonstra-se que, principalmente na sociedade brasileira, urge reformulação da teoria constitucional para interpretar a Constituição Federal de 1988 e redirecionar o ativismo jurisdicional que ocorre no âmbito do Supremo Tribunal Federal. A obra revela-se estratégica, em análise crítica das particularidades brasileiras, pois reflete sobre o papel da constituição e da delimitação das decisões judiciais.

Em outro contexto, a Europa continental reconheceu o valor jurídico das constituições de modo mais tardio do que na América do Norte. A partir do século XVIII, os movimentos liberais, na Europa, corroboraram o princípio da supremacia da lei e do parlamento, o que prestigiou a fundamentação da Constituição como norma vinculante.

Cumpre destacar no constitucionalismo da Europa continental a figura de Jean Bodin que, em 1576, publicou, em Paris, os *Seis Livros da República*. Sua tese sobre o poder absoluto do soberano – o rei – foi no sentido de que este poder é perpétuo e absoluto, pois não pode ser revogado (é originário) e tampouco está submetido a controle, nem a contrapeso, por parte de outros poderes. Mas, ressalte-se, Bodin defendeu a existência de limites ligados à distinção entre o rei e a Coroa, o que impedia o rei de alterar as leis de sucessão e de alienar os bens que formam parte da fazenda pública, bem como os limites relacionados à impossibilidade de o monarca dispor dos bens que pertencem aos súditos, para não se confundir com um tirano.

Importante também, no constitucionalismo europeu, foi Hobbes que, em 1651, publicou o *Leviatã* (HOBBES, 1983), logo após os acontecimentos ingleses de 1649 (condenação à morte do rei, extinção da Câmara dos Lordes e surgimento da República). O pensador defendeu que a associação política, em forma de Estado, necessitaria de lei fundamental para individualizar o soberano, com a especificação dos seus poderes irrevogáveis.

Posteriormente, em 1660, restaura-se a monarquia na Inglaterra e, em 1689, os poderes do monarca se veem limitados pela Revolução Gloriosa, com a formulação do *Bill of Rights*. Referido diploma, destaque-se, restringiu os poderes reais, na medida em que recusa ao monarca legislar autonomamente e lhe retira o poder de impor tributos ou convocar e manter o exército sem autorização parlamentar.

A propósito, cumpre salientar que o filósofo Thomas Hobbes foi defensor ferrenho do Estado Monárquico Absolutista no século XVII, na Inglaterra. Hobbes foi, durante toda a sua vida política, crítico do ideário econômico-burguês que se instalou. Em seu estudo *Leviatã* (HOBBES, 1983) contribuiu para o enriquecimento e fortalecimento de sua filosofia a respeito do Estado Soberano, na qual se contrapôs aos que defendiam o Estado Liberal Democrático.

Hobbes (1983), por intermédio de sua crítica filosófica, deixou para o legado ocidental, o modelo de corpo político que estava preparado para enfrentar os percalços da grande diversidade de súditos (sociedade na visão de Hobbes) que viveriam sob os auspícios do Estado. Por isso, Hobbes preocupou-se em criar mecanismos como as leis para isolar ou inibir aqueles que porventura reivindicassem algum tipo de direito. O soberano criava as leis de forma que só e somente ele seria beneficiado, pois o rei possuiria mais capacidade do que a República.

Já o escritor inglês John Locke (1632-1704) personificou, na Inglaterra do final do século XVII, as tendências liberais opostas às ideias absolutistas de Hobbes. Partidário dos defensores do Parlamento, seu estudo

Ensaio sobre o Governo Civil foi publicado em 1690, menos de dois anos depois da Revolução Gloriosa de 1688, que retirou do trono o rei Jaime II (POLIN, 1960). A sua teoria, quanto ao estado de natureza, à criação do Estado e à configuração da propriedade, pode ser visualizada como o principal embasamento teórico do Liberalismo e da concepção individualista da propriedade, tendo em vista a defesa como direitos naturais do homem, da liberdade e da propriedade.

> O poder supremo não pode tirar de qualquer homem parte de sua propriedade sem o consentimento dele [...]. Tendo, portanto, os homens propriedade quando em sociedade, cabe-lhes tal direito aos bens que, por lei da comunidade, lhes pertencem, que ninguém tem o direito de tirar-lhes esses bens ou qualquer parte deles, sem que deem assentimento; sem isso, não teriam qualquer propriedade naquilo que outrem pode, por direito, tirar-me quando lhe aprouver, contra meu consentimento. Daí ser errôneo pensar que o poder legislativo ou supremo de qualquer comunidade pode fazer o que quer e dispor das propriedades dos súditos arbitrariamente, ou tirar-lhes qualquer parte à vontade. A propriedade de qualquer um não está de modo algum segura, embora existam leis equitativas e boas que delimitem entre eles e os outros homens, se quem os governa tem o poder de tirar de qualquer pessoa particular a parte que quiser da propriedade desta, usando-a e dela dispondo conforme lhe aprouver (LOCKE, 1979, p. 86).

Importante sinalizar que, em 1690, Locke publicou sua tese sob o título de *Segundo Tratado do Governo Civil.* Defendeu que, no estado de natureza, os indivíduos já eram capazes de instituir a propriedade, segundo os ditames da lei natural, mas, para preservá-la, não poderiam prescindir de estabelecer sociedade política para o desfrute da propriedade em paz e segurança. Maurizio Fiovaranti (2001) argumenta que a verdadeira relevância do pensamento de Locke encontra-se no fato de que ele foi o pioneiro em formular, de modo claro e firme, no âmbito da constituição dos modernos, a fundamental distinção entre poder absoluto e poder moderado. O primeiro é aquele em que único sujeito, seja o rei, seja a assembleia, tem os poderes legislativo e executivo. No segundo, os dois poderes são distintos e pertencem a dois sujeitos distintos.

No decorrer do século XVIII, a Constituição inglesa representa o ideal de configuração política da sociedade, com a fórmula do *king in Parliament*, em que o Parlamento legisla, mas tem presente a possibilidade de o rei vetar o diploma. Porém, em 1748, Montesquieu, em *O Espírito das Leis,* desenvolve a ideia do regime político moderado, que é aquele cuja Constituição é capaz de manter poderes diferenciados e, ao mesmo tempo, equilibrados e com liberdade política. Daí a separação entre os Poderes, em que um contém o outro. Esses Poderes são identificados como Legislativo, Executivo das coisas que dependem do direito das gentes e Executivo das que dependem do direito civil.

Paralelamente, Jean-Jacques Rousseau apresentou-se, para o constitucionalismo Europeu continental, como autêntico teórico revolucionário, a exemplo de Voltaire e Montesquieu. Viveu na França, no século XVIII, daí a influência iluminista nas suas obras "Discurso sobre a Origem e os Fundamentos da Desigualdade entre os Homens" e "Do Contrato Social". Analisa o homem tanto no seu estado natural, como no estado civilizado. Defende a ideia de que as desigualdades têm sua origem nesse estado de sociedade. Leonel Itaussu Almeida Mello (2002) sinaliza que o pensamento de Rousseau equipara o homem aos animais, quanto aos seus instintos de sobrevivência e formação de ideias. As principais diferenças residem no fato de que o homem enfrenta inconveniências pelas quais o restante dos animais ou não são afetados ou, pelo menos, não se preocupam, antecipadamente, com elas: são as enfermidades naturais, infância, velhice e doenças.

> Oh, homem, de qualquer terra que sejas, quaisquer que sejam tuas opiniões, escuta: eis tua história, tal como acreditei lê-la, não nos livros de teus semelhantes, que são mentirosos, mas na natureza que jamais mente. Tudo o que vier dela será verdade; só haverá erro no que eu, sem querer, houver introduzido de meu. Os tempos de que vou falar são bem distantes; como mudaste daquilo que eras! É, por assim dizer, a vida de tua espécie que vou descrever-te de acordo com as qualidades que recebeste, que tua educação e teus hábitos puderam depravar, mas que não puderam destruir (ROUSSEAU, 2005, p. 162).

Rousseau (2005) defende a ideia de que a soberania nasce da decisão dos indivíduos. No *Contrato Social*, publicado em 1762, sustenta que o poder soberano pertence diretamente ao povo. Pelo pacto social, os indivíduos se transformam em corpo político, renunciando à liberdade natural, mas forjando a liberdade civil. Esse pensamento propugna que não existe nem pode existir nenhum tipo de lei fundamental obrigatória para o corpo do povo, nem sequer o contrato social. Nessa perspectiva, as formulações em torno da Constituição não têm função de limite ou de garantia, apenas cuidam dos poderes instituídos, não podendo restringir a expressão da vontade do povo soberano. No *Discurso sobre a origem e os fundamentos da desigualdade entre os homens*, Jean-Jacques pergunta:

> [...] que progressos poderia fazer o gênero humano disperso nos bosques entre os animais? E até que ponto poderiam aperfeiçoar-se e esclarecer-se mutuamente homens que, não tendo domicílio fixo nem a menor necessidade um do outro, talvez se encontrassem apenas duas vezes na vida, sem se conhecerem e sem se falarem? (ROUSSEAU, 2005, p. 178).

Sem progressos e em meio aos encontros e desencontros, a linguagem utilizada nesse universo de ausência de regras sociais é "grosseira e imperfeita". "A primeira linguagem do homem, a linguagem mais universal, a mais enérgica e a única de que precisou antes de ter de persuadir homens reunidos, é o grito da natureza" (ROUSSEAU, 2005, p. 181).

O modo de pensar o homem natural faz de Rousseau o diferencial para a noção de liberdade igualitária no Século das Luzes. Rousseau não se deixou levar pela filosofia das Luzes, enfrentou, ao seu modo, as questões de seu tempo. O racionalismo das Luzes não foi incorporado por seu pensamento. "A Razão dos iluministas se explicita como defesa do conhecimento científico e da técnica enquanto instrumentos de transformação do mundo e de melhoria progressiva das condições espirituais e materiais da humanidade" (REALE; ANTISERI, 1990, p. 666).

Nesse quadro teórico, o constitucionalismo da Europa continental se manifesta em linha constitucionalista e visão radical da soberania popular. As revoluções do último quartel do século XVIII, em especial a Revolução Francesa, assumem a tarefa de superar todo o regime político e social do Antigo Regime. A perspectiva da soberania popular se destaca.

No âmbito do constitucionalismo que ocorreu na Europa continental, destaca-se, com forte influência no Brasil, o constitucionalismo lusitano. António Manuel Hespanha (2012) demonstra a evolução da história constitucional da monarquía liberal portuguesa, sendo que, em sua origem, coexistia revolução que combinava fraseologia, por vezes radical, com uma percepção conservadora do mundo político. Em sequência, uma Carta, em 1826, basicamente monárquica, enquadrou agendas políticas, substancialmente, diferentes: "[...] de programa restauracionista, que destacava o papel da prerrogativa régia até uma agenda socialista-corporativista, como a defendida nas últimas décadas do regime pelas alas mais radicais do *establishment* político" (HESPANHA, 2012, p. 477).

O constitucionalismo em Portugal marcou-se pela Constituição Portuguesa de 1822, que deu corpo institucional à revolução liberal de 1820. António Filipe (2010) demonstra que, apesar da vigência efêmera de sete meses, entre setembro de 1822 e junho de 1823, e 19 meses, após a Revolução de Setembro de 1836 – é um ponto de referência obrigatório, não apenas por ter sido a primeira Constituição portuguesa, mas também por ter resultado diretamente de processo revolucionário e por ter sido elaborada por Assembleia Constituinte eleita para o efeito. As eleições para as Cortes Constituintes tiveram lugar em dezembro de 1820, tendo sido eleita uma maioria de proprietários, comerciantes, homens de leis e burocratas.

A Constituição portuguesa foi aprovada em 23 de setembro de 1822. As eleições para as Cortes Constituintes foram indiretas e em três graus: os eleitores de comarca foram eleitos por todos os cidadãos maiores de 21 anos; esses elegeram, por voto secreto, os eleitores de província, os quais elegeram os deputados; que, em número de 109, foram distribuídos por 10 divisões plurinominais, a que acresceram sete representantes das colônias da África e da Ásia, e 66 do Brasil.

Nesse contexto, Canotilho (1993) mapeia vários constitucionalismos: o inglês, o americano e o francês. Daí, a terminologia movimentos constitucionais. Define o constitucionalismo como "teoria (ou ideologia) que ergue o princípio do governo limitado indispensável à garantia dos direitos em dimensão estruturante da organização político-social de uma comunidade" (CANOTILHO, 1993, p. 51). Essa perspectiva considera que o constitucionalismo moderno representará uma técnica específica de limitação do poder com fins garantísticos, sendo que os conceitos de constitucionalismo transportam claro juízo de valor. Representa teoria normativa da política, a exemplo da teoria da democracia ou da teoria do liberalismo.

Na linha de raciocínio dos movimentos constitucionais, André Ramos Tavares (2010) identifica quatro acepções para o constitucionalismo. Uma primeira, que emprega a referência ao movimento político-social, com origens históricas bastante remotas que limitam o poder arbitrário. Uma segunda, que se identifica com a imposição de que haja cartas constitucionais escritas. Uma terceira acepção, que indica os propósitos mais latentes e atuais da função e posição das constituições nas diversas sociedades. E uma quarta vertente mais restrita, em que o constitucionalismo se reduz à evolução histórico-constitucional de determinado Estado.

Kildare Gonçalves Carvalho (2006) analisa tanto a perspectiva jurídica, como a sociológica do constitucionalismo. Em termos jurídicos, o constitucionalismo "reporta-se a um sistema normativo, enfeixado na Constituição, e que se encontra acima dos detentores do poder" (CARVALHO, 2006, p. 211). Já pela vertente sociológica, o constitucionalismo representa "movimento social que dá sustentação à limitação do poder, inviabilizando que os governantes possam fazer prevalecer seus interesses e regras na condução do Estado" (CARVALHO, 2006, p. 211).

Nas particularidades brasileiras, Daniel Sarmento (2012) critica que, nas décadas iniciais do século XXI, o Direito Constitucional brasileiro encontra-se imerso na perspectiva "panprincialista". Caracteriza-se por relativização metodológica, em nome de suposta efetivação da justiça material. Assim, as relações constitucionais, no Brasil, constroem o senso comum que valorizam as invocações de princípios e valores constitucionais que visam não boa técnica jurídica, mas sim, que conduzem a resultados tidos como politicamente corretos, por menos plausível e fundamentada que seja a argumentação jurídica que se emprega aos casos concretos.

José Afonso da Silva (2003) avalia que os direitos constitucionais no contexto constitucional brasileiro, configuram-se, em geral, como essenciais, por referirem-se diretamente à organização e funcionamento do Estado, à articulação dos seus elementos primários e ao estabelecimento das bases da estrutura política. O Direito Constitucional compreende a ideia de que o Estado deve possuir uma Constituição em que os textos constitucionais contenham regras de limitação ao poder autoritário e de prevalência dos direitos e garantias fundamentais.

2.2 Por uma delimitação conceitual entre pensamento constitucional e constitucionalismo

As relações entre pensamento constitucional e constitucionalismo adotam perspectiva histórica que evidencia fronteiras que fazem com que o objeto de análise encontre dificuldades em sua delimitação. As delimitações conceituais devem ser relativizadas, pois se situam entre a realidade das experiências das diferentes instituições e os conceitos lógicos que cada época firmou em torno do Direito, sendo certo que o próprio pesquisador "[...] pode calcar a tecla das semelhanças e estender bastante as correlações, ou calcar a tecla das diferenças e restringir demais os contornos" (SALDANHA, 2000, p. 13).

Um dos grandes desafios é captar a diferenciação que existe entre pensamento constitucional e constitucionalismo, para compreender que esses termos tiveram "reviravolta linguística pragmática" (OLIVEIRA, 1996) com a época histórica ocidental da modernidade. A propósito, "[...] como as visões históricas dependem inevitavelmente dos esquemas mentais que se projetam sobre a imagem das épocas, acontece às vezes que os caracteres de alguma destas se configuram com certa força a fim de contrastar com outras" (SALDANHA, 2000, p. 18). Assim, não se trata de terminologias sinônimas quando se fala de pensamento constitucional e constitucionalismo.

O pensamento constitucional propriamente dito é fenômeno do ocidente contemporâneo que se interliga com o constitucionalismo, mas que com ele não se confunde. O pensamento constitucional é o ato que concebe as ideias constitucionais como norteadoras de sistema jurídico sustentável. Os estudos em torno do pensamento constitucional possibilitam, por exemplo, o entendimento de que, nas experiências brasileiras, desde o Brasil Império, "[...] a análise da baixa efetividade do texto constitucional e da hermenêutica bloqueadora de direitos fundamentais revela a nítida relação que mantêm com voluntarismo, gradualismo e uso indevido das *Razões de Estado*" (LIMA; PINTO, 2008, p. 67).

O constitucionalismo, por sua vez, manifesta-se historicamente como movimento que se constituiu como "técnica" da liberdade e da igualdade, por meio da qual são assegurados às pessoas o exercício de seus direitos individuais e a limitação para que o Estado não viole esses direitos. Também retrata a divisão do poder para evitar o arbítrio, podendo mesmo se considerar o constitucionalismo, como movimento que vincula o governo às leis (impessoalidade), e não aos homens (pessoalidade), com a racionalidade do direito e não do mero poder. Assim, se no absolutismo se concentrou o exercício do poder, no constitucionalismo, ao contrário, prevê-se que o poder seja racionalizado, tendo controle em seu exercício (BOBBIO, 2000).

O pensamento constitucional e o constitucionalismo se estruturam, em seus conteúdos e formas, dentro da experiência ocidental contemporânea, o que remete à menção às experiências anteriores, ou seja, a construção histórica ocidental da noção de Constituição. Porém, a presente tese parte do pressuposto de que constitucionalismo não é sinônimo de pensamento constitucional.

O pensamento constitucional é o sentimento social do ser humano que, ao viver em sociedade, busca os princípios que garantam direitos fundamentais de liberdade e igualdade e a racionalização do uso do poder político. O pensamento constitucional proporciona a racionalidade jurídica que perpassa o desenvolvimento social. Vincula-se ao significado dos ideais de igualdade e liberdade que vão se formulando, no âmbito social, em busca do amadurecimento humano.

O constitucionalismo manifesta-se como movimento histórico que objetiva legitimar mecanismos de limitação do exercício do poder político, associando-se aos desenvolvimentos históricos dos conceitos ocidentais de constituição. O constitucionalismo possibilita o recorte temporal dos ideais de Constituição. Vincula-se ao significado das Constituições e ao valor que seu texto representa para o momento histórico em que se encontram inseridas.

Deve-se entender a diferenciação entre pensamento constitucional e constitucionalismo, e compreender que esses termos tiveram ressignificação jurídica na época histórica da modernidade (do Estado Moderno). O pensamento constitucional propriamente dito é fenômeno do Ocidente contemporâneo e interliga-se com o constitucionalismo. As origens do pensamento constitucional contemporâneo também correspondem à persistência do legado medieval, bem como de certas bases gerais da consciência política dos povos do Ocidente, no desenrolar dos tempos, no sentido de valorizar determinadas formas de ação e de organização.

Chama-se a atenção para o fato de que não seria isto contraditório com o desenvolvimento da tese. Ao menos pelo que se pode entender, a ideia de *pensamento constitucional* seria anterior aos movimentos constitucionalistas modernos, de forma a se poder falar nesse *pensamento constitucional,* ainda que anterior à concepção de constituição em sentido moderno. Esta ressalva é importante, pois a tese defende o direito à propriedade privada imóvel como instrumento natural e tem por embasamento o Direito Constitucional nas relações privadas e, em especial, nas relações econômicas privadas.

O constitucionalismo associa-se ao que se chama Estado de Direito. Já o pensamento constitucional associa-se aos atos humanos racionais de viabilização de sistema jurídico. "O constitucionalismo aparece mais como um movimento, um processo, uma tendência a um tempo doutrinária e institucional; o Estado de Direito, mais como um tipo, um modelo, uma estrutura a que o Estado moderno chegou" (SALDANHA, 2000, p. 19).

Nesse sentido, pensamento constitucional diferencia-se de constitucionalismo ocidental contemporâneo, que é fenômeno histórico que se funda em condições que representam aspectos ou elementos das situações culturalmente correspondentes. O constitucionalismo fundamenta-se, genericamente, sobre as "bases mesmas da vida política moderna: o racionalismo, o laicismo, o individualismo burguês, a vida urbana" (SALDANHA, 2000, p. 22). O constitucionalismo também se fundamenta no iluminismo e no liberalismo: "o iluminismo como corrente vinda da época de Leibniz e de Locke, postuladora de geometrismos e de direitos; o liberalismo (tanto econômico como político) como movimento crente em leis naturais e em liberdades, postulador de leis escritas e de controles para o poder" (SALDANHA, 2000, p. 22).

Ressalte-se a discussão teórica em torno do que se chama de constitucionalismo contemporâneo (durante a Idade Contemporânea), que se associa à ideia de "constitucionalismo globalizado". Uadi Lammêgo Bulos (2008, p. 18) argumenta que o constitucionalismo contemporâneo representa o "totalitarismo constitucional", consectário da noção de Constituição programática e que tem, como bom exemplo, a Constituição brasileira de 1988. O "totalitarismo constitucional" se manifesta, quando os textos sedimentam importante conteúdo social, estabelecendo normas programáticas (metas a serem atingidas pelo Estado, programas de governo), destacando-se o sentido de Constituição dirigente.

A perspectiva da superioridade da Constituição fundamenta que todos os poderes por ela constituídos a ela se subordinem por mecanismos constitucionais de controle, de freios e contrapesos. No âmbito das relações constitucionais privadas, a perspectiva é que ocorra a absorção de valores morais e políticos por um sistema de direitos fundamentais autoaplicáveis.

Nessa linha de raciocínio, José Roberto Dromi (1997) propõe que o futuro do constitucionalismo deva estar influenciado e até mesmo identificado com a verdade, a solidariedade, o consenso, a continuidade, a participação, a integração e a universalidade. A noção sobre futuro para o constitucionalismo é essencial para manter a estabilidade e segurança do sistema jurídico nas décadas iniciais do século XXI.

Nesse contexto, a Constituição deve se identificar com a verdade real e não com a mera verdade formal, não podendo mais gerar falsas expectativas. O constituinte só deverá "prometer" o que for viável cumprir, com diálogo, transparência, informação, moral e ética. A perspectiva da solidariedade para as relações constitucionais privadas adquire destaque no sentido de promover igualdade que se sedimente na dignidade do ser humano.

A busca por consenso visa ao amadurecimento da ideia de que a Constituição deverá ser fruto de processos democráticos, com continuidade, participação, integração e universalização. Continuidade relaciona-se a se reformular a Constituição, em que a ruptura não pode deixar de levar em conta os avanços já conquistados, evitando o retrocesso e preservando a segurança jurídica, por meio do ato jurídico perfeito, da coisa julgada e do direito adquirido. Participação relaciona-se à efetiva participação das pessoas, nas arenas públicas, o que consagra a noção de democracia participativa, de direito ao esquecimento e do próprio Estado Democrático de Direito. A integração e a universalização se relacionam à previsão de órgãos supranacionais para a implementação da integração social, moral, ética e institucional, entre os povos com a consagração dos direitos fundamentais internacionais nas Constituições futuras.

2.3 Neoconstitucionalismo, judicialização e ativismo judicial

As décadas iniciais do século XXI sinalizam para momento de constitucionalismo que se caracteriza pela superação da supremacia de um Poder sobre o outro, o que sinaliza para equilíbrio entre as forças constitucionais. O valor normativo supremo da Constituição resulta de reflexões propiciadas pelo desenvolvimento do pensamento constitucional ocidental. Paulo Gustavo Gonet Branco (2011) argumenta que o estágio do constitucionalismo, nas décadas iniciais do século XXI, peculiariza-se pela mais aguda tensão entre constitucionalismo e democracia.

> É intuitivo que o giro de materialização da Constituição limita o âmbito de deliberação política aberto às maiorias democráticas. Como cabe à jurisdição constitucional a última palavra na interpretação da Constituição, que se apresenta agora repleta de valores impositivos para todos os órgãos estatais, não surpreende que o juiz constitucional assuma parcela de mais considerável poder sobre as deliberações políticas de órgãos de cunho representativo. Com a materialização da Constituição, postulados ético-morais ganham vinculatividade jurídica e passam a ser objeto de definição pelos juízes constitucionais, que nem sempre dispõem, para essa tarefa, de critérios de fundamentação objetivos, preestabelecidos no próprio sistema jurídico (BRANCO, 2011, p. 62).

A materialização constitucional neutraliza a objeção democrática ao Estado constitucional, com a observação de que a Constituição é dimensão substancial para a democracia. Luis Prieto Sanchís (2003), em sua obra "*Justicia constitucional y derechos fundamentales*", entende que a crítica da materialização da Constituição perde relevo, quando reduz realidade e ficção a um mesmo parâmetro de exame do problema. O ideal democrático que empolga a crítica centra-se na ficção de que, efetivamente, a obra do legislador é a expressão da vontade geral, obscurecendo a realidade de que a lei é a obra de órgão do Estado, o Legislador, que pode ser comparada com diploma juridicamente superior, a Constituição, por outro órgão do Estado, a quem a Constituição atribua tal tarefa. Nesse sentido, tanto o princípio democrático como o do constitucionalismo são devedores de ficções, que não precisam ser desprezadas, mas compreendidas sob o enfoque de elemento justificador que serve a ambos os princípios.

O neoconstitucionalismo, na América Latina, pode ser captado como o conjunto de fatores que caracterizam o momento do constitucionalismo pela materialização da Constituição e pelo sistema de direitos fundamentais autoaplicáveis. Por entender que o neoconstitucionalismo não se constitui mero neologismo, Ana Paula Barcellos (2006) enumera argumentos metodológicos para defender o fenômeno do neoconstitucionalismo, que são: a) a normatividade da Constituição (norma hierárquica superior); b) a centralidade da Constituição; e, c) a superioridade da Constituição.

Nesse sentido, as Constituições vigentes nas décadas iniciais do século XXI apresentam características materiais, como a incorporação de valores e opções políticas. Como exemplo, tem-se, no caso brasileiro, o art. 3º da CF/1988 que enuncia que "constituem objetivos fundamentais da República Federativa do Brasil: I - construir uma sociedade livre, justa e solidária". Outra característica material do neoconstitucionalismo nas Constituições é o que se denomina expansão de conflitos, como, por exemplo, o art. 226, da CF/1988, que enuncia: "a família, base da sociedade, tem especial proteção do Estado. [...] § 3º – Para efeito da proteção do Estado, é reconhecida a união estável entre o homem e a mulher como entidade familiar, devendo a lei facilitar sua conversão em casamento".

No que se refere às discussões que envolvem neoconstitucionalismo e neopositivismo, tem-se que ambos são movimentos. Porém, o neoconstitucionalismo representa forma de analisar o fenômeno constitucional. Já o neopositivismo (positivismo reflexivo) significa forma de conceber o direito positivo.

Por essa diferenciação ter representado significativo relevo na construção da presente tese, no Doutorado em Direito Constitucional da UNIFOR, e por ser assunto divergente, cabe a alerta do parágrafo seguinte.

Definir, constitucionalmente, o neopositivismo como "nova forma de conceber o direito positivo", assume barreiras no âmbito das relações constitucionais privadas. Isso ocorre devido ao fato de que as diversas vertentes neopositivistas são refinações teóricas do positivismo jurídico. Após o debate acadêmico entre Hart e Dworkin, bem descrito por Shapiro em "*The Hart-Dworkin debate – a short guide for the perplexed*", verifica-se que se trata de diferentes modos renovados de se compreender a relação entre direito e moral, tentando rebater as críticas formuladas por Dworkin ao positivismo jurídico e, ademais, superar as deficiências da obra de Hart.

Desse modo, mostra-se viável citar, como vertentes neopositivistas, o positivismo jurídico exclusivo (ou exclusivista) de Joseph Raz, por exemplo, bem como a análise do positivismo jurídico inclusivo de Jules Coleman e de Will Waluchow. Também o positivismo normativo ou ético, como desenvolvido por Jeremy Waldron. Essa observação não traz as referências das obras dos autores, porém mostra-se viável consignar-se, no corpo da presente tese, como *plus* metodológico, para contribuir nos estudos jurídicos posteriores que explorem as vertentes neopositivistas, pois "a metodologia jurídica refere-se a um metaproblema" (NEVES, 1993, p. 23).

Nesse sentido, cabe destacar que Vitor Hugo Nicastro Honesko (2015, p. 164) argumenta que "o neopositivismo consiste em um movimento cuja maior característica seria a redução da Epistemologia à Semiótica (Teoria Geral dos Signos)". Demonstra o vínculo com a linguagem como o instrumento, por excelência, do saber científico. Surgiu em um grupo heterogêneo de filósofos e cientistas que assumiu corpo e expressividade em Viena, daí ser, também, conhecido como "Círculo de Viena", e seus encontros sistemáticos tinham a finalidade de discutir problemas relativos à natureza do conhecimento científico.

Nas particularidades brasileiras, Humberto Ávila (2009), ao reconhecer o neoconstitucionalismo, critica os seus fundamentos. Para esse autor, existem quatro fundamentos (aspectos) que devem ser analisados no que se denomina neoconstitucionalismo: o normativo (da regra ao princípio); o metodológico (da subsunção à ponderação); o axiológico (da justiça geral à justiça particular); e o organizacional (dos Poderes Legislativo e Executivo ao Poder Judiciário). O fundamento normativo analisa da regra ao princípio, na consideração de que não há hierarquia entre normas constitucionais originárias. A diferença entre ambas se dá pelas funções que realizam. Nesse sentido, a CF/1988 não é principiológica, mas regulatória.

O fundamento metodológico do neoconstitucionalismo analisa da subsunção à ponderação. Subsunção significa a lógica que parte de premissa maior para uma premissa menor até obter conclusão. A ponderação, nesse sentido, seria a tentativa de o juiz decidir de forma justa. Todavia, Humberto Ávila (2009) elabora críticas sobre o antiescalonamento do sistema, em que a "constitucionalização" da norma jurídica gera insegurança, no tocante à construção de decisão judicial, a partir do ideal de justiça a ser perseguido pelo magistrado, o que pode resultar no aniquilamento do princípio democrático, da legalidade e da separação das funções estatais. Os membros da função judiciária não são eleitos pelo povo e, não raras vezes, atuam como legislador positivo, no sentido de passarem a decidir sobre temas da alçada do Legislativo. Assim, deve-se evitar o subjetivismo das decisões, pois, com ele, as normas perdem imperatividade.

Nessa perspectiva, a ponderação no neoconstitucionalismo deve observar o seguinte percurso: inicialmente, deve ocorrer a aplicação das regras constitucionais; em seguida, deve haver a aplicação da regra legal, editada no exercício regular da função legislativa. Inexistindo as duas etapas anteriores, devem-se ponderar os princípios constitucionais colidentes, no intuito de editar norma individual para o caso concreto.

O fundamento axiológico do neoconstitucionalismo pressupõe a transição da justiça geral para a justiça particular. As regras desempenham função importante, numa sociedade complexa, servem tanto para a estabilização de conflitos, bem como para a redução de incertezas e arbitrariedades. Neste sentido, Humberto Ávila (2009) argumenta que privilegiar a estabilidade e a previsibilidade do sistema não é algo, necessariamente, negativo.

O fundamento organizacional do neoconstitucionalismo analisa a organização dos Poderes. Não se quer dizer que o Judiciário não é importante, mas que o Legislativo e o Executivo exercem igual importância. É, nesse sentido, que Humberto Ávila (2009) sustenta que não é correto asseverar que o Poder Judiciário deve preponderar sobre o Poder Legislativo ou sobre o Poder Executivo. Assim, deve-se rever a aplicação desse movimento que se convencionou chamar de "neoconstitucionalimo" no Brasil.

> Se verdadeiras as conclusões no sentido de que os seus fundamentos não encontram referibilidade no ordenamento jurídico brasileiro, defendê-lo, direta ou indiretamente, é cair em uma invencível contradição performática: é defender a primazia da Constituição, violando-a. O 'neoconstitucionalimo', baseado nas mudanças antes mencionadas, de uma espécie enrustida 'não constitucionalimo'; um movimento ou uma ideologia que barulhentamente proclama a supervalorização da Constituição enquanto silenciosamente promove sua desvalorização (ÁVILA, 2009, p. 202).

Tendo-se como referência o fundamento organizacional do neoconstitucionalismo, cumpre destacar os contornos da legitimidade democrática. Judicialização e ativismo judicial são traços marcantes no cenário jurídico brasileiro atual, mas são fenômenos distintos. A judicialização ocorre, quando o Judiciário decide sobre implementação de políticas públicas.

O fenômeno da judicialização decorre do modelo de Constituição analítica e do sistema de controle de constitucionalidade abrangente, a qual permite que discussões políticas e morais sejam trazidas sob a forma de ações judiciais. A justificativa para a judicialização ocorre, quando há violação de direito fundamental, embora o direito esteja previsto em lei. "Vale dizer: a judicialização não decorre da vontade do Judiciário, mas sim do constituinte" (BARROSO, 2010, p. 253).

A propósito, Konrad Hesse (1991, p. 19), ao elaborar a tese sobre a força normativa da Constituição, considera que a vontade de conferir força normativa ao texto da Constituição origina-se de três vertentes diversas. Baseia-se na compreensão da necessidade e do valor da ordem normativa inquebrantável, que proteja o Estado contra o arbítrio desmedido e disforme. Reside, igualmente, na compreensão de que essa ordem constituída é mais do que ordem legitimada pelos fatos. E se assenta também na consciência de que, ao contrário do que se dá com uma lei, essa ordem não logra ser eficaz sem o concurso da vontade humana.

Os casos de ativismo judicial correlacionam-se com o fato de o Poder Judiciário decidir além do texto da norma. Expressa postura do intérprete:

modo proativo e expansivo de interpretar a Constituição, potencializando o sentido e o alcance das normas para além da legislação ordinária. O problema que se apresenta, na realidade do Brasil, é que inexiste a regra dos precedentes. Assim, o Poder Judiciário deverá verificar, em relação à capacidade institucional e aos efeitos sistêmicos, se um outro Poder, Órgão, Instituição, Agência Reguladora ou entidade não teria melhor qualificação e respaldo jurídico para decidir, conciliar ou transacionar, em relação à matéria objeto da sua apreciação.

Nesse quadro de conflito e de questionamento de legitimidade da Corte Suprema, ao longo dos anos de vigência da Constituição Federal de 1988, é que José Ribas Vieira (2009) argumenta que há necessidade de maior interesse para a busca de novos desenhos institucionais para o Estado brasileiro. Esses desenhos institucionais passam no sentido de que se tente delinear constitucionalismo cooperativo, de modo a contrapor a esse ativismo jurisdicional mais voltado para aspectos formais por parte do Supremo Tribunal Federal com a maior participação do Poder Legislativo. "É, nesse contexto de um outro desenho institucional, possivelmente mais próximo aos anseios do Constituinte de 1987/1988, que se poderá visualizar, por exemplo, uma consolidação do processo discursivo e de Direitos Fundamentais" (VIEIRA, 2009, p. 56).

Em paralelo, José Ribas Vieira e Deilton Ribeiro Brasil (2007, p. 11) sustentam que o ativismo formal assumido, possivelmente de forma mais explícita após a Emenda Constitucional nº 45/04, "coincide com uma grave crise de legitimidade dos poderes da República, notadamente a do Legislativo e do Executivo". A potencialidade e a grandeza da crise institucional reforçam a importância de que se possa traçar o desenho estratégico como ator político que o Supremo Tribunal Federal deve assumir. E também compreender em que medida isso se relaciona com um abdicar de competência de outras funções do poder.

Nesse sentido, Luís Roberto Barroso (2010) cita o exemplo do traçado de uma estrada. Para determinar por onde uma estrada deve passar, a ocorrência ou não de concentração econômica ou os suportes de segurança para transporte de gás são questões que envolvem conhecimento específico e discricionariedade técnica. A regra é a de que, nesses casos, a posição do Judiciário deverá ser a de deferência para com as valorações feitas pela instância especializada, analisando se elas possuem razoabilidade, proporcionalidade e que tenham observado o trâmite jurídico adequado. Consequentemente, nos casos em que houver direito fundamental em situação de vulneração ou clara afronta a alguma outra norma constitucional, o Poder Judiciário deverá atuar. Assim, resta claro que deferência não significa abdicação de competência.

> Em suma: o Judiciário é o guardião da Constituição e deve fazê-la valer, em nome dos direitos fundamentais e dos valores e procedimentos democráticos, inclusive em face de outros poderes. Eventual atuação contramajoritária, nessas hipóteses, se dará a favor, e não contra a democracia. Nas demais situações, o Judiciário e, notadamente, o Supremo Tribunal Federal deverão acatar escolhas legítimas feitas pelo legislador, ser deferentes para com o exercício razoável de discricionariedade técnica pelo administrador, bem como disseminar uma cultura de respeito aos precedentes, o que contribui para a integridade, segurança jurídica, isonomia e eficiência do sistema. Por fim, suas decisões deverão respeitar sempre as fronteiras procedimentais e substantivas do Direito: racionalidade, motivação, correção e justiça (BARROSO, 2010, p. 254).

As perspectivas do neoconstitucionalismo para o ativismo judicial demonstram que ele tem sido parte da solução, e não do problema. O ativismo judicial deve ser entendido como mecanismo jurídico poderoso, cujo uso deve ser eventual, ponderado, razoável, proporcional e controlado.

Por fim, cabe ressaltar a crítica de que a expansão, autonomia e abrangência que o Poder Judiciário adquiriu, no Estado Democrático de Direito, emergiram na democracia brasileira: "a crise de representatividade, legitimidade e funcionalidade do Poder Legislativo. Precisamos de reforma política. E isso não pode ser feito por Juízes" (BARROSO, 2010, p. 254).

2.4 Direitos e garantias fundamentais: o caráter instrumental da segurança jurídica

Os direitos e as garantias fundamentais fundam-se na perspectiva de que o Estado é sociedade política que se materializa em Constituição e dota-se de algumas características próprias, como os elementos essenciais que o compõem: povo, território e soberania. Hegel (2005), por exemplo, entende que, filosoficamente, o Estado se justifica por ser nele e por ele que se alcançam as formas mais elevadas do espírito, representadas como autoconsciências inseridas em seu meio e relacionadas com outras autoconsciências. Classicamente, quanto à organização jurídica, podem-se sistematizar como tipos de organização estatal o Estado Liberal, o Estado Social, o Estado Democrático e o Estado Democrático de Direito.

O Estado Liberal manifestou-se no final do século XVIII, na época da Revolução Francesa, caracterizando o Estado abstencionista. Assim, a lógica era do Estado mínimo garantidor da segurança, em que ocorria a busca pela não interferência na vida privada e na atividade econômica. Nagib Slaibi Filho (2006, p. 314) analisa que o liberalismo puro só foi possível até o século XIX.

A partir do século XX, as pressões sociais e econômicas, a revolução industrial, a urbanização, o desenvolvimento das comunicações e da atividade terciária exigiram novos serviços públicos além daqueles já clássicos. O Estado passou a intervir cada vez mais na ordem econômica e social; a normatizar o conteúdo das relações entre os fatores sociais de produção, regulamentando as relações de trabalho e a própria utilização do capital; a expropriar os meios de produção; a suplementar a iniciativa privada; e a monopolizar setores da economia. Na tentativa de suprir as crescentes necessidades individuais e sociais e justificar seu próprio custo social, o Estado viu-se estimulado a oferecer serviços públicos que, em face do princípio da igualdade de tratamento, fundamento da democracia, devem ser acessíveis a todos os indivíduos.

Ao analisar o que denomina de crise dos direitos fundamentais sociais em decorrência do neoliberalismo, Fahd Medeiros Awad (2005) argumenta que a importância do indivíduo, para o conteúdo do liberalismo clássico, manifesta-se com particular relevo, no fato de que, originariamente, o valor da personalidade era concebido como ilimitado e anterior ao Estado. É, nesse aspecto, que se introduziu a doutrina liberal nas primeiras Constituições escritas "cujas teses adquiriam para a democracia liberal o valor de uma profissão de fé religiosa e mística" (AWAD, 2005, p. 47).

O Estado Social adveio da Revolução Industrial, no século XIX e início do século XX, caracterizando-se como Estado intervencionista. Como exemplos de constituições com nítidas manifestações do Estado Social, têm-se a Constituição do México de 1917 e a Constituição de Weimar de 1919.

O Estado Democrático emergiu no final do século XX. Ocorreu a ideia do equilíbrio, sendo que sua proposta foi selecionar o melhor do Estado liberal e do social, como a tentativa de conciliação entre "os valores sociais do trabalho e da livre iniciativa". Por outro lado, o Estado Democrático de Direito foi consagrado, pela Constituição brasileira, com a ideia de que, quem tem de ser democrático é o Estado e não, o Direito. Canotilho (2000) defende tal ideia. A propósito, na Constituição portuguesa consta, expressamente, menção ao termo *Estado de Direito Democrático*, conforme o art. 2º da Constituição de Portugal.

Cumpre destacar que, quando se discute a temática do "Estado Democrático de Direito", é comum a referência a Habermas (2014), em *Facticidade e validade*, em que há a busca pela construção discursiva-democrática do direito, sendo que a esfera pública relaciona-se com o espaço da autonomia privada, ou seja, da possibilidade de formação de subjetividade autônoma. Trata-se de sistema de retroalimentação entre direitos fundamentais e soberania, autonomias privada e pública. Assim, tal paradigma de Estado deve significar que democrático deve ser não apenas o Estado, mas também o Direito.

Nessa perspectiva, propõe-se que os patamares mínimos de existência digna sejam efetivados para a busca da liberdade e da igualdade social. Willis Santiago Guerra Filho (1997), em sua obra "Autopoiese do Direito na sociedade pós-moderna: introdução a uma Teoria Social Sistêmica", argumenta que o compromisso básico do Estado Democrático de Direito situa-se na harmonização de interesses que se manifestam em três dimensões fundamentais: "a esfera pública, ocupada pelo Estado; a esfera privada, preenchida pelos indivíduos; e a esfera coletiva, em que aparecem os interesses dos indivíduos enquanto membros de determinados grupos" (GUERRA FILHO, 1997, p. 34).

Os direitos fundamentais constituem normas constitucionais de natureza principiológica que visam a proteger a dignidade humana. Legitimam a atuação do Estado e de particulares e se materializam por normas constitucionais positivas. Não necessariamente serão escritas e estarão no texto constitucional, como o que ocorre no que se denomina "bloco de constitucionalidade". Nesse sentido, os direitos fundamentais podem se definir "como os princípios jurídica e positivamente vigentes em ordem constitucional, que traduzem a concepção de dignidade humana de sociedade e legitimam o sistema jurídico estatal" (LOPES, 2001, p. 35).

Em relação ao enquadramento dos direitos fundamentais na Constituição, Ernst-Wolfgang Böckenförde (1993, p. 40) argumenta que a Constituição não se limita a fixar os limites do poder do Estado e a organizar a articulação e os limites da formação política da vontade e do exercício do domínio, senão que se converte em positivação jurídica dos valores fundamentais da ordem da vida em comum. Assim, ocorre o fenômeno designado como materialização da Constituição, que caracteriza a Constituição pela absorção de valores morais e políticos, em especial, em determinado sistema de direitos fundamentais autoaplicáveis.

Os direitos fundamentais são direitos heterogêneos. Edilsom Pereira de Farias (1996) argumenta que o conteúdo desses direitos fundamentais é, muitas vezes, aberto e variável, apenas se revelando no caso concreto e nas relações dos direitos entre si ou nas relações destes com outros valores constitucionais.

Conforme a característica da historicidade, os direitos e garantias fundamentais se alteram com o tempo e o lugar. Possuem a natureza principiológica do enunciado, com estrutura aberta de significados. Representam verdadeiro "termômetro" da democracia. Michael Walzer (2003) considera que os direitos fundamentais traduzem exigência global, sendo o conteúdo desses direitos preenchido a partir dos valores compartilhados pelos sujeitos de uma específica comunidade política. Assim, ao Estado é imputada a tarefa de atuar na proteção e promoção dos valores compartilhados na sociedade democrática liberal.

Para Carl Schmitt (2006), os direitos fundamentais não deveriam estar na Constituição. Seu pensamento guarda coerência com o pensamento de Locke, em que os direitos fundamentais são os próprios direitos naturais. Há, portanto, que se compreender o pensamento de Carl Schmitt, no contexto histórico respectivo, em que preponderava a teoria de Locke. Schmitt (2006, p. 104) não pressupõe norma hipotética como fundamento do direito: "o direito, a constituição e a ordem jurídica nascem de um poder de fato, o que implica dizer que ela não depende de nenhum precedente jurídico". Garantias institucionais são mecanismos de proteção das instituições. Schmitt defendia sua inserção na Constituição.

Classicamente, existem dois direitos fundamentais: liberdade e igualdade. Assim, a vida é pressuposto e não exatamente direito fundamental. No entanto, a CF/88 positivou a vida entre os direitos fundamentais no *caput* do artigo quinto. E, nesse sentido, a vida representa juridicamente direito fundamental que envolve o direito à existência, acrescido dos direitos às integridades física e moral. A positivação da vida como direito fundamental é para resguardar, juridicamente, a dignidade da pessoa, tida como qualidade intrínseca e indissociável do ser humano. Ela aponta a existência de direitos, sobre os quais ela se realiza, "[...] salvaguardados constitucionalmente como direitos fundamentais" (SARLET, 2007, p. 26-27).

No contexto da dignidade humana, no âmbito dos direitos fundamentais na Constituição Federal de 1988, entende-se que o valor fundamental da ordem jurídica deixa de ser a liberdade ou a autonomia privada e desloca-se para a pessoa, no pressuposto de que o homem é titular de direitos que devem ser reconhecidos e respeitados pelos seus semelhantes e pelo Estado. A natureza da dignidade da pessoa não permite estabelecer seu conteúdo "[...] a partir de conceitos abstratos nem, tampouco, fixar uma pauta exaustiva das suas violações. Ela apresenta-se como um princípio ou como um vetor axiológico, cujas implicações práticas só serão conhecidas com exatidão pelo labor dos tribunais" (SARLET, 2007, p. 41-42).

Os direitos fundamentais não se confundem com os direitos sociais. Os direitos sociais são normas que consubstanciam prestações positivas do Estado, com o propósito de igualar pessoas em situações de desigualdade.

Pela perspectiva histórica, não parece coerente a reivindicação individual de direitos sociais. Ressalte-se que os direitos sociais, econômicos e culturais são, historicamente, coletivos. Lembrando a classificação proposta por Vasak (1983), reflete-se que a distinção entre os direitos fundamentais e os direitos sociais refere-se a um critério histórico.

A evolução institucional dos Direitos Fundamentais, no âmbito do Estado Democrático de Direito, propõe que sua consolidação jurídica resulte de uma luta interna entre os diferentes Poderes do Estado, dos cidadãos e de seu governo. São considerados indispensáveis à pessoa, necessários a assegurar a todos uma existência digna, livre e igual, e, estão estipulados e positivados na Constituição.

As dimensões dos direitos fundamentais, para Jorge de Miranda (2015), são a formal e a material. A dimensão formal representa as prerrogativas fundamentais das pessoas, mediante positivação constitucional. A dimensão material significa os valores pré-constitucionais, como produto da evolução social. Para o autor, os direitos fundamentais radicam no Direito natural (em valores éticos superiores ou na consciência jurídica comunitária), sendo que devem ser tidos como limites transcendentes do próprio poder constituinte material (originário) e como princípios axiológicos fundamentais.

> Finalmente, mesmo em face do Direito positivo, é inultrapassável o problema da unidade de sentido dos direitos fundamentais. Até porque pode haver diferentes leituras das Constituições e das declarações de direitos, é necessário tentar raciocinar em coerência sistemática. Nem com isso se abre caminho ao subjectivismo do intérprete, porque este, enquanto tal, tem de se mover no contexto do sistema, tem de interpretar e integrar os preceitos relativos aos direitos fundamentais à luz dos princípios que o informam, tem de se inspirar na ideia de Direito acolhida na Constituição. Só tal unidade de pensamento jurídico permite apreender o âmbito de cada direito e definir o seu conteúdo essencial, relacionar os vários direitos e as diversas faculdades compreendidas em cada um, evitar ou resolver colisões, propiciar a todos uma adequada harmonização (MIRANDA, 2015, p. 24).

Nessa linha de raciocínio, cumpre destacar a Teoria do *status* de Georg Jellinek (1970). Avalia-se que foi devido à teoria do *status* que os estudiosos começaram a sistematizar e a classificar os direitos fundamentais. *Status* representa a situação que qualifica a relação entre o indivíduo e o Estado. Têm-se os seguintes: *Status subjetionis, Status libertatis ou status negativus, Status civitatis* ou *status positivus, e Status activus.*

O *Status subjetionis* significa uma situação passiva, de sujeição do indivíduo perante o Estado. *Status libertatis ou status negativus* manifesta-se no âmbito de autonomia do indivíduo, do qual decorrem seus direitos de defesa (os que o protegem contra o Estado), ou seja, os direitos civis. *Status civitatis* ou *status positivus* permite que indivíduos exijam do Estado prestações para satisfação de suas necessidades, perfazendo-se por meio dos direitos sociais. *Status activus* implica a participação ativa do indivíduo na sociedade, tornando-o parte da formação da vontade estatal, por meio dos direitos políticos.

Na perspectiva da Teoria do *status* de Jellinek (1970), Perez Luño (1997) acrescenta o *Status positivus socialis:* compreende o reconhecimento dos denominados "direitos econômicos, sociais e culturais", que não tendem a absorver ou anular a liberdade individual, senão a garantir o pleno desenvolvimento da subjetividade humana, conjugando, ao mesmo tempo, suas dimensões pessoal e coletiva. Por ele (*status*), esses direitos se integram cabalmente na teoria "onicompreensiva" dos direitos fundamentais, para cuja formação contribuíram decisivamente. Continuando a análise, Luño (1997) afirma que, quanto maior a operatividade do Estado de Direito, maior é o patamar de tutela dos direitos fundamentais.

Karel Vasak (1983) propõe uma classificação segundo um critério histórico. Nela, diferenciam-se os modelos de Estado de Direito. O Estado Liberal (séc. XVIII) – "Estado, afaste-se de mim" - era Abstencionista (livre iniciativa), tinha como lema a liberdade e a geração de direito a primeira (direitos civis e políticos). O Estado Social (início séc. XX) - "Estado, ajude-me" - era intervencionista – valorizava o trabalho, tinha como lema a Igualdade e a geração de direito a segunda – sociais, econômicos e culturais. O Estado Democrático (final do século XX) – "Preciso dos outros" - busca o equilíbrio com o lema da fraternidade e a geração de direito a terceira – difusos, transindividuais.

Paulo Bonavides (2007) traz novas perspectivas para os direitos fundamentais, ao consagrar as perspectivas das gerações desses direitos no constitucionalismo brasileiro. A 1ª geração representa a liberdade, assegurando os direitos individuais e políticos. A 2ª geração representa a igualdade e assegura os direitos sociais, econômicos e culturais. A 3ª geração representa a fraternidade e se perfaz por meio dos direitos difusos. A 4ª geração representa a democracia e pluralismo, manifestando-se por meio do direito à informação. A 5ª geração representa a informática, a biotecnologia e a paz.

Criticamente, pode-se asseverar que Paulo Bonavides (2007), a partir da definição dos direitos de 4ª e 5ª gerações, otimizou a proposta de Vasak, no tocante ao critério de classificação de direitos, a partir do modelo de Estado de Direito. Acresça-se que democracia não é direito, mas regime político. É um meio para que os direitos e a paz sejam alcançados.

Contextualmente, tem-se que a teoria da norma constitucional desenvolvida por Robert Alexy (2008) definiu que o direito era composto por normas, todas coercíveis. Estabeleceu-se uma distinção entre regras e princípios. Quanto ao conteúdo, as regras são concretas, os princípios são abstratos (conteúdo aberto). Quanto à aplicação, as regras possuem aplicação direta, enquanto os princípios precisam de concretização. A partir da concretização, passa-se à regra. Isso é diferente de interpretação. Quanto à natureza, as regras possuem natureza funcional, já os princípios têm a natureza de modelo (*standard*). Quanto ao comando jurídico, as regras serviriam como uma espécie de "tudo ou nada", enquanto os princípios são comando de otimização.

Importante ressaltar que a teoria da norma constitucional (ALEXY, 2008) infere que, em caso de conflito de regras, adota-se o critério da exclusão. Já, em caso de conflito de princípios, adota-se o critério da ponderação. A formulação da teoria das normas programáticas parte da ideia inicial de que tais normas não teriam eficácia jurídica. A grande contribuição de Robert Alexy foi defender a teoria de que todas as normas (regras ou princípios) possuem sim, efetividade, o que se mostra imprescindível à efetivação dos direitos sociais. Sabe-se que a "raiz" da teoria de Robert Alexy encontra-se em Ronald Dworkin (2003). Porém, para Dworkin (2003), as regras é que seriam coercíveis.

Cumpre destacar que, no *O Modelo de Regras I*, Dworkin distingue três padrões normativos, quais sejam: as regras, os princípios e as políticas. Nesse texto, Dworkin (2003) critica as teorias jurídicas que compreendem o direito como um mero conjunto de regras (modelo que ele atribui ao positivismo jurídico, embora os críticos o acusem de criar uma caricatura não fiel ao positivismo). Entende ele que o conjunto do direito compõe-se não apenas de regras explícitas, mas também de princípios de moralidade política que estão implícitos na prática jurídica e se utilizam para a justificação da utilização do poder coercitivo estatal.

Em outros países, a exemplo da Alemanha, sim, mas, no Brasil, tem-se que, nem todo direito fundamental, a exemplo da moradia, é subjetivo. Se fossem subjetivos, o Estado seria obrigado a efetivá-los. Nem todos os direitos humanos são fundamentais e vice-versa. A título de ilustração, considera-se que a propriedade de marca não é considerada direito humano. Se o Brasil não ratificar tratado, nem será direito para o Brasil, quanto menos direito fundamental.

Deduz-se que a CF/1988 é principiológica, posto que os princípios contemplados são decisivos, essenciais, independentemente de sua quantidade. Nesse sentido, Agnes Heller (1972) argumenta que os direitos são criados, a partir de necessidades (teoria das necessidade). O Estudo da escassez representa, no pensamento da filósofa Agnes Heller, que o homem tem necessidade de expressar sua carência, cuja satisfação implica superação. É justamente quando se pensa nessa satisfação, que se pensa em um valor. O valor é entendido como abstração mental da superação da necessidade. Quando tal necessidade for generalizada pela amplitude de sua extensão e o valor puder ser elevado à categoria de geral, liberdade e igualdade serão entendidas como expressões das necessidades gerais.

De acordo com José Afonso da Silva (2003), a defesa dos direitos individuais, a partir da teoria liberal, consubstancia direito do indivíduo, considerado isoladamente, a ser protegido em face do Estado. Em uma perspectiva do Estado Democrático de Direito, os direitos que têm como titulares uma pessoa são os positivados na Constituição: direito à vida, à igualdade, à intimidade, à liberdade, à propriedade. Os direitos individuais que são exercidos em grupo são direitos de expressão coletiva, como, por exemplo, a liberdade de reunião e a liberdade de associação.

Loewenstein (1986) desenvolveu a ideia de Constituição como organismo vivo. Deve-se salvaguardar a estabilidade da Constituição, mas sem radicalismos. Nessa linha de raciocínio, duas situações devem ser protegidas: os valores fundamentais e as instituições constitucionais concretas. Nas peculiaridades brasileiras, como exemplo de valores fundamentais, tem-se o que dispõe o artigo primeiro da Constituição brasileira:

> Art. 1º – A República Federativa do Brasil, formada pela união indissolúvel dos Estados e Municípios e do Distrito Federal, constitui-se em Estado Democrático de Direito e tem como fundamentos: I – a soberania; II – a cidadania; III – a dignidade da pessoa humana; IV – os valores sociais do trabalho e da livre iniciativa; V – o pluralismo político.
> Parágrafo único. Todo o poder emana do povo, que o exerce por meio de representantes eleitos, ou diretamente, nos termos desta Constituição.

Como exemplo das instituições constitucionais concretas, tem-se o disposto no artigo segundo: "São Poderes da União, independentes e harmônicos entre si, o Legislativo, o Executivo e o Judiciário".

Os direitos fundamentais não se confundem com os direitos humanos. Didaticamente, procede-se à seguinte delimitação conceitual: os direitos humanos são princípios universais que protegem a igualdade e a liberdade inerentes a todos os seres humanos. Encontram-se previstos na ordem jurídica internacional. Direitos humanitários são diferentes de direitos humanos. Assim, por exemplo, em tempo de guerra, não há como aplicar direitos humanos. Por outro lado, os direitos subjetivos são prerrogativas ou faculdades ou pretensões do indivíduo (pessoa física ou jurídica) juridicamente protegidas.

Gregório Robles (2005) afirma que a busca da fundamentação é um problema urgente, devido a razões de ordem: moral, para defender algo é necessário saber o porquê; lógica, sendo necessário delimitar o conteúdo dos direitos humanos; teórica, no sentido de que o direito, além da técnica, exige teoria para suporte; pragmática, vez que, para garantir a efetividade, é necessário saber os contornos da sistemática jurídica.

O fundamento dos direitos fundamentais, para Fernanda Lucas da Silva (2001), associa-se ao fato de que a relevância da temática constitucional, nas relações privadas, é inquestionável. Os direitos fundamentais, no tocante à temática da fundamentação, "gravitam" em torno das seguintes "correntes": matriz subjetivista – que nega a fundamentação racional –, e matriz objetivista – com fundamentação jusnaturalista e ética. Nesse viés, Luño (1997) entende que os direitos fundamentais são referências obrigatórias nas constituições. Devem enfrentar, por exemplo, as modificações sociais que são provocadas pela crise da modernidade, caracterizada, principalmente, pela insuficiência de quadros teóricos.

2.4.1 As dimensões objetiva e subjetiva da segurança jurídica na análise constitucional

A segurança jurídica, na análise constitucional, pode ser entendida como uma garantia fundamental com nítido caráter instrumental, sendo irrenunciável nos ordenamentos jurídicos democráticos. Em seu nítido caráter instrumental, a segurança jurídica é a amálgama que protege os direitos fundamentais na busca de tutela da dignidade humana, sendo essencial para a promoção da justiça.

Nas multifaces de fenômenos sociais que se entrelaçam no Direito, desde as crises das identidades coletivas e duradouras, o declínio do *Welfare State* e a nova percepção dos riscos globais, verifica-se a necessidade de asseguramento que viabilize o pacto das pessoas que trocam parte de sua liberdade e de sua igualdade pela segurança a ser provida pelo Estado. Bauman (2001) identifica a atual fase da vida como flexível, veloz e fluida, em que os indivíduos caminham cada vez mais soltos entre uma profusão de grupos de referência e pequenas identidades, processo que se traduz em uma *modernidade líquida*.

> Os sólidos que estão para ser lançados no cadinho e os que estão derretendo neste momento, o momento da modernidade fluida, são os elos que entrelaçam as escolhas individuais em projetos e ações coletivas – os padrões de comunicação e coordenação entre as políticas de vida conduzidas individualmente, de um lado, e as ações políticas de coletividades humanas, de outro (BAUMAN, 2001, p. 12).

A partir do vínculo dinâmico que se estabelece entre as percepções da sociologia da *modernidade líquida* de Bauman (1999) e das consequências da globalização, na conduta humana, destaca-se a possibilidade de novos significados do direito positivo, em um mundo onde ele é, infelizmente, cada vez mais desacreditado e banalizado. A visão do teórico polonês sobre a esfera pública fornece parâmetros para identificar a singularidade do impacto dessa nova configuração econômico-social, mais fluida, veloz e fugidia, nas vidas individuais em que as escolhas rotineiras pesem carregadas de incerteza e angústia, pois a realidade se recusa a se manter estável e o conflito de informações mostra-se cada vez maior.

Particularmente no caso do Estado brasileiro, com a constante ressignificação e dissolução dos espaços de diálogo, coesão e participação, os novos cenários sociais impõem ao universo jurídico problemas e contradições com que as instituições não conseguem mais lidar, haja vista a velocidade, flexibilidade e reivindicações que a "vida líquida" traz à tona. Nesse sentido, pode-se entender que existe um problemático desajuste entre as instituições políticas e a sociedade civil, sendo que o resultado mais visível é a gradativa perda de sentido e credibilidade que o âmbito político, de uma maneira geral, vem sofrendo (NOGUEIRA, 2004).

Luño (1990) destaca que a segurança jurídica é um valor e um princípio irrenunciável dos ordenamentos jurídicos democráticos. Os ataques mais implacáveis contra a segurança jurídica foram realizados pelos sistemas totalitários, como os sistemas nazi-fascista e comunista: "*el de signo nazi-fascista, que la ha impugnado por su significación conformista y antiheroica; y el comunista, que la reputa un producto de la ideología burguesa de orientación inequívocamente antiigualitaria*" (LUÑO, 1990, p. 331).

A força do constitucionalismo democrático na cúpula das funções estatais de garantia dos direitos e liberdades individuais fez com que a segurança jurídica se imunizasse e fortalecesse frente aos riscos de sua manipulação, tornando-se um fator inevitável na consecução dos valores de justiça e de paz social. A segurança jurídica passa a assumir a característica de componente e de promotora de justiça, instrumentalizando direitos capazes de promover também o desenvolvimento social e econômico. Assim, a segurança jurídica assume uma tríplice proteção:

> *[...] inspiradora de las relaciones que en la esfera pública se dan entre el Estado y los ciudadanos; garantizadora de la autonomía de la voluntad en las relaciones jurídico-privadas; e impulsora de la libertad civil en el terreno intermedio público/privado removiendo los obstáculos que desvirtúan la libertad entre desiguales, para lo que se requiere información plena y garantías cautelares frente a los riesgos de eventuales abusos. Uno de ellos, y no el menor, es el abuso procesal que se genera en los litigios entre partes de desigual capacidad de resistencia ante la demora y el riesgo de fallo injusto de las causas* (LUÑO, 1990, p. 332).

É nesse contexto da perspectiva da segurança jurídica como componente e promotora da justiça e mesmo de "aproximação entre segurança e justiça" (LUÑO, 1990, p. 335) que emerge a crescente necessidade dos estudos em torno da segurança jurídica compreendida, no âmbito constitucional, como uma garantia fundamental. A vida social pode estar líquida (BAUMAN, 2001), mas o direito deve procurar estabelecer os parâmetros jurídicos que possibilitem o desenvolvimento social e econômico de uma sociedade, de forma que as alterações que se ocasionam pelo progresso social e "o pleno respeito aos direitos fundamentais possam andar harmonicamente juntos na construção de uma sociedade mais justa" (LOPES, 2013, p. 1), como forma de se proteger a dignidade humana. A propósito:

> Não surpreende, assim, que a segurança desponte como bem jurídico e, modernamente, até como objeto de direitos fundamentais: vemo-la referida na Declaração da Virgínia (*The Virginia Declaration of Rights* – 12/6/1776, art. 1º), em que se trata do direito à felicidade e segurança (*happiness and safety*); algo em que itera a Declaração da Independência dos Estados Unidos da América (4/7/1776): *safety and happiness*, lê-se ainda na Declaração francesa *des Droits de l'Homme et du Citoyen* (agosto de 1789; art. 2º: '*Le but de toute association politique est la conservation des droits naturels et imprescritibles de l'homme. Ces Droits sont la liberté, la propriété, la sûreté, et la résistance à l'opression*'). E vai-se por aí afora: na Declaração Americana dos Direitos e Deveres do Homem (março-maio de 1948, arts. 1º e 16º); na Declaração Universal dos Direitos Humanos (ONU – dezembro de 1948, art. 3º); na Convenção para a Salvaguarda dos Direitos do Homem e das Liberdades Fundamentais (Convênio Europeu de Direitos Humanos – Roma, 4/11/1950 – art. 5º: '*Toute personne a*

> *droit à la liberté et à la sûreté'*); no Pacto Internacional de Direitos Civis e Políticos (ONU – 16/12/1966, art. 9º) e no Pacto de São José da Costa Rica (22/11/1969; na Convenção Americana de Direitos Humanos, art. 7º) (DIP, 2012, p. 52).

No Estado brasileiro, a segurança jurídica, descrita como uma garantia fundamental, é esculpida no Título II da Constituição Federal, em especial, no inciso XXXVI do artigo 5º, que determina que "a lei não prejudicará o direito adquirido, o ato jurídico perfeito e a coisa julgada". Disto, extrai-se a ideia da impossibilidade de exclusão da garantia fundamental da segurança jurídica, uma vez que o artigo 5º da CF é cláusula pétrea, conforme o parágrafo 4º do artigo 60 da Constituição, que dispõe: "Não será objeto de deliberação a proposta de emenda tendente a abolir: a forma federativa de Estado; o voto direto, secreto, universal e periódico; a separação dos Poderes; os direitos e garantias individuais".

A garantia fundamental da segurança jurídica possui eficácia absoluta, com força paralisante total de toda legislação que possa vir a contrariá-la, quer implícita, quer explicitamente. Encontra-se no rol das cláusulas pétreas, que são as cláusulas de inamovibilidade (ou cláusulas inabolíveis), isto é, matérias que o legislador reformador não pode remover ou abolir, devido a uma determinação taxativa do constituinte. É núcleo irreformável da Constituição Federal, sendo ab-rogantes, com efeito positivo de não poderem ser alteradas mediante revisão ou emenda e efeito negativo de força paralisante, com relação às leis que pretendam ir-lhes de encontro (BULOS, 2005).

Em relação ao direito comparado, os doutrinadores afirmam que houve desejo e tentativas de assegurar o direito à segurança, porém não se chegou a uma menção expressa ao termo segurança jurídica, em âmbito constitucional (SAGÜÉS, 1993). No direito da Argentina, exemplificadamente, há manifestações de segurança jurídica, ainda que assim não se nomeie expressamente:

> *Ultimamente la sociedad argentina está manejando el concepto de* seguridad jurídica*, con respecto a lo* precedible de las autoridades estatales*, en cuanto aquella seguridad demanda que los actos de esos órganos se conformen, en* procedimiento y contenido*, a la Constitución [...]. Desde esa perspectiva, hay* seguridad jurídica *en los siguientes casos: a) Cuando el habitante sabe que* las decisiones de los poderes públicos se adoptarán, según el esquema constitucional de asignación de competencias*; es decir, que se respetará el subprincipio de* corrección funcional *[...]; b) El derecho a la* seguridad jurídica *exige igualmente que se respete el* contenido *de la Constitución y, en*

> *particular, los derechos personales que reconoce ella: libertad, igualdad, propriedad, etcétera* (SAGÜÉS, 1993, p. 66- 67).

Apesar de a Constituição brasileira não trazer expressamente o termo segurança jurídica, a legislação infraconstitucional já traz este termo de modo expresso. Assim, por exemplo, a Lei Federal nº 9.868, de 11 de novembro de 1999, que "[...] dispõe sobre o processo e julgamento da Ação Direta de Inconstitucionalidade e da Ação Declaratória de Constitucionalidade perante o Supremo Tribunal Federal" enuncia, em seu artigo 27, que, ao declarar a inconstitucionalidade de lei ou ato normativo, e tendo em vista razões de segurança jurídica ou de excepcional interesse social, poderá o Supremo Tribunal Federal, por maioria de dois terços de seus membros, restringir os efeitos daquela declaração ou decidir que ela só tenha eficácia, a partir de seu trânsito em julgado ou de outro momento em que venha a ser fixada.

Ao se analisar a segurança jurídica no âmbito dos direitos e garantias fundamentais, verifica-se que se trata de uma garantia fundamental que decorre do próprio texto da Constituição Federal brasileira de 1988 e da concepção de Estado como garantidor de segurança e da legítima expectativa das pessoas contra as instabilidades institucionais. Assume mesmo condição de vetor de desenvolvimento social e econômico, com pacificação da sociedade e promoção da justiça.

> A instabilidade, não só sob o ponto de vista da vida biológica dos indivíduos, como também no que pertine à existência dos grupos sociais, é fator a ser permanentemente afastada. A falta de estabilidade no âmbito das relações sociais tem a força de um evento perturbador, atingindo não só ao indivíduo, mas à própria coletividade como um todo. De tal sorte, qualquer forma de instabilidade é fator de desequilíbrio, gerando receio permanente. No caso da instabilidade decorrente da insegurança jurídica, além da sensação de intranquilidade, cria-se um ambiente de descrédito na ordem jurídica e nas instituições que devem por ela zelar, como também acaba por colocar em dúvida a sua efetiva atuação em presença dos conflitos que costumeiramente quebram a harmonia necessária à adequada convivência social (SILVEIRA, 2005, p. 131).

A leitura do artigo 5, inciso XXXVI, da Constituição Federal de 1988, da República Federativa do Brasil, que dirige proteção ao direito adquirido, ao ato jurídico perfeito e à coisa julgada, dimensiona a segurança jurídica como uma garantia fundamental, pois a caracteriza como um mecanismo de proteção dos direitos fundamentais, possuindo, assim, um caráter instrumental que se aproxima dos meios procedimentais e processuais que visam a proteger e efetivar os direitos fundamentais propriamente dito. Ressalte-se, porém, que há entendimento diverso, que entende que a segurança jurídica é valor, (super) princípio e até mesmo direito fundamental (e não propriamente uma garantia fundamental).

> Muito embora em nenhum momento tenha o nosso Constituinte referido expressamente um direito à segurança jurídica, este (em algumas de suas manifestações mais relevantes) acabou sendo contemplado em diversos dispositivos da Constituição, a começar pelo princípio da legalidade e do correspondente direito de não ser obrigado a fazer ou deixar de fazer alguma coisa senão em virtude de lei (artigo 5º, inciso II), passando pela expressa proteção do direito adquirido, da coisa julgada e do ato jurídico perfeito (artigo 5º, inciso XXXVI), bem como pelo princípio da legalidade e anterioridade em matéria penal (de acordo com o artigo 5º, inciso XXXIX, não há crime sem lei anterior que o defina, nem pena sem prévia cominação legal) e da irretroatividade da lei penal desfavorável (artigo 5º, inciso XL), até chegar às demais garantias processuais (penais e civis), como é o caso da individualização e limitação das penas (artigo 5º, incisos XLV a XLVIII), das restrições à extradição (artigo 5º, incisos LI e LII) e das garantias do devido processo legal, do contraditório e da ampla defesa (artigo 5º, incisos LIV e LV), apenas para referir algumas das mais relevantes, limitando-nos aqui aos exemplos extraídos do artigo 5º, que, num sentido amplo, também guardam conexão com a noção de segurança jurídica (SARLET, 2009).

Todavia, o presente estudo traça uma delimitação conceitual que entende que os direitos fundamentais são normas constitucionais de natureza principiológica que visam à proteção da dignidade humana e legitimam a atuação estatal e de particulares. Já as garantias fundamentais são os mecanismos de proteção dos direitos fundamentais, possuindo caráter instrumental. Desse modo, tradicionalmente, as garantias correspondiam ao direito que todo cidadão tinha de exigir dos poderes públicos a proteção dos seus direitos. "Na atualidade, salienta-se o seu caráter instrumental, na medida em que se identificam com os meios processuais adequados à defesa dos direitos fundamentais, com o que não se confundem mais com os próprios direitos" (LOPES, 2001a, p. 45).

A segurança jurídica que se enuncia no inciso XXXVI, do artigo 5º, da Constituição Federal, mostra, nitidamente, que se enquadra na delimitação conceitual de uma garantia fundamental, assegurando a fruição dos bens que os direitos fundamentais representam, sendo que as mudanças decorrentes do tempo não devem desconstituir o que já se encontra pacificado dentro da legalidade. A propósito, "[...] os direitos representam só por si certos bens; as garantias destinam-se a assegurar a fruição desses bens; os direitos são principais, as garantias acessórias e, muitas delas, adjetivas" (MIRANDA, 1993, p. 88).

Devem-se buscar mecanismos que operacionalizem a segurança jurídica; não sendo suficiente a um direito que seja reconhecido e declarado, é necessário assegurá-lo. Diacronicamente, Hauriou (1927, p. 120) analisa que "*[en materia jurídica es preciso buscar siempre garantías y seguridad. No basta que un derecho] sea reconocido y declarado; es necesario garantizarlo, porque llegarán ocasiones en que será discutido y violado*". Assim, situações e fatos caracterizadores de direitos adquiridos, atos jurídicos perfeitos e coisa julgada devem ser regularmente asseguradores e garantidores dos direitos fundamentais a que se vinculam, pois se incorporaram ao patrimônio jurídico e até mesmo às expectativas dos cidadãos, devendo haver uma proteção à confiança, com garantia de estabilidade nas relações que se estabelecem.

Nesse contexto, sabe-se que neoconstitucionalismo designa o estado do constitucionalismo contemporâneo. O constitucionalismo é fruto de um processo histórico e o neoconstitucionalismo, sendo resultado desse processo, constitui um momento do movimento constitucional dotado de algumas características específicas, como suas três premissas metodológico-formais fundamentais: normatividade, superioridade e centralidade da Constituição. Pela normatividade, a Constituição deixa de ser um mero documento político e passa a ser dotada de normatividade. As disposições constitucionais instituem normas jurídicas dotadas de imperatividade.

A superioridade da Constituição sobre o restante da ordem jurídica relaciona-se no âmbito das Constituições rígidas, que exigem um procedimento especial para a sua alteração, sendo que as normas constitucionais assumem uma posição, hierarquicamente, superior, com relação às demais normas. A centralidade da Constituição, no sistema jurídico, acentua que a Constituição assume uma posição central, servindo de referencial para a compreensão e interpretação das demais normas e ramos do Direito. Para se concretizarem essas premissas fundamentais é que se elaboram técnicas jurídicas que possam ser utilizadas no dia a dia da aplicação do direito.

A Constituição Federal de 1988, em seu contexto histórico, foi promulgada no pós-guerra, e, particularmente no Brasil, em um período pós-ditadura militar. Atualmente, caracteriza-se como sendo a norma jurídica central do ordenamento pátrio que "[...] vincula a todos dentro do Estado, sobretudo os Poderes Públicos. E, de todas as normas constitucionais, os direitos fundamentais integram um núcleo normativo que, por variadas razões, deve ser especificamente protegido" (BARCELOS, 2006, p. 39).

Destaque-se que a terminologia "pós-guerra", associada à Constituição Federativa do Brasil de 1988, mostra imprecisões técnicas. Normalmente, a expressão é utilizada para retratar um período histórico logo após a Segunda Guerra Mundial. Assim, é o caso de dizer, por exemplo, que a Constituição Alemã é do pós-guerra. No entanto, a Constituição brasileira de 1988 não se enquadra totalmente nessa caracterização. Do ponto de vista histórico, a atual Constituição, além de haver sido promulgada em um período bem posterior ao término da guerra, não é a primeira constituição após a Segunda Guerra Mundial.

Sobre a teorização em torno do que se chama neoconstitucionalismo, Ávila (2009) argumenta que, em primeiro lugar, não se pode asseverar que o tipo normativo prevalente na Constituição brasileira atual seja o principiológico; em segundo lugar, não se pode dizer que a subsunção cede lugar à ponderação como método exclusivo (ou prevalente) de aplicação do direito, pois, como a Constituição é composta basicamente de regras e o Poder Legislativo tem a competência para editar as regras legais, sempre que esse Poder legislar dentro dos parâmetros constitucionais, "[...] não poderá o aplicador simplesmente desconsiderar as soluções legislativas" (ÁVILA, 2009, p. 201).

Em terceiro lugar, Ávila (2009) afirma que não se pode sustentar que a justiça particular deve prevalecer sobre a justiça geral, seja em extensão, seja em importância. "As regras desempenham funções importantes numa sociedade complexa e plural, que são as de estabilizar conflitos morais e reduzir a incerteza e a arbitrariedade decorrente de sua inexistência ou desconsideração" (ÁVILA, 2009, p. 202). Em quarto lugar, verifica que não é correto asseverar que o Poder Judiciário deve preponderar sobre o Poder Legislativo ou sobre o Executivo, pois em matérias com pluralidade de concepções de mundo e de valores "[...] é por meio do Poder Legislativo que se pode melhor obter a participação e a consideração da opinião de todos" (ÁVILA, 2009, p. 202).

Não se pode defender a normatividade, a superioridade e a centralidade da Constituição brasileira de 1988, violando-a. Deve-se fugir desta "[...] invencível contradição performática" (ÁVILA, 2009, p. 202) de se aplicar, indiscriminadamente, situações estrangeiras nas peculiaridades do pensamento constitucional brasileiro, pois "[...] a política democrática includente é que manterá a força constitucional, não a retórica idealista" (LIMA, 2008, p. 17). Assim:

> [...] o Judiciário e, notadamente, o Supremo Tribunal Federal deverão acatar escolhas legítimas feitas pelo legislador, ser deferentes para com o exercício razoável de discricionariedade técnica pelo administrador, bem como disseminar uma cultura de respeito aos precedentes, o que contribui para a integridade, segurança jurídica, isonomia e eficiência do sistema. Por fim, suas decisões deverão respeitar sempre as fronteiras procedimentais e substantivas do Direito: racionalidade, motivação, correção e justiça (BARROSO, 2010, p. 254).

É, nesse contexto, que se deve verificar que as perspectivas em torno da segurança jurídica denotam o fato de existir uma relativa certeza de parte do indivíduo de que as relações sob o império de uma norma perduram, ainda quando tal norma seja substituída. Assim, a partir desse raciocínio, analisa-se, como recurso metodológico na construção da tese, uma decisão do Supremo Tribunal Federal brasileiro, aqui delimitada pelo posicionamento do voto do relator, Ministro Celso de Mello, no Agravo Regimental, em Mandado de Segurança nº 27.962, do Distrito Federal. Para tal, parte-se do pressuposto de que *"las garantías se traducen tanto en el derecho de los ciudadanos a exigir de los poderes públicos la protección de sus derechos, como en el reconocimiento de los medios procesales adecuados a tal finalidad"* (MARTÍNEZ, 1995, p. 1.044).

Ressalte-se que a análise dessa decisão do Supremo Tribunal Federal, de antemão, corrobora o entendimento atual de que a segurança jurídica se enquandra no âmbito das garantias fundamentais "[...] que se identificam com os meios processuais adequados à defesa dos direitos fundamentais, com o que não se confundem mais com os próprios direitos" (LOPES, 2001a, p. 45), sendo que os direitos fundamentais, como normas principiológicas legitimadoras do Estado – que traduzem a concepção da dignidade humana de uma sociedade –, devem refletir o sistema de valores ou necessidades humanas que o homem precisa satisfazer para ter uma vida condizente com o que ele é.

Com efeito, os direitos fundamentais devem exaurir a ideia de dignidade humana, porém não mais uma ideia de dignidade associada a uma natureza ou essência humana entendida como um conceito unitário e abstrato, mas como o conjunto de valores ou necessidades decorrentes da experiência histórica concreta da vida prática e real. "Tais valores, sem dúvida, possuem objetividade e universalidade na medida em que refletem os interesses universalizáveis de todos os homens, generalizáveis por meio do discurso racional e do consenso" (LOPES, 2001b, p. 182).

Assim, os direitos fundamentais são os princípios jurídica e positivamente vigentes na sistemática constitucional brasileira "que traduzem a concepção de dignidade humana de uma sociedade e legitimam o sistema jurídico estatal" (LOPES, 2001a, p. 35). A discussão acerca dos princípios jurídicos ganhou destaque, a partir do século XIX, quando os códigos passaram a contemplá-los ou recusá-los enquanto fonte ou meios de integração do Direito. Quando o Tribunal Internacional Permanente de Haia reconheceu que os princípios gerais de direito eram direito positivo a ser aplicado pelo Tribunal em suas decisões, enquanto fonte do Direito, essa questão adquiriu ainda mais notoriedade (GALUPPO, 1999). Nesse sentido, cabe alerta de que:

> *El derecho moderno, hasta el Estado de Derecho 'clásico', resulta de la distinción cartesiana entre el sujeto y el objeto, aunque desde esa concepción el sujeto está por encima del objeto o, si se prefiere la metáfora, ocupando el centro, mientras que el objeto se asienta en la periferia. Aquí la modernidad, de la mano de Descartes, se apartó de la filosofía tradicional en la que existía entre sujeto y objeto especularidad y correspondendia, no dependencia. Para el* jus *de origem romano, remanente aún en lo basilar de las categorias jurídicas, el conflito del cual se ocupaba era una disputa acerca del reparto de cargas y bienes de la vida, materiales o simbólicos, y allí, de la cosa disputada, se extraía el* justum, *el critério de ajudicación de lo suyo de cada uno. Si el cartesianismo había conmovido ese esquema, la posmodernidad lo deconstruye, ya que el objeto desaparece, la res se esfuma y queda ahora tan solo um sujeto transeunte y solitario, cuya identidad resulta de una continua construcción cultural, concretada especialmente en ativismo judicial, en cuya sede toman forma los princípios, que 'constituyen el intento de positivar lo que durante siglos se había considerado prerrogativa del derecho natural, a saber: la determinación de la justicia y de los derechos humanos'. El mundo de lo jurídico, en el estadio posmoderno, remite a una metafísica de la subjetividad y a las manifestaciones de aquel mundo se les asigna un caráter universal, sin consideración de pertinencias, tradiciones o contextos* (BANDIERI, 2011, p. 215).

Dessa interrelação, resultam contínuas construções culturais, em que se relacionam princípios e regras na construção das relações constitucionais privadas. Segundo a teoria alemã, os princípios não podem ser aplicados em qualquer situação. Os princípios são razões *prima facie*, enquanto as regras são razões definitivas. Assim como as regras, os princípios constituem normas jurídicas. Porém, diferentemente das regras, os princípios podem ser satisfeitos em diferentes graus, dentro das possibilidades jurídicas e reais existentes. Princípios são mandados de otimização e o seu conceito não se confunde com o conceito de valor, pois as normas jurídicas, sendo uma prescrição de dever ser, constituem conceitos deontológicos (do que deve ser) e podem ou não possuir valores que, por sua vez, são conceitos axiológicos (do que é bom).

Nesse sentido, o presente estudo filia-se à concepção de que a norma constitucional, assim como qualquer norma jurídica, é geral e abstrata, somente adquirindo normatividade concreta, quando reveste o caráter de decisão, seja pela criação de uma disciplina regulamentadora estabelecida em ato legislativo, seja pela via de uma sentença judicial, seja, por fim, por meio da prática de atos legislativos. A importância do papel desempenhado pelos agentes do processo de concretização "[...] é imensa desde logo e sempre porque é em tal atividade que a norma entra em contato com a realidade; em relação à norma constitucional, tal tarefa carece de significado e relevância, dado seu caráter aberto, altamente indeterminado e polissêmico" (FREITAS, 2007, p. 21-22).

Em síntese, tem-se que a decisão objeto de recurso de agravo aborda um mandado de segurança, com pedido de medida liminar, impetrado com o objetivo de questionar a validade jurídica de deliberação emanada da 1ª Câmara do Egrégio Tribunal de Contas da União, consubstanciada no Acórdão nº 405/2009, em que o Tribunal de Contas da União revê uma decisão judicial transitada em julgado, determinando a suspensão de benefícios garantidos por sentença revestida da autoridade da coisa julgada. Da decisão que deferiu o mandado de segurança impetrado pela parte, houve interposição do recurso de agravo regimental no Supremo Tribunal Federal.

O voto do relator, Ministro Celso de Mello, no julgamento do referido recurso, negou-lhe provimento, mantendo a decisão judicial que reconheceu a incorporação à remuneração de vantagem pecuniária que fora questionada pelo Tribunal de Contas da União. A decisão monocrática agravada, proferida pelo Ministro Celso de Mello, encontra-se assim ementada:

> CONSEQUENTE IMPOSSIBILIDADE DE DESCONSTITUIÇÃO, NA VIA ADMINISTRATIVA, DA AUTORIDADE DA COISA JULGADA. EXISTÊNCIA, AINDA, NO CASO, DE OUTRO FUNDAMENTO CONSTITUCIONALMENTE RELEVANTE: O PRINCÍPIO DA SEGURANÇA JURÍDICA. A BOA-FÉ E A PROTEÇÃO DA CONFIANÇA COMO PROJEÇÕES ESPECÍFICAS DO POSTULADO DA SEGURANÇA JURÍDICA. SITUAÇÃO DE FATO – JÁ CONSOLIDADA NO PASSADO – QUE DEVE SER MANTIDA EM RESPEITO À BOA-FÉ E À CONFIANÇA DO ADMINISTRADO, INCLUSIVE DO SERVIDOR PÚBLICO. NECESSIDADE DE PRESERVAÇÃO, EM TAL CONTEXTO, DAS SITUAÇÕES CONSTITUÍDAS NO ÂMBITO DA ADMINISTRAÇÃO PÚBLICA.

Interessante observar que o Egrégio Tribunal de Contas da União, no Brasil, ao prestar as informações que lhe foram solicitadas no mandado de segurança, produziu manifestações cujo conteúdo encontra-se assim explicitado:

> [...] **1. As decisões do TCU**, ora impugnadas, não ofendem a coisa julgada. A sentença judicial é a norma a ser aplicada ao caso concreto e deve ser rigorosamente cumprida, ainda que contrária ao entendimento do TCU, dos tribunais superiores e do próprio STF.
>
> Ocorre que a decisão do TCU apenas explicita a ilegalidade de ato administrativo de concessão de pensão que contemplou parcela nos vencimentos da pensionista a pretexto de cumprir sentença judicial. O ato administrativo ultrapassou os limites da sentença e contrariou o ordenamento jurídico vigente.
> 2. **'O art. 5º, XXXVI, da CF, apenas veda a aplicação retroativa de normas supervenientes à situação que**, julgada na sentença, foi coberta pelo manto da coisa julgada; entretanto, nas relações jurídicas de trato sucessivo, como no caso, a vedação, só alcança os eventos que ocorreram até a data da alteração do estado ou da situação de fato ou de direito.' (Trecho do informativo/STF 449, RE 146331 Edv/SP, Relator: Ministro Cezar Peluso)
> 3. **Não afronta a coisa julgada decisão do TCU que afaste pagamentos oriundos de sentenças judiciais** cujo suporte fático de aplicação já se tenha exaurido ou que não tenham determinado explicitamente a manutenção do pagamento do citado percentual, após subsequente reajuste salarial [...] (destaques no original).

Sobre as manifestações do Egrégio Tribunal de Contas da União, faz-se uma análise crítica, em especial, das seguintes argumentações (item 11): a) "o princípio da segurança jurídica não pode ter maior hierarquia que o princípio da legalidade, já que estão ambos previstos no art. 5º da Constituição"; e b) "devendo ambos serem aplicados mediante a incidência da regra de ponderação – que impõe a consideração de que deve ser reduzida a esfera de aplicação de cada um dos postulados jurídicos em aparente conflito".

Quanto à argumentação "a", sabe-se que existe uma necessidade de o Direito Constitucional se adaptar às exigências sociais. As críticas ao modelo positivista de teoria jurídica fez com que o centro de gravidade dos estudos constitucionais passasse a ser os direitos fundamentais e as garantias fundamentais; estas, por sua vez, com seu nítido caráter instrumental, identificam-se com os meios processuais. Existe certo consenso na doutrina brasileira de que as normas constitucionais possuem igual hierarquia. Porém, os direitos não são todos iguais. Ao se igualar a hierarquia, sem levar em consideração a desigualdade axiológica dos direitos, acaba-se por provocar diversos problemas práticos que só podem ser superados no âmbito da concretização e interpretação normativa (LOPES, 2001b).

O Tribunal de Contas poderia ter melhor defendido seus argumentos se, além de se guiar pelo aspecto formal das normas, observasse os valores nela acolhidos. Nesse particular, cabe o alerta de que seria até possível uma hierarquização abstrata e prévia dos direitos fundamentais, sendo isto necessário, inclusive, para operacionalizar a segurança jurídica. Assim, pode-se imaginar que os direitos de primeira geração teriam preferência em relação aos de segunda geração, e, dentro de cada geração, os direitos relacionados à dignidade e à integridade da pessoa teriam preferência em relação aos demais.

Quanto à argumentação "b", criticamente, verifica-se que as manifestações do Tribunal de Contas da União poderiam ter sido mais bem formuladas se levassem em consideração que a ponderação decorre de uma determinada forma de entender o ordenamento, os direitos fundamentais e as relações entre a função judicial e os outros Poderes e seus órgãos auxiliares. Conforme Pereira (2006), a ponderação pode ser compreendida como uma técnica de decisão, pela qual o aplicador do direito irá contrapesar, a partir de um juízo dialético, os bens e os interesses juridicamente protegidos que se mostrem inconciliáveis no caso concreto.

Desse modo, compete determinar qual deles possui maior peso e, assim, identificar a norma jurídica abstrata que há de prevalecer como fundamento da decisão adotada. Igualmente, seria mais interessante se o Tribunal de Contas tivesse se manifestado, sugerindo, como método interpretativo, a categorização. Esta é o exame de conformidade das prescrições enunciadas, nos dispositivos, como mundo dos fatos, sendo que as questões legais externam-se como diferenças de tipos.

Categorizar, no sentido contextual que se adota, significa delinear os contornos dos direitos e, a partir das categorias gerais formuladas, qualificar as situações de fato, enquadrando-as na classe pertinente. "Em outras palavras, categorizar é entender as normas jurídicas como tipos, os quais devem ser correlacionados às questões fáticas de modo a definir seus casos de aplicação" (PEREIRA, 2006, p. 234).

O Ministério Público Federal opinou pelo provimento do recurso de agravo. Mas, na análise do mérito processual, opinou pela denegação da segurança, argumentando a favor do Tribunal de Contas da União. Por não se convencer das razões expostas, o relator, Ministro Celso de Mello, submeteu o referido recurso de agravo à apreciação da colenda Segunda Turma do Supremo Tribunal Federal.

Em 4 de dezembro de 2012, vistos, relatados e discutidos os autos do Agravo Regimental no Mandado de Segurança nº 27.962 do Distrito Federal, acordaram os Ministros que compunham a Segunda Turma do Supremo Tribunal Federal, sob a Presidência do Ministro Ricardo Lewandowski, na conformidade da ata de julgamento e das notas taquigráficas, por unanimidade de votos, em negar provimento ao agravo regimental, nos termos do voto do relator, Ministro Celso de Mello. Deste acórdão cumpre destacar:

> EMENTA: [...] INTEGRAL OPONIBILIDADE DA '*RES JUDICATA*' AO TRIBUNAL DE CONTAS DA UNIÃO – COISA JULGADA EM SENTIDO MATERIAL – INDISCUTIBILIDADE, IMUTABILIDADE E COERCIBILIDADE: ATRIBUTOS ESPECIAIS QUE QUALIFICAM OS EFEITOS RESULTANTES DO COMANDO SENTENCIAL – PROTEÇÃO CONSTITUCIONAL QUE AMPARA E PRESERVA A AUTORIDADE DA COISA JULGADA – EXIGÊNCIA DE CERTEZA E DE SEGURANÇA JURÍDICAS – VALORES FUNDAMENTAIS INERENTES AO ESTADO DEMOCRÁTICO DE DIREITO – EFICÁCIA PRECLUSIVA DA '***RES JUDICATA***' – '***TANTUM JUDICATUM QUANTUM DISPUTATUM VEL DISPUTARI DEBEBAT***'.
> [...]
> - O Tribunal de Contas da União não dispõe, *constitucionalmente*, de poder para rever decisão judicial transitada em julgado (RTJ 193/556-557) nem para determinar a suspensão de benefícios garantidos por sentença revestida da autoridade da coisa julgada (RTJ 194/594), ainda que o direito reconhecido pelo Poder Judiciário não tenha o beneplácito da jurisprudência prevalecente no âmbito do Supremo Tribunal Federal (MS 23.665/DF, *v.g.*), pois a '*res judicata*', em matéria civil, só pode ser legitimamente desconstituída mediante ação rescisória. Precedentes.
> [...]
> A autoridade da coisa julgada *em sentido material* estende-se, *por isso mesmo*, tanto ao que foi efetivamente arguido pelas partes quanto ao que poderia ter sido questionado, *mas não o foi*, desde que tais alegações e defesas se contenham no objeto do processo ('*tantum judicatum quantum disputatum vel disputari debebat*'). Aplicação, *ao caso*, do art. 474 do CPC. Doutrina. Precedentes. (destaques no original).

A análise crítica desta decisão brasileira mostra-se relevante pelo fato de ela fazer perceber as dimensões objetiva e subjetiva da segurança jurídica como uma garantia fundamental. No caso em tela, a decisão judicial do Supremo aborda a garantia fundamental da segurança jurídica em seu caráter instrumental de proteger os direitos fundamentais envolvidos na decisão, analisando a coisa julgada, o ato jurídico perfeito e o direito adquirido. O interessante é que a decisão explicita a proteção à confiança, aplicando-a às relações jurídicas e sua oponibilidade ao Poder Público, denotando, assim, também possuir referida garantia certa dimensão subjetiva.

Silva (2005, p. 3-4) analisa o que denomina ramificações da segurança jurídica, em duas dimensões, cada uma com sua natureza, sendo uma objetiva e a outra subjetiva. A primeira, de natureza objetiva, é aquela que envolve a questão dos limites à retroatividade dos atos do Estado, até mesmo quando se qualificam como atos legislativos. Diz respeito à proteção ao direito adquirido, ao ato jurídico perfeito e à coisa julgada. A outra, de natureza subjetiva, concerne à proteção à confiança das pessoas no pertinente aos atos, procedimentos e condutas do Estado, nos mais diferentes aspectos de sua atuação.

Existem, porém, entendimentos diferentes, advindos, principalmente, do direito comparado, que entendem que a segurança jurídica não sofre ramificações. Canotilho (2000, p. 256) entende que se trata de dois temas diferentes, que "andam estreitamente associados", mas que não se confundem, sendo que a segurança jurídica está conectada a elementos objetivos da ordem jurídica, e a proteção à confiança se prende mais a componentes subjetivos. Nesse contexto, sabe-se que, no direito comparado, a doutrina prefere admitir a existência de dois princípios distintos, apesar das estreitas correlações existentes entre eles. "Falam os autores, assim, em princípio da segurança jurídica quando designam o que prestigia o aspecto objetivo da estabilidade das relações jurídicas, e em princípio da proteção à confiança, quando aludem ao que atenta para o aspecto subjetivo" (SILVA, 2005, p. 4).

Tendo-se como referência essa divergência teórica e o fato de a decisão (MS 27962, AGR/DF) enunciar "a boa-fé e a proteção da confiança como projeções específicas do postulado da segurança jurídica", o presente estudo se filia às concepções majoritárias que consideram que a segurança jurídica possui duas vertentes, o que aqui se chama de uma dimensão objetiva e outra dimensão subjetiva. Destaca-se, entretanto, que o núcleo de referida garantia é sua dimensão objetiva, devidamente descrita, nas peculiaridades do caso brasileiro, no inciso XXXVI, do artigo 5º da Constituição Federal, que dispõe que "a lei não prejudicará o direito adquirido, o ato jurídico perfeito e a coisa julgada". No tocante à proteção à confiança, ela se manifesta como dimensão subjetiva, estando presente nas entrelinhas deste preceito constitucional. Chegou-se a tal percepção, por meio da análise de uma situação prática, como recurso metodológico, advinda do julgamento do Supremo Tribunal Federal, no Mandado de Segurança nº 27.962, do Distrito Federal.

Criticamente, na decisão que ora se analisa, avalia-se que o Supremo deveria ter abordado mais a segurança jurídica como uma garantia fundamental, uma vez que houve um contraponto com os argumentos arrolados pelo Tribunal de Contas da União (TCU). A grande questão que se mostrou relevante foi que a argumentação do TCU direcionou-se para suas garantias institucionais, e a decisão do STF, para as garantias fundamentais. Daí, a importância de se delimitarem as garantias institucionais que "[...] são mecanismos de proteção de instituições, que indiretamente expandem sua proteção aos indivíduos" (LOPES, 2001a, p. 45-46). Assim, cumpre salientar que, se fossem acolhidas as argumentações do TCU, sob o ponto de vista da proteção jurídica constitucional, não se iriam garantir à pessoa posições subjetivas autônomas, mas apenas seriam salvaguardadas os fins institucionais do TCU.

De certo que "[...] a segurança jurídica é compreendida em duas dimensões, a objetiva e a subjetiva, aqui diferenciadas pela esfera que cada uma abrange: a primeira trata de fatores externos que afetam o cidadão, ao passo que a segunda primeiramente protege o sujeito" (MOREIRA, 2010, p. 19).

A partir desta linha de raciocínio, analisa-se a dimensão objetiva da segurança jurídica e, em seguida, a sua dimensão subjetiva, tendo como enfoque prático a referida decisão e como enfoque teórico o estudo acerca dos direitos e garantias fundamentais.

A dimensão objetiva da garantia fundamental da segurança jurídica corresponde à proteção que é oposta à pessoa, em relação ao Estado, sendo que a pessoa deverá ser protegida contra as mudanças nas políticas estatais que fragilizem e afetem os seus direitos fundamentais. Para Luño (2005, p. 221), a dimensão objetiva da segurança jurídica corresponde à formulação adequada das normas do ordenamento e ao cumprimento do direito pelos seus destinatários.

A Constituição Federal de 1988 dispõe sobre a atual forma de manifestação em perspectiva constitucional da segurança jurídica, sendo esta uma garantia fundamental, nos termos seguintes: "Art. 5º [...] XXXVI - A lei não prejudicará o direito adquirido, o ato jurídico perfeito e a coisa julgada". Trata-se da dimensão objetiva, ou seja, os comandos são dirigidos diretamente ao Estado para a proteção da pessoa.

A definição da dimensão objetiva possui origem germânica, sendo que a segurança jurídica vista sob o prisma objetivo encontra-se no mesmo parâmetro da legalidade. A construção de uma definição objetiva da segurança jurídica como uma garantia fundamental foi idealizada pela jurisprudência alemã e se alastrou para o direito comunitário europeu, irradiando-se para outros ordenamentos constitucionais (MENDES, 1998, p. 261).

O manejo da segurança jurídica pelo Supremo Tribunal Federal, na decisão no Mandado de Segurança nº 27.962, do Distrito Federal, mostra a segurança jurídica como a garantia imposta ao Estado, em favor da pessoa, de modo que quaisquer meios de ação estatal desenvolvam relações estáveis, mesmo se ocorrer mudança legal. No plano constitucional, em matéria de direitos e garantias fundamentais, a segurança jurídica é uma garantia fundamental que dirige proteção aos direitos fundamentais, por meio do direito adquirido, do ato jurídico perfeito e da coisa julgada, perfazendo, assim, a sua dimensão objetiva, no sentido de que, objetivamente, protege a pessoa das manifestações de instabilidade institucional por parte do Estado.

Nesse contexto, atente-se que as mudanças que ocorrem no tempo não devem desconstituir o que se pacificou dentro da legalidade. Os atos e fatos capazes de caracterizar os direitos adquiridos, os atos jurídicos perfeitos e a coisa julgada devem ser regularmente protegidos e garantidos, quando se incorporam ao patrimônio jurídico e mesmo às expectativas das pessoas.

Para a análise da dimensão objetiva da segurança jurídica, faz-se necessário compreender e distinguir direito adquirido, ato jurídico perfeito e coisa julgada. O direito adquirido é o que se encontra assegurado legalmente e se incorporou ao patrimônio jurídico do seu titular. O ato jurídico perfeito é aquele já consumado, conforme a lei vigente, no tempo em que se efetuou. A coisa julgada é o mecanismo jurídico que torna a decisão definitiva, obstando a rediscussão da matéria decidida. A segurança jurídica compõe-se desses mecanismos jurídicos de proteção, e, em seu parâmetro constitucional, manifesta-se, em sede de direitos e garantias fundamentais, no comando do inciso XXXVI, do art. 5º , da Constituição Federal, que dispõe que a lei não os prejudicará.

Os conceitos de ato jurídico perfeito, direito adquirido e coisa julgada têm força legal com a Lei de Introdução às Normas do Direito Brasileiro (Decreto-Lei nº 4.657, de 4 de setembro de 1942), que dispõe:

> Art. 6º A Lei em vigor terá efeito imediato e geral, respeitados o ato jurídico perfeito, o direito adquirido e a coisa julgada. (Redação dada pela Lei Federal brasileira nº 3.238, de 1957).
> § 1º Reputa-se ato jurídico perfeito o já consumado segundo a lei vigente ao tempo em que se efetuou. (Incluído pela Lei Federal brasileira nº 3.238, de 1957).
> § 2º Consideram-se adquiridos assim os direitos que o seu titular, ou alguém por ele, possa exercer, como aqueles cujo começo do exercício tenha termo pré-fixo, ou condição pré-estabelecida inalterável, a arbítrio de outrem. (Incluído pela Lei Federal brasileira nº 3.238, de 1957).

> § 3º Chama-se coisa julgada ou caso julgado a decisão judicial de que já não caiba recurso. (Incluído pela Lei Federal brasileira nº 3.238, de 1957).

Ainda na tônica da legislação infraconstitucional, Pereira (2000, p. 105) aborda um conceito sobre direitos adquiridos, expressando que eles são direitos em que o seu titular ou alguém que por ele possa exercer, como aqueles cujo começo de exercício tenha termo prefixado ou condição preestabelecida; inalterável ao arbítrio de outrem. São os direitos definitivamente incorporados ao patrimônio de seu titular, sejam os já realizados, sejam os que simplesmente dependem de um prazo para seu exercício, sejam ainda os subordinados a uma condição inalterável ao arbítrio de outrem.

Existe disposição relativa à coisa julgada no Código de Processo Civil (Lei Federal 5.869, de 11 de janeiro de 1973), relacionando-a com a eficácia da decisão e caracterizando-a com "força de lei nos limites da lide e das questões decididas" (artigo 468). O artigo 474, do Código de Processo Civil em vigor no Brasil em 2015, dispõe que: "passada em julgado a sentença de mérito, reputar-se-ão deduzidas e repelidas todas as alegações e defesas, que a parte poderia opor assim ao acolhimento como à rejeição do pedido". Sobre esse aspecto, tem-se na decisão do Supremo Tribunal Federal (MS 27.962 AGR/DF) que "a norma inscrita no art. 474 do CPC impossibilita a instauração de nova demanda para rediscutir a controvérsia, mesmo que com fundamento em novas alegações". Isso ocorre, devido à garantia fundamental da segurança jurídica proteger direitos fundamentais, sendo que o instituto processual da coisa julgada material representa expressivo consectário da ordem constitucional, sendo conceituada no artigo 467, do Código de Processo Civil, do seguinte modo: "Denomina-se coisa julgada material a eficácia, que torna imutável e indiscutível a sentença, não mais sujeita a recurso ordinário ou extraordinário". Daí, distinguir-se, também, a coisa julgada material da coisa julgada formal.

A coisa julgada material é aquela que confere firmeza à decisão, com certeza quanto ao pronunciamento judicial, decidindo o mérito da causa. A coisa julgada formal limita-se a pôr termo à ação, sem necessariamente abordar a causa de pedir como uma condição da ação. Essa distinção tem efeitos práticos quanto à segurança jurídica, sendo que, na decisão em comento (Mandado de Segurança nº 27.962 do Distrito Federal), o Supremo se manifesta, expressamente, em favor dos "atributos especiais da indiscutibilidade, imutabilidade e coercibilidade" que qualificam os efeitos resultantes do comando sentencial, capazes de gerar a coisa julgada em sentido material, qualificando-a, objetivamente, como uma garantia constitucional em prol da pessoa.

Nessa linha de raciocínio, cumpre destacar que, no âmbito das relações constitucionais privadas, a coisa julgada material não é precisamente a decisão do mérito da causa, e, tecnicamente, ela não ocasiona a decisão do mérito da causa. Trata-se de um *atributo* da decisão judicial (em sentido amplo) que decide o mérito da causa (ou seja, um atributo da decisão cujo conteúdo seja o mérito da causa), atributo esse que impede a rediscussão da questão pelas partes. Constitui-se, ademais, um pressuposto processual negativo, nos termos do art. 267, V, CPC/73.

Por outro lado, a coisa julgada formal também é um atributo de que se revestem as decisões judiciais. Diferentemente da coisa julgada material, a coisa julgada formal impede que a questão decidida (seja ou não de mérito, diferentemente da coisa julgada material) seja discutida *naquele mesmo processo*. Em virtude disso, a coisa julgada formal opera uma espécie de "preclusão máxima" dentro daquele processo específico. Cabe lembrar que a coisa julgada material pressupõe a coisa julgada formal, mas a recíproca não é verdadeira.

Nesse sentido, destaque-se que a coisa julgada cria, para a segurança dos direitos subjetivos, situação de imutabilidade que nem mesmo a lei pode destruir ou vulnerar – que é o que se infere do art. 5º, XXXVI, da Lei Maior. Sob esse aspecto, pode-se qualificar a *res iudicata* como garantia constitucional de tutela a direito individual. Por outro lado, essa garantia, outorgada na Constituição, dá mais ênfase e realce àquela da tutela jurisdicional, constitucionalmente consagrada, no art. 5º, XXXV, "para a defesa de direito atingido por ato lesivo, visto que a torna intangível até mesmo em face de '*lex posterius*', depois que o Judiciário exaure o exercício da referida tutela, decidindo e compondo a lide" (MARQUES, 2000, p. 687).

Bermudes (2004), ao explicar a origem e a finalidade da coisa julgada, disserta que a coisa julgada material constitui instituto da segurança jurídica, em âmbito constitucional, sendo que essa é a função que explica o instituto e justifica a sua subsistência, dispensando-se "construções postiças para a justificação da coisa julgada". Ela não decorre de uma presunção da verdade ou de verdade ficta, como já se sustentou ao longo do processo, ainda em curso, de consolidação do instituto. "A coisa julgada material decorre da vontade estatal" (BERMUDES, 2004, p. 168).

Cumpre alertar que apesar de estes conceitos estarem associados à segurança jurídica de modo geral, o presente estudo, ao analisar a decisão do Supremo, no Mandado de Segurança nº 27.962 do Distrito Federal, trata-os em seu parâmetro constitucional, mais especificadamente como manifestação dos direitos e garantias fundamentais. Nesse sentido, adentra-se no debate da pertinência constitucional dos conceitos de ato jurídico perfeito, direito adquirido e coisa julgada para se filiar ao pensamento de que:

> A conveniência ou não de dispor sobre matéria tão sensível e controvertida no âmbito da legislação ordinária é suscitada não raras vezes, tendo em vista o risco de deslocamento da controvérsia do plano constitucional para o plano legal [...]. Todavia, trata-se de debate estéril, uma vez que a opção por essa conceitualização legal antecede até à própria positivação constitucional da matéria, ocorrida apenas em 1934. Evidentemente, a opção pela fórmula de conceituação no plano do direito ordinário envolve sérios riscos no que concerne à legalização da interpretação dos institutos constitucionais (interpretação da Constituição segundo a lei) e, até mesmo, como já se verificou, no que se refere à tentativa de conversão de controvérsia estritamente constitucional em controvérsia de índole ordinária, com sérias repercussões no campo da competência do Supremo Tribunal Federal e de outros órgãos jurisdicionais (MENDES; BRANCO, 2008, p. 461).

No âmbito constitucional, a dimensão objetiva mostra como a segurança jurídica é uma garantia capaz, também, de fornecer parâmetros para o próprio Estado. Possibilita o respeito às relações passadas, presentes e futuras. Sarlet (2009) entende que a dimensão objetiva exige um patamar mínimo de continuidade "do" Direito e "no" Direito. Objetivamente, busca garantir estabilidade "no" Direito, sendo que se apresenta como intrínseca ao Estado Democrático "do" Direito.

A dimensão subjetiva da garantia fundamental da segurança jurídica corresponde à proteção na perspectiva constitucional, que é oposta pelo cidadão, em relação aos seus pares, sendo que a confiança deve ser protegida nos negócios jurídicos que envolvem direitos fundamentais, de modo que alterações posteriores não prejudiquem patrimônios jurídicos já consolidados. Luño (2005) afirma que a dimensão subjetiva corresponde à certeza do direito, isto é, à possibilidade de conhecimento prévio, pelo cidadão, das consequências de seus atos, propiciando a ele confiança no ordenamento. Conforme Bonavides (2001), tal proteção traz ínsita em sua própria natureza constitutiva a ideia de segurança em si, dado que manifesta, de forma mediata, o afastamento de qualquer espécie de fragilidade ou de incerteza, com o que assume dimensão de perfil axiológico.

De modo geral, tem-se que, acerca da expressão segurança deve-se observar a existência de "[...] algo de subjetivo, um sentimento, a atitude psicológica dos sujeitos perante o complexo de regras estabelecidas como expressão genérica e objetiva da segurança mesma" (REALE, 1994, p. 86).

Essa noção mostra-se aplicável à segurança jurídica como uma garantia fundamental. A propósito, torna-se interessante proceder-se a uma distinção entre sentimento de segurança e segurança propriamente dita.

> Há, pois, que distinguir entre o 'sentimento de segurança', ou seja, entre o estado de espírito dos indivíduos e dos grupos na intenção de usufruir de um complexo de garantias, e esse complexo como tal, como conjunto de providências instrumentais capazes de fazer gerar e proteger aquele estado de espírito de tranquilidade e concórdia (REALE, 1994, p. 86).

Aranha (1997, p. 66) entende que a distinção feita por Reale identifica como elemento fundamental da análise da segurança jurídica o fato da sua concepção ser reflexo de um "[...] aspecto mais restrito de garantia da boa-fé ou confiança do particular frente aos atos emanados do Poder Público, o que os alemães, desde há muito tempo, chamavam *Treu und Glaube* (lealdade e confiança)". A dimensão subjetiva da segurança jurídica relaciona-se com "a necessidade de manutenção dessa confiança do administrado na legalidade dos atos emanados pelo Poder Público". Assim, desnuda-se, subjetivamente, certo aspecto da segurança jurídica que "[...] se evidencia na preservação de um ato, mesmo que originalmente viciado de ilegalidade, preservação esta em respeito à *inércia* daquele Poder" (ARANHA, 1997, p. 66).

> A *sanatória* do inválido decorre da consideração de que a perpetuação de um fato no tempo, desde que se exclua a existência de dolo, ou quando aflorem valores éticos a serem protegidos, gera uma *confiança legítima no espírito dos particulares*, que justifica sua proteção jurídica. A limitação do poder da Administração em agir, por força própria, declarando unilateralmente a nulidade de um certo ato, por sua vez, diz respeito à necessidade da participação ou não do Judiciário para que a modificação da situação constituída possa ser operada. O ato deve ser preservado de *decisões imprevistas e tardias* (ARANHA, 1997, p. 63, destaques do original).

O Supremo Tribunal Federal, na decisão relativa ao Mandado de Segurança nº 27.962 do Distrito Federal, especificamente no voto do relator, Ministro Celso de Mello, corrobora esse entendimento. Ao votar contra o parecer ministerial e discordar dos argumentos do Egrégio Tribunal de Contas da União, o voto do relator enuncia que os postulados da segurança jurídica, da boa-fé objetiva e da proteção da confiança, enquanto expressões do Estado Democrático de Direito, mostram-se impregnados de elevado conteúdo ético, social e jurídico, projetando-se sobre as relações jurídicas, mesmo as de direito público, em ordem a viabilizar a incidência desses mesmos princípios sobre comportamentos de qualquer dos Poderes ou órgãos do Estado (os Tribunais de Contas, inclusive), para que se preservem, desse modo, situações administrativas já consolidadas no passado.

Nessa perspectiva, para a compreensão da dimensão subjetiva da garantia fundamental da segurança jurídica, cumpre atentar para o fato de que, conforme Luño (2005, p. 221), a partir de uma sedimentação de segurança jurídica e justiça, a segurança jurídica deixa de identificar-se com a mera noção de legalidade ou positividade do direito, e passa a identificar-se com bens jurídicos básicos, cuja proteção e consecução apresentam-se relevantes, social e politicamente, sendo que "*[...] [al definir los derechos fundamentales, advertía que] uno de los presupuestos que más directamente contribuyen a perfilar su significado es el de gozar de un régimen de protección jurídica reforzada*" (LUÑO, 2007, p. 65).

Vanossi (1982, p. 30) entende que a segurança jurídica corresponde ao conjunto de condições que possibilitam às pessoas o conhecimento prévio das consequências das suas ações e fatos relativamente à liberdade reconhecida. A segurança jurídica, no âmbito constitucional, manifesta-se como garantia fundamental que protege direitos fundamentais. Em relação à dimensão subjetiva da segurança jurídica, Sagüés (1993, p. 67) explica que *"[...] es posible detectar, por ende, un derecho personal a la seguridad jurídica, como aplicación del valor constitucional de seguridad, demandable ante los poderes públicos"*.

A dimensão subjetiva relaciona-se com a pessoa de modo mais íntimo, pois busca salvaguardar a proteção à confiança, podendo-se até falar em "garantia da estabilidade de certeza dos negócios jurídicos", do seguinte modo:

> A segurança jurídica consiste na garantia da estabilidade e de certeza dos negócios jurídicos, de sorte que as pessoas saibam de antemão que, uma vez envolvidas em determinada relação jurídica, esta se mantém estável, mesmo se se modificar a base legal sob a qual se estabeleceu (ROCHA, 2004, p. 168).

A confiança que a pessoa deposita no Estado e a necessidade de estabilidade nas relações constitucionais privadas são parte da segurança que se deposita nos próprios direitos fundamentais. A segurança jurídica é garantia fundamental que, também, possui uma dimensão subjetiva, pois protege os direitos fundamentais em busca da estabilidade.

A estabilidade das relações jurídicas e sociais, enquanto conteúdo da segurança jurídica, corresponde a uma continuidade dessas relações jurídicas e, por que não dizer, da própria ordem jurídica. Vale dizer, que haja uma permanência da norma, ou, pelo menos, que não seja frequentemente modificada, "[...] possibilitando ao administrado planejar a sua vida, ou que, se assim o for (modificada), possibilite a esse administrado o conhecimento prévio de tal modificação" (SAMPAIO, 2010, p. 115). Mas tal entendimento não exclui as contribuições relacionadas à segurança jurídica. Assim, associam-se à dimensão subjetiva da segurança jurídica e à proteção à confiança, sabendo-se que:

> O princípio da proteção à confiança, na condição de elemento nuclear do Estado de Direito (além de sua íntima conexão com a própria segurança jurídica) impõe ao Poder Público – inclusive (mas não exclusivamente) como exigência da boa-fé nas relações com os particulares – o respeito pela confiança depositada pelos indivíduos em relação a uma certa estabilidade e continuidade da ordem jurídica como um todo e das relações jurídicas especificamente consideradas (SARLET, 2004, p. 114).

Nessa perspectiva, pode dialogar tal pensamento com a constatação de que a proteção da confiança "significa a proteção da dignidade humana, em meio a uma sociedade marcada pela instabilidade. Está presente aqui a necessidade de equilíbrio entre a concretização dos valores constitucionais e os direitos individuais". (GRANTHAM, 2005, p. 166). Na dimensão subjetiva, a proteção à confiança mostra-se como um corolário da estabilidade e da segurança que a pessoa necessita nas relações que estabelece com outras pessoas e mesmo com o Estado. Resguarda que a sua subjetividade deve ser entrelaçada pela confiança de modo a ser protegida justamente para garantir a estabilidade.

O Supremo Tribunal Federal brasileiro, ao julgar o recurso de agravo regimental no Mandado de Segurança nº 27.962 do Distrito Federal, contra o parecer ministerial, externou que a segurança jurídica é uma das mais sólidas garantias constitucionais que a pessoa detém em seu favor, em especial para proteger seu direito adquirido, ato jurídico perfeito e coisa julgada. A decisão do Supremo também refletiu para a subjetividade existente na segurança jurídica, sendo que a proteção à confiança remonta à necessidade de se fazer garantir a estabilidade nas relações que são estabelecidas entre os particulares com o Estado e entre os particulares entre si. Criticamente, verificou-se que o Supremo poderia ter delimitado mais a segurança jurídica como uma garantia fundamental, pois ficaria ainda mais clara a ofensa ao direito adquirido, ao ato jurídico perfeito e à coisa julgada.

2.5 A propriedade privada imóvel no contexto dos Direitos e Garantias Fundamentais

A análise constitucional do direito à propriedade privada imóvel parte das premissas do pensamento constitucional e do constitucionalismo. Relaciona-se com o que se pode denominar de constitucionalização do direito privado. Compreende que o direito de propriedade, ao mesmo tempo em que tem sua autonomia, correlaciona-se com o sistema jurídico como um todo, o que reflete o seu viés econômico com aplicabilidade direta dos direitos fundamentais. A propriedade privada imóvel, no contexto dos direitos e garantias fundamentais, manifesta-se como relação complexa e dinâmica que "[...] contém inúmeros direitos subjetivos, mas não se pode simplesmente reduzi-la a mero direito subjetivo" (LOUREIRO, 2003, p. 45).

A constitucionalização do direito privado se perfaz como releitura à luz da "tábua" axiológica da Constituição. Os agentes públicos devem levar em conta os valores que emanam da Constituição, quando da tomada de decisões. A constitucionalização do direito privado, para Eugênio Facchini Neto (2006), no mundo da segurança da codificação, perde força, a partir da constitucionalização do direito civil. A grande problematização gira em torno das omissões legislativas. A temática da constitucionalidade substitui, assim, a preocupação exclusiva com a legalidade.

A propriedade privada imóvel, no contexto dos direitos e garantias fundamentais, aduz que o direito de propriedade não mais se reveste do caráter absoluto e intangível, típico da tradição oitocentista. As restrições constitucionais fortalecem a continuidade da propriedade como núcleo elementar da livre iniciativa no Estado Democrático de Direito. A Constituição Federal garante o direito de propriedade privada imóvel como fundamental. "Contudo, em seguida, impõe a subordinação da propriedade à sua função social, expressão de conteúdo vago, mas que, genericamente, pode ser interpretada como a subordinação do direito individual ao interesse coletivo" (MONTEIRO, 2003, p. 92).

É, nesse sentido, que se deve verificar que, quanto à vinculação dos particulares, a teoria liberal clássica limitava o alcance dos direitos fundamentais. Nas décadas iniciais do século XXI, o que se discute são os limites de interferência da relação indivíduo-Estado a respeito dos direitos fundamentais. Referida discussão situa-se na problemática da esfera do público -

privado. Ao se indagar se tal situação representaria uma hipertrofia no alcance dos direitos fundamentais, nas relações privadas, obtêm-se quatro teorias:

A **primeira teoria** analisa a negação da eficácia horizontal (*state action)*, o que remonta ao liberalismo norte-americano. Tem preponderado a visão de que não há eficácia horizontal dos direitos fundamentais. Como exceção, tem-se a 13ª Emenda norte-americana, que proibiu a escravidão. O argumento constitucional que se utilizou foi de que a interpretação liberal da Constituição proíbe que se atinja a liberdade individual, ou seja, buscou-se não interferência do Estado na esfera individual.

Assim, resguardou-se a competência dos estados-membros (e não da União-Federação) em regular o direito privado. A *state action* acabou por preservar o espaço de autonomia dos estados-membros. Então, para a teoria da negação da eficácia horizontal, a limitação dos direitos privados deve decorrer do exercício de direitos ou prerrogativas promovidas pelo Estado.

Faz-se importante mencionar, como recurso metodológico para estudos posteriores, que se faça necessário, a existência da *public function theory*. Tendo-se como referência o direito comparado norte-americano. Essa é forma de mitigação da *State Action Doctrine*. E há outra referência salutar, que é o caso paradigmático sobre certa questão nos EUA, o *Boys Scouts of America vs Dale*.

A **segunda teoria** (Günther Düring) defende a aplicação indireta e mediata dos direitos fundamentais na esfera privada. Relevância dos direitos fundamentais no processo de colmatação. Essa teoria da aplicação indireta e mediata mostra-se como posicionamento minoritário no Brasil.

A **terceira teoria** é a da eficácia direta e imediata dos direitos fundamentais na esfera privada. Apresenta o posicionamento brasileiro de Daniel Sarmento (2011). A argumentação é para a necessidade de construção de parâmetros (*standards*), para os fins de aplicação horizontal dos direitos fundamentais; tudo com o propósito de redução da incerteza. Importante mencionar, como recurso metodológico para estudos posteriores, a existência de casos paradigmáticos no Supremo Tribunal Federal brasileiro, quando se discute a questão da eficácia direta e imediata dos direitos fundamentais na esfera privada, quais sejam: o RE 158.215/RS, o RE 161.243 e o RE 201.819/RJ.

A **quarta** é a **teoria** dos deveres e eficácia horizontal, que encontra posicionamento em Claus-Wilhelm Canaris. Por essa, o Estado reconhece a eficácia horizontal desde que tenha o dever de promover o direito fundamental.

Em relação à aplicabilidade direta dos direitos fundamentais, nas relações entre privados, mostra-se interessante observar o que Juan María Bilbao Ubillos (2010) indica quatro argumentos a favor dessa postura, a saber: (i) o fenômeno do poder não é privativo das relações entre o cidadão e o

Estado; (ii) a Constituição é norma sobre a qual se assenta a unidade do ordenamento jurídico; (iii) há fronteira difusa entre o público e o privado; e, (iv) os direitos fundamentais possuem força expansiva.

A aplicabilidade do direito fundamental à propriedade privada imóvel no contexto dos direitos fundamentais ressurge em um momento temporal que harmoniza a igualdade social com as meras liberdades pessoais. O objetivo é promover o desenvolvimento humano por meio da igualdade social, em harmonia com o crescimento da economia capitalista. Ingo Wolfgang Sarlet (2007, p. 60), em sua obra "Dignidade da pessoa humana e direitos fundamentais na Constituição de 1988", argumenta que essa maneira de perceber a propriedade privada imóvel não representa uma forma de economia que priorize o lucro e a redução de custos em prejuízo da cidadania. Mas o alcance pela respeitabilidade da dignidade do cidadão, sendo ela qualidade intrínseca e distintiva, reconhecida em cada ser humano, e que o faz merecedor do mesmo respeito e consideração por parte do Estado, o que implica garantir as condições existenciais mínimas.

Gustavo Tepedino e Anderson Schreiber (2005, p.117) sustentam o condicionamento da tutela do domínio ao atendimento dos interesses sociais relevantes e, em especial, ao atendimento à dignidade humana, remodelando, dessa forma, o direito constitucional à propriedade privada. Os interesses dos proprietários se conformam com os múltiplos interesses não proprietários, "e sobretudo o de conformar os interesses patrimoniais àqueles de natureza existencial" .

A propriedade privada imóvel, no contexto dos direitos e garantias fundamentais, adquire o formato jurídico de servir de garantia de acesso e conservação daqueles bens necessários ao desenvolvimento de vida digna. Com esse formato, mostra-se viável defender as garantias da propriedade privada alçada no texto constitucional como um direito fundamental, "porque inteiramente a serviço do seu objetivo fundamental: o pleno desenvolvimento da pessoa" (TEPEDINO; SCHREIBER, 2005, p. 117).

O pensamento constitucional do direito à propriedade privada imóvel contempla não apenas a dimensão do proprietário, mas também a do Estado. Reforça a ideia de que a propriedade adquire uma ressignificação com a dimensão do direito constitucional, representando um direito do proprietário, do Estado, e também dos interesses sociais ou coletivos; ou seja, a propriedade é um direito e um dever, para fins de concretização dos ideais da sociedade, que são previamente estabelecidos na Constituição vigente, conforme o constitucionalismo.

Adota-se uma perspectiva de deveres fundamentais paralelos à ideia de direitos fundamentais, em uma análise constitucional do direito de propriedade que concebe a obrigação do alcance da função social como mecanismo de efetivação do texto constitucional. Assim, deve-se desconstruir a ainda dominante concepção da função social da propriedade como uma mera restrição individual para concebê-la também como parte de um complexo de obrigações constitucionais que se localizam na esfera do público - particular.

> A prevalência das interpretações mais cômodas do Texto Constitucional, em favor do poder estabelecido, termina por provocar uma verdadeira erosão da consciência cívica. É no acompanhamento das atividades dos Poderes do Estado que se tirará a prova do espaço existente entre o que se diz e o que se faz. [...] No Direito Constitucional, não apenas existem, ou devem existir, sanções. Mais: ao lado daquelas comuns (reparações civil e criminal, por exemplo) há outra categoria tanto mais importante quanto maior for a educação cívica de um povo: a da responsabilização política (CAMPOS, 2004, p. 123).

A análise constitucional do direito à propriedade privada imóvel indica que o titular de fato enquadra-se na dinâmica das diversas manifestações jurídicas que caracterizam o que se denomina mercado. O ideal é que as figuras do titular de direito sejam diretamente relacionadas às figuras do titular de fato. Porém, o conceito e a análise da propriedade também devem observar os aspectos da economia política (e, consequentemente, das finanças públicas), sendo que os estudos clássicos apontam para os princípios da igualdade, da generalidade e da uniformidade.

> *Las finanzas clásicas enunciaron los principios fundamentales en torno a las 'cuatro reglas' de Adam Smith, o de los principios de la igualdad, generalidad y uniformidad, consagrados por la Revolución Francesa y sostenidos por la doctrina de ese país. Las cuatro reglas de Adam Smith pueden ser así sintetizadas: 1) igualdad ante las cargas públicas, a la que el autor vincula íntimamente con la proporción entre las contribuciones y las facultades económicas de cada contribuyente; 2) certeza, en cuanto al importe de la obligación y al tiempo y forma de pago, que deben ser claros, llanos e inteligibles; 3) comodidad y conveniencia para el contribuyente en cuanto a la oportunidad y modo de pago; 4) economía, no sólo en cuanto al costo de la recaudación y fiscalización, sino también en los efectos del impuesto sobre la producción y el ahorro* (COSTA, 1996, p. 106).

Assim, não se deve desconsiderar apenas a viabilidade da interpretação econômica como método para fins da hermenêutica relacionada ao direito à propriedade privada imóvel. A grande contribuição gadameriana consiste, justamente, na conclusão de que não há que se falar em uma repetibilidade de conteúdos normativos advindos de diversas interpretações de um mesmo texto legal.

Ao relacionar os direitos fundamentais com o direito de propriedade, Felipe Faria de Oliveira (2010) marca a impossibilidade de se atrelar, de forma definitiva, atemporal e unânime, um conteúdo a algum termo linguístico, refletindo uma revisão do princípio da tipicidade junto ao Estado Democrático de Direito, de forma que o direito de propriedade se adeque ao constitucionalismo. Desse modo, a ordenação jurídica passa a realmente ser percebida como una e indecomponível, sendo que, em relação a um conceito constitucional de propriedade no âmbito da ordem econômica e financeira, "qualquer definição que se pretenda há de respeitar o princípio da unidade sistemática e, sobretudo, partir dele" (CARVALHO, 2011, p. 46).

Eliana Calmon (2015), ao proferir o discurso sobre os aspectos constitucionais do direito de propriedade privada urbana, posiciona-se, pragmaticamente, no sentido de que as constituições brasileiras, desde a Constituição Imperial de 1824, sempre garantiram o direito de propriedade privada. A visão constitucional do direito de propriedade, desde o início, foi a de direito absoluto, embora já se falasse em função social da propriedade. A CF/88 reforçou que a garantia ao direito de propriedade, erigida em cláusula pétrea, condicionando-se, expressamente, ao seu uso.

A afirmação do direito de propriedade como direito fundamental expressa-se em diversos textos constitucionais e tratados internacionais. Roger Stiefelmann Leal (2012) observa que tal condição constituiu questão que integra o cerne do debate político-constitucional de maior repercussão do século XX e representa um desafio para o século XXI. Para o autor,

> [...] nenhum outro direito fundamental sofreu tamanha contestação. Afirmou-se que seu exercício constituía roubo e injustiça, propôs-se firmemente sua abolição como solução para todos os males e todas as alienações e sustentou-se sua plena subordinação ao interesse coletivo. A forte objeção que recaiu sobre o direito de propriedade não foi, porém, suficiente para prejudicar ou afastar sua condição de direito fundamental da pessoa (LEAL, 2012, p. 53).

Fernando Araújo (2008), em sua obra "A tragédia dos baldios e dos antibaldios: O problema econômico do nível ótimo de apropriação" sustenta que não existe propriedade desligada dos valores sociais que justificam o seu apoio normativo e a sua regulação. É assim que a propriedade privada imóvel no contexto dos direitos e garantias fundamentais faz referência à própria teoria expressiva da propriedade, em que há o reconhecimento de que a propriedade deve coexistir com obrigações para com os outros, com linguagem que espelhe a consciência da solidariedade e com atitudes que tornem transparentes as tensões entre o individual e o coletivo. A próposito:

> sendo um corolário dessa <<teoria expressiva>>, a conclusão de que a versão <<absolutizante>> da <<ownership>> é uma má expressão dos valores relevantes na propriedade, dificultando a correspondência com convicções e práticas socialmente dominantes (ARAÚJO, 2008, p. 250).

Nessa linha de raciocínio, a propriedade privada sobre bem imóvel não assume contornos de direito absoluto. Ainda que considerada como direito fundamental inato à condição humana, submete-se a diversos condicionamentos e restrições, geralmente decorrentes de outros direitos e princípios também tutelados pelo texto constitucional. A observância de tais condicionamentos e restrições constitui manifestação que decorre, justamente, da proteção constitucional conferida à propriedade.

RETROSPECTIVA HISTÓRICA CONSTITUCIONAL DO DIREITO DE PROPRIEDADE PRIVADA NO BRASIL E SUA RELAÇÃO COM A ECONOMIA

O presente capítulo compõe-se de pesquisa bibliográfica e documental, com abordagem qualitativa de investigação. Adota a perspectiva crítica da história constitucional brasileira. Possui como objetivo compreender como se desenvolveu a relação constitucional entre a propriedade privada e a Economia brasileira. Para tal, tem-se como delimitação temporal a Assembleia Constituinte de 1823 e a Constituição Imperial de 1824, sendo que o histórico do constitucionalismo brasileiro seguinte estabeleceu o elo entre o direito à propriedade privada e as relações constitucionais econômicas.

Com o advento do liberalismo clássico moderno, houve a crescente preocupação das formulações constitucionais sobre a organização do Estado. Buscou-se o reconhecimento de direitos individuais em relação à atuação do Estado, com formulações sobre cidadania no reconhecimento da pessoa enquanto sujeito de direitos. Nas peculiaridades brasileiras, tais ideais encontram previsão na Constituição Política do Império de 1824 e foram amplamente debatidas pela Assembleia Constituinte de 1823, o que remete para a consciência dos atores sociais envolvidos na construção do pensamento constitucional brasileiro.

Há embates acadêmicos para o que se denomina *descobrimento* do Brasil. Neles, é comum o fato de que a história do que se chama Brasil liga-se à expansão comercial da Europa. Quando as invasões turcas obstruíram as linhas orientais de abastecimento de produtos de qualidade para as metrópoles europeias, portugueses e espanhóis, em busca de alternativas para o comércio, procuraram contornar os obstáculos e se depararam com as possibilidades das terras americanas.

A colonização das terras *descobertas* ocorreu por pressão das demais nações europeias, em especial Holanda, França e Inglaterra que contestavam a posse dessas terras e entendiam que Portugal e Espanha só teriam direito às terras que efetivamente ocupassem. Ocupar passou a ser necessidade para Portugal, sendo isto de extrema importância para a garantia da propriedade e do direito de explorar as riquezas e dominar os povos que nessas terras habitavam. É, neste contexto, da relação entre a propriedade e a Economia que o presente capítulo realiza retrospectiva histórico-constitucional.

A história do direito de propriedade privada no Brasil corresponde a processos de ruptura, em relação à propriedade sesmarial, que tinha natureza pública e se condicionava por deveres, como o de cultivo e moradia habitual. Laura Beck Varela (2005) considera que a origem das propriedades sesmariais brasileiras remotam à legislação agrária de D. Fernando I, de 1375, incorporada, posteriormente, às Ordenações do Reino. No período colonial brasileiro, a legislação sesmarial amoldava-se às exigências da economia, que se baseava no latifúndio e na escravidão. Manteve, porém, sua forma essencialmente condicionada pelos deveres do cultivo, da medição e demarcação das terras.

Ao se proceder a uma retrospectiva histórico-constitucional do direito de propriedade privada no Brasil e sua relação com a Economia deve-se ter em consideração que, devido aos efeitos negativos para o crescimento econômico das concessões de terras na colonização, utilizou-se o regime das sesmarias como a tentativa de incentivar a economia. Luiz Ernani Bonesso de Araújo (1998, p. 70) argumenta que a distribuição de terras no regime sesmarial visava a substituir as anteriores concessões de alguns senhorios que não davam mais proveito à terra. Havia uma grande preocupação com a finalidade econômica da propriedade privada imóvel, ou seja, a terra deveria ser lavrada, não podendo estar na ociosidade. “Esse regime, em face da não concretização do objetivo de sua instituição, foi extinto por Resolução em 1822 e, a partir daí, iniciou-se o regime de posse sobre a terra, que era caracterizado pela ocupação daquele que destinava a terra para a produção”.

No Brasil, primeiro adotou-se *a exploração agrícola* que começou com a produção do açúcar, considerada a grande propulsora econômica do século XVI. A atividade pecuária era forma secundária, nos primórdios da colonização, e, só posteriormente, foi considerada fator fundamental de penetração e ocupação do interior brasileiro. Posteriormente, nos séculos XVII e XVIII, o foco da economia brasileira deslocou-se para a mineração.

Juridicamente, após a separação formal entre Portugal e Espanha, no ano de 1446, foram promulgadas as Ordenações Afonsinas (Rei Afonso VI). No ano de 1521, sucederam-se as Ordenações Manoelinas (Dom Manuel, o Venturoso). No ano de 1603, editaram-se as Ordenações Filipinas, que se orientavam nos sistemas romano e canônico. Vigoraram no Brasil colônia bem como no Brasil Império, até que se formulasse legislação própria.

Sociologicamente, em *Casa-Grande & Senzala*, Gilberto Freyre (2003) ressalta a importância que a casa grande teve na formação sociocultural brasileira, bem como a importância da senzala, que era complemento da primeira. Conforme Freyre (2003), a estrutura arquitetônica da casa grande expressava o modo de organização social e política que se instaurou no Brasil: o patriarcalismo. A estrutura patriarcal brasileira mostra-se capaz de metamorfosear a diversidade de elementos que compõem a propriedade fundiária do Brasil colônia. O patriarca da terra era tido como o dono de tudo que nela se encontrasse – como esposa, filhos e escravos – e esse padrão se expressa na casa grande, local que abriga desde escravos até os filhos do patriarca e suas respectivas famílias.

Devido às questões de acesso, como a distância entre os portos – que se situavam no litoral – e as regiões montanhosas, a mineração contribuiu para desenvolver sistemas de transporte de animais de carga. O mercado da mineração promoveu a integração entre as regiões do interior brasileiro com as demais regiões do litoral. Formulou-se a noção de unidade espacial, importante para manter o domínio territorial da nação. Paralelamente, os acontecimentos políticos da Europa de fins do século XVIII e início do século XIX repercutiram no Brasil e aceleraram a dinâmica política do país.

Os tratados de 1810, que se firmaram entre a Inglaterra e Portugal, tiveram consequências para a formulação constitucional do Brasil. Deram à Inglaterra tratamento privilegiado, com direitos de extraterritorialidade e tarifas preferenciais em níveis extremamente baixos. Influenciados pela abertura dos portos brasileiros de 1808, esses tratados constituíram sérias limitações à autonomia do Estado brasileiro no setor econômico.

Interessante destacar que os acontecimentos econômicos influenciaram na preservação da unidade territorial do Brasil, principalmente por ocasião de sua independência em relação a Portugal. Caso a independência tivesse resultado de luta prolongada, dificilmente se teria preservado a unidade territorial, pois nenhuma província tinha ascendência sobre as demais, para impor a unidade nacional. E os interesses regionais falavam mais alto que a unidade nacional.

No início do século XIX, não havia nenhuma categoria de comerciantes de expressão no Brasil, pois as práticas do comércio eram monopólio da metrópole. A categoria predominante era a dos produtores agrícolas que, com a Independência, formulavam ideais de poder constitucional. Assim, vários conflitos surgiram, na primeira metade do século XIX, entre os *barões* da agricultura brasileira e a Inglaterra.

Os conflitos resultavam da falta de coerência com que os ingleses aplicavam a ideologia liberal para as peculiaridades brasileiras. Configurava sentimento nacional que a ideologia liberal era mera criação de privilégios, o que fomentava as discussões sobre a necessidade de o Brasil lograr a plena independência política. Como a industrialização nesse período não prosperou, por falta de base técnica, e as iniciativas de D. João VI, na área da siderurgia, fracassaram por falta de mercado, a única saída que se apresentava para o desenvolvimento brasileiro era o comércio internacional.

A segunda metade do século XIX mostrou-se como a fase de gestação da economia cafeeira e de formação da nova categoria empresarial que desempenhou importante papel no desenvolvimento do país. Produtos como o açúcar e o algodão tinham mercado cada vez menos promissor, e o fumo, o couro, o arroz e o cacau eram produtos cujos mercados não garantiam expansão.

O café possibilitou que o Brasil se reintegrasse à expansão do comércio mundial. A economia cafeeira adquiriu condições de autofinanciar sua expansão em grande escala. Durante todo o decorrer do fim do Império, o café exerceu papel de liderança nas exportações. Foi fonte importante de receita em moeda estrangeira e constituiu o maior setor agrícola, a respeito do qual se dispõe de informações sobre investimento e financiamento.

Na perspectiva político-constitucional, dois acontecimentos importantes se destacaram no século XIX: a Independência do Brasil, em 1822, e a Proclamação da República, em 1889. O processo de independência do Brasil foi consensual e contribuiu para a formação da unidade nacional. O Rei foi forçado a voltar a Portugal e deixou seu filho no Brasil; o regente percebeu as necessidades políticas que ocorriam e proclamou a independência, sendo coroado como D. Pedro I, o Imperador do Brasil. A aristocracia latifundiária logo se indispôs com D. Pedro I, forçando-o a voltar a Portugal e a abdicar em favor de seu filho, Pedro II.

Inicialmente, as formulações constitucionais brasileiras sobre a forma de governo, constituíram-se como de monarquia constitucional. Esta monarquia caracterizou-se pela vitaliciedade e pela hereditariedade, sendo uma monarquia relativa (ou constitucional), em que o poder do soberano delimitava-se pela Constituição. Assim, a Constituição de 1824, outorgada por D. Pedro I, que se baseava na Constituição dos Bourbon da França, de 1814 e em alguns exemplos tirados da experiência britânica, moldou-se aos debates existentes no país, adequando-se às práticas discursivas que argumentavam em prol do Império.

As estruturas de poder do Estado representavam-se: pelo Imperador; um Conselho de Estado; um Senado, com membros vitalícios que o Imperador designava dentre nomes de listas que lhe eram submetidas por legislaturas provinciais; uma Câmara de Deputados eleitos por votação indireta; um sistema judiciário, teoricamente autônomo; e, pelo governo das províncias. Havia um quarto poder, chamado Moderador, que concedia ao Imperador o direito e a responsabilidade de controlar e equilibrar os diversos setores do governo. O Poder Moderador era conveniente aos interesses da aristocracia latifundiária.

Christian Edward Cyril Lynch (2007) defende a tese de que o Brasil ingressou na modernidade política dialogando o pensamento político brasileiro com a história das ideias políticas. A formação do conceito de Poder Moderador e a centralidade do discurso da Monarquia, no debate sobre a construção do Estado nacional, remetem para às principais formulações da tradição política europeia pós-renascentista. O autor verifica como os discursos da monarquia se adaptaram ao governo representativo brasileiro e se acomodaram às estratégias das lutas políticas entre os setores socialmente relevantes, com alianças partidárias e sucessivas teorias do governo representativo que se formulavam no decorrer do século XIX.

> Na medida em que, desse modo, Dom Pedro foi aclamado sem qualquer outro compromisso, que o de governar como Imperador Constitucional, o Patriarca difundiu a tese de que, naquele momento, de corpo presente, a massa da Nação fizera do príncipe o primeiro representante de sua soberania; que ela lhe havia delegado diretamente, sem intermediação, o exercício do poder soberano indispensável para que, naquela qualidade, o Imperador pudesse velar pelos seus interesses; e que correspondia, naturalmente, ao conjunto de prerrogativas que cabiam à Coroa, em qualquer verdadeira monarquia constitucional. [...] O príncipe não governava, portanto, porque era herdeiro do trono do Reino de Portugal, mas porque a Nação brasileira assim o quisera, exprimindo-se num ato público que desvelara a vontade divina. Daí que, na conformidade da fórmula que antecederia todos os atos imperiais, Dom Pedro seria 'por graça de Deus e unânime aclamação dos povos, Imperador Constitucional e Defensor Perpétuo do Brasil'. Essa teoria cesarista da origem democrática da autoridade do príncipe brasileiro fulminava qualquer tentativa de reproduzir o modelo da monarquia republicana (LYCNH, 2007, p. 122).

Em relação à estrutura de domínio político dos latifundiários, constata-se que se atribuem forças a essa estrutura como elemento marcante na unidade coesiva do Estado brasileiro. A lealdade que era, espontaneamente, devida à coroa pelos latifundiários impediu que o Brasil se dividisse em nações independentes, a exemplo do que houve nas repúblicas de língua espanhola.

A libertação dos escravos, no Brasil, foi fortemente influenciada pela Inglaterra e por seus interesses mercantilistas. Abalou as estruturas do sistema monárquico até então defendido pelos proprietários de escravos e contribuiu, consideravelmente, para a mudança econômica, social e política do Brasil. A propósito, acredita-se que a própria mudança da forma de governo de monarquia para república, em 1889, não passou efetivamente de golpe militar com o apoio de reduzidos grupos civis e pouca participação popular.

Sobre essa época, Aliomar Baleeiro (1999, p. 52) afirma que a maior parte da população brasileira vivia em zonas rurais, num regime semifeudal. A distribuição gratuita das terras públicas no regime colonial lusitano das sesmarias ocasionou a situação de enormes latifúndios que pertenciam a poucos. Neles se instalavam como simples "posseiros" agregados, vaqueiros, "contratistas", os sem-terra indicados ao trabalho agrário e dependentes do proprietário. "Muitos ocupantes de terras devolutas, antes de adquirirem o domínio ou propriedade delas, exerciam posse sobre vastas áreas, como se fossem donos" (BALEEIRO, 1999, p. 52).

No plano do movimento ideológico do constitucionalismo aplicado às formulações constitucionais brasileiras, o constitucionalismo pátrio transpõe o quadro de superestrutura ideológica anacrônica para ir ao encontro de forças produtivas em ampla expansão, o que irá observar "a eclosão de um espírito que, se não era novo, mantivera-se, no entanto, na sombra e em plano secundário: a ânsia de enriquecimento, de prosperidade material" (PRADO JÚNIOR, 2004, p. 208).

A primeira Assembleia Geral Constituinte brasileira começou os seus trabalhos no dia 3 de maio de 1823, na cidade do Rio de Janeiro, sede do Império. Vários foram os constituintes escolhidos, como José Bonifácio, Ferreira da Câmara, Pereira da Cunha, Antônio Carlos, Araújo Lima, Muniz Tavares e Aguiar de Andrada. Importante citar que a pesquisa destaca que a Assembleia Geral Constituinte também recebeu outras funções legislativas que não somente a preparação do texto da Constituição.

Nessa perspectiva, relaciona-se a Constituição Imperial de 1824 com o contexto das Constituições brasileiras subsequentes. Tem-se por embasamento que a Constituição de 1824 foi posterior à Independência e se desencadeou com a dissolução da Assembleia Constituinte, o que não deixou de representar ruptura, ainda que de índole política. Por fim, o capítulo analisa que, na Assembleia Constituinte de 1823 e na Constituição Política do Império do Brasil de 1824, verificam-se as alterações ocorridas na formatação do Estado brasileiro, por força do próprio tempo e do momento histórico. Esses documentos históricos partem dos fatos políticos marcantes da época, como a Independência do Brasil e a instalação de pensamentos jurídicos brasileiros, formulados por uma elite política que era permeada por juristas e que construíram noções jurídicas constitucionais sobre a maneira como o Estado brasileiro deveria se organizar.

3.1 Assembleia Constituinte de 1823 e a preocupação econômica com a propriedade

Ao elaborar o texto constitucional, o Poder Constituinte Originário baseia-se em critérios de inclusão e de exclusão, com forte influência dos acontecimentos históricos que permeiam o contexto do país. Ao se analisar a produção constitucional, deve-se paralelamente verificar quais os fatores políticos, sociais, ideológicos, jurídicos, econômicos e culturais que contribuíram para a sua realização.

O estudo do contexto que marcou a trajetória do constitucionalismo brasileiro retorna para a Assembleia Constituinte de 1823 e para o texto constitucional da Constituição Imperial de 1824. Por meio da análise do pensamento da classe política da época, das mobilizações sociais, das influências estrangeiras e da consciência ideológica do momento, pode-se vislumbrar a amplitude do pensamento constitucional brasileiro.

A Constituição Monárquica de 1824 encontra relação direta com o ano de 1808, em que a família real portuguesa adotou o Brasil como logradouro, vindo aqui fixar-se. Napoleão, até então Imperador da França, estava em campanha aberta pela conquista da Europa. Em cada lugar conquistado, substituía os seus Reis governantes por pessoas de sua própria família.

Em sua tentativa de conquistar o domínio da Inglaterra, Napoleão decretou o bloqueio continental. A ideia era vencer a Inglaterra por meio da asfixia econômica, impedindo-a de negociar com os demais países. A Inglaterra era o país mais rico do mundo e o bloqueio deveria levar a seu enfraquecimento econômico, de modo a que suas propriedades sobre as terras diminuíssem. O bloqueio foi decretado em 1806, e deveria levar os produtores franceses a substituírem os ingleses (COTRIM, 2005).

Ocorre que, Portugal mantinha estreitas relações econômicas com a Inglaterra, por força de sucessivos tratados entre os países. Portugal assentia em privilégios aos comerciantes ingleses em Portugal e até cedia postos coloniais. Consta que o Tratado de 1661 incluía cláusula secreta pela qual a Inglaterra garantia proteção proprietária sobre as Colônias Portuguesas. Todavia, a Espanha ainda não havia aceitado a Restauração de Portugal, de 1640, que lhe ficara submetido desde 1580, e estava negociando a paz com a Holanda (FURTADO, 1970).

Com a iminência da invasão da França a Portugal, a família real de Portugal dirigiu-se para o Brasil com toda a sua Corte, protegida pela Armada Inglesa. A vinda da família real para a até então colônia alterou toda a realidade de Portugal e, principalmente, do Brasil. A metrópole portuguesa e a colônia brasileira alteraram seus *status* e a quantidade de pessoas acrescentada à população do Rio de Janeiro levou à discussão de problemas das mais variadas vertentes.

Do ponto de vista da formulação do pensamento constitucional, genuinamente brasileiro, há dois fatos de relevância no período relacionado à vinda da família real. O primeiro deles é a abertura dos portos, por meio de decreto assinado ainda em Salvador. Essa medida mudou o *status* da Colônia, pois até então havia a limitação, imposta pela metrópole, de que os produtos saídos do Brasil, obrigatoriamente, deveriam ser levados a Portugal e, de lá, serem então reexportados. Complementarmente, somente Portugal tinha acesso livre aos portos brasileiros (GOLDSMITH, 1986).

A abertura dos portos foi seguida por acordos, em 1810, pelos quais, a Inglaterra não reconheceria nenhum governo casualmente imposto por Napoleão em Portugal, o que garantia à família real a manutenção do Reino de Portugal. Assim, o Tratado de Comércio e Navegação tão somente favorecia à Inglaterra, que obteve tarifa preferencial para suas exportações ao Brasil, tarifas, inclusive, melhores que as aplicáveis às exportações de Portugal para o Brasil. A propósito, as tarifas para importação aplicáveis *ad valorem* foram fixadas: 15% para produtos procedentes da Inglaterra, 16% para produtos procedentes de Portugal e 24% para produtos procedentes de outros países. Apontam-se, inclusive, erros de tradução do inglês para português como indicação de que o Tratado foi todo conduzido pelos ingleses e que os portugueses teriam assinado sem saber, exatamente, o que estavam fazendo. De qualquer modo, quem realmente estava em condições de aproveitar a abertura dos portos era a Inglaterra e o próprio Brasil (FURTADO, 1970).

O segundo fator de relevância na formulação constitucional brasileira foi a fundação do Banco do Brasil e seus impactos na Ordem Econômica e Financeira. A criação de uma casa de crédito exigiu a interferência direta de D. João VI, incentivando a subscrição de ações por brasileiros, em alguns casos com o incentivo de atribuição de títulos mobiliários para garantir a liquidez e a valorização das propriedades (CALDEIRA, 1997, p. 110).

O Banco do Brasil, como casa de crédito com índole unicamente brasileira, necessitava de respaldo jurídico compatível com os parâmetros internacionais e contextuais do constitucionalismo, para poder assegurar o crescimento econômico do Brasil. Boa parte dos que tinham recursos para tal aplicação estava envolvida com o comércio de escravos, o que vai repercutir em outros fatos da vida nacional que revelam a preocupação econômica constitucional com a propriedade.

Com o Banco do Brasil, o Brasil colônia ganhou instrumento que viria a se revelar de fundamental importância para o governo e para a própria economia. A importância que representava para o governo pode ser visualizada pelo fato de que, mais tarde, em face de conflitos políticos, deputados nacionalistas decidiram pelo fechamento do Banco, com o intuito de pressionar ainda mais o Governo de D. Pedro I, em 1829 (CALDEIRA, 1997).

A Proclamação da Independência do Brasil, pelo então Príncipe Regente D. Pedro I, ocorreu em 7 de setembro de 1822. Contudo, antes mesmo de tal ato, no dia 3 de junho de 1822, D. Pedro convocara uma Assembleia Geral Constituinte, no intuito de elaborar uma Constituição genuinamente brasileira, já que o país havia inicialmente adotado como texto constitucional a Carta Política da Espanha e mais tarde a Constituição de Portugal. Dessa convocação, sabe-se que, conforme Iglesias (1985), umas das preocupações de D. Pedro, ainda Regente, foi convocar, em junho de 1822, uma Constituinte. O povo precisava ter sua lei básica, como as nações civilizadas. Elegeram-se 100 representantes: Minas tinha a maior bancada, com 20 deputados; Bahia e Pernambuco, 13; São Paulo, 9; Ceará e Rio de Janeiro, 8; Alagoas e Paraíba, 5; Maranhão, 4; Pará e Rio Grande do Sul, 3; Goiás e Cisplatina, 2; Piauí, Rio Grande do Norte, Espírito Santo, Mato Grosso e Santa Catarina, 1. (CALDEIRA, 1997).

A Assembleia Geral Constituinte eleita começou os seus trabalhos no dia 3 de maio de 1823, na cidade do Rio de Janeiro, sede do Império. Entre os vários constituintes escolhidos, encontravam-se José Bonifácio, Ferreira da Câmara, Pereira da Cunha, Antônio Carlos, Araújo Lima, Muniz Tavares e Aguiar de Andrada.

Os constituintes brasileiros formavam comissão especial incumbida de elaborar o projeto da Constituição. A função primordial dessa comissão era a edificação do texto constitucional. A Assembleia Geral Constituinte, contudo, também recebeu funções legislativas outras que não somente a preparação do texto da Constituição. Ao longo dos seus trabalhos como casa legislativa, a Assembleia Constituinte aprovou seis projetos de lei, que entendia vigentes com a simples promulgação pela respectiva mesa coordenadora. Ou seja, não era compreendida como necessária a intervenção do Imperador para tal evento. Esse entendimento foi estendido ao âmbito da Constituição, não sendo exigida a sanção imperial para a promulgação das leis, assim como do texto constitucional.

> Logo essa questão de depender ou não a Constituição da sanção do Imperador assomou no plenário da Assembleia Constituinte. Inicialmente, mais preocupada em legislar do que em elaborar a Constituição, a Assembleia discutiu e aprovou diversas leis, entre as quais se destacou, por sua significação constitucional, a de 20 de outubro de 1823, que,

> estabelecendo provisoriamente a forma a ser observada na promulgação dos seus decretos, dispôs corajosamente que seriam promulgados sem dependência da sanção imperial, embora coubesse ao Imperador declarar e assinar essa promulgação (PACHECO, 1990, p. 71).

D. Pedro I, por seu turno, não visualizava como simples tal ato. O Imperador reivindicava o direito de sanção ou veto. Assim, os projetos de lei somente seriam considerados vigentes se e quando deliberados pelo Poder Executivo, representado pela figura do Imperador. A Assembleia, por outro lado, acreditava ser dispensável a sanção imperial para que um projeto de lei vigorasse, pois acreditava que o Poder Executivo não dispunha de competência para sancionar leis de uma Assembleia Constituinte. O Imperador reivindicou o direito de sanção e de veto nos seguintes termos:

> O projeto de lei (digo projeto, porque enquanto não estiver por Mim Assinado não é lei) que a Assembleia Geral Constituinte e Legislativa deste Império me envia por meio desta deputação, para que Eu haja de fazer publicar e executar, como lei, sem que tampouco possa sobre ele exercer uma das essenciais atribuições que me pertence de direito e como Imperador Constitucional (qual é a sanção) e que é de absoluta necessidade não só para manter o decoro da mesma Assembleia, mas também os interesses da Realeza e da Nação (cujos interesses são congênitos) de quem Sou e Me Prezo de ser Defensor Perpétuo, passa imediatamente a ser por Mim examinado (ALVES, 1985, p. 89).

Fica claro que a convocação da Assembleia Constituinte teve por intuito a promoção da constitucionalização do país. Porém, algumas divergências políticas provocaram retrocesso no processo de constitucionalização do Brasil. As discussões em torno da necessidade ou não de deliberação executiva sobre os projetos de lei da Assembleia geraram cenário de desavenças políticas e até mesmo pessoais entre o Imperador e os constituintes (GRAHN, 1973).

As divergências políticas refletiam conflitos de interesses com índole econômica: de um lado, os liberais almejavam a formação de um país constitucional; de outro, o Imperador objetivava manter-se no poder, detendo todas as funções estatais, inclusive a legislativa. Na disputa entre as forças políticas, o Imperador ganhou a luta. A tropa imperial, sob o comando pessoal do Imperador, marchou em direção ao edifício sede da Assembleia Constituinte. Em 12 de novembro de 1823, por decreto imperial, a Assembleia Geral Constituinte foi dissolvida, nos seguintes termos: "[...] em 12 de novembro, o Imperador publica um Decreto a dissolver a Assembleia, prometendo convocar imediatamente outra para apreciar um projeto de Constituição que ele próprio lhe submeteria" (CAETANO, 1987, p. 90).

Tal ato representou o poderio que D. Pedro I detinha em mãos. Mais do que isso, caracterizou a falta de perspectiva política do estadista que pautou suas ações, unicamente, na sua ambição ao trono, sem atentar para a necessidade brasileira de feitura de texto constitucional próprio. A dissolução da Assembleia deu-se por meio de ato solene.

Dissolvida a Assembleia, o Imperador, imediatamente, retomou o poder discricionário e começou a legislar, por meio de decretos. O Imperador, com efeito, não demorou muito para solucionar o problema da elaboração de projeto constitucional. Logo no dia seguinte à dissolução da Assembleia Constituinte, D. Pedro I criou, por meio de decreto, o Conselho de Estado. "Esse mesmo decreto [do dia 13 de novembro] criava um Conselho de dez membros, 'homens probos e amantes da dignidade imperial e da liberdade dos povos', encarregado de elaborar o projeto prometido" (CAETANO, 1987, p. 499).

Tratava-se de colegiado, formado por dez membros, inclusive deputados da extinta Assembleia, incumbido de preparar a futura Constituição, em substituição à dissolvida Assembleia Geral Constituinte e Legislativa. Ao decretar a medida, D. Pedro prometeu ao povo uma Constituição liberal. Para tanto, nomeou Conselho com seis ministros e quatro personalidades políticas. Entre elas, o baiano José Joaquim Carneiro de Campos, futuro marquês de Caravelas (IGLESIAS, 1985).

O Conselho de Estado foi o responsável pela elaboração da Carta Constitucional. Em 11 de dezembro de 1823, aprontou o esboço da Constituição, chamado Projeto de Constituição para o Império do Brasil, organizado no Conselho de Estado sobre as Bases apresentadas por sua Majestade Imperial, o Senhor D. Pedro I, Imperador Constitucional e Defensor Perpétuo do Brasil. Somente no dia 11 de março de 1824, por meio de decreto, D. Pedro I anunciou a decisão de jurar a Constituição.

Numa suntuosa cerimônia acontecida na Corte, no dia 25 de março de 1824, a Constituição Imperial foi oferecida e jurada pelo Imperador. Tratava-se de uma Constituição classificada como outorgada, uma vez que o Imperador impôs o texto constitucional ao povo brasileiro, não permitindo que o projeto fosse apresentado e deliberado por uma nova Assembleia Geral Constituinte. Instituía-se como documento constitucional formulada por grupo restrito: o Imperador e seu Conselho de Estado.

Vale ressaltar que o texto constitucional de 1824 sofreu grandes e diretas influências do projeto de Constituição apresentado por Antônio Carlos de Andrada, quando a Assembleia Constituinte ainda não havia sido dissolvida.

Sobre o tema, tem-se a seguinte passagem: "Foi ela copiada do projeto que Antônio Carlos havia apresentado em 1823 à Assembleia Constituinte. Desse projeto, utilizou-se a Comissão dos Dez, nomeada por D. Pedro I, salvo nos seguintes pontos [...]" (SEGURADO, 1973, p. 289).

Afonso Arinos de Melo Franco (1981) está entre aqueles que admitem a outorga do diploma constitucional. Conforme esse autor, a Constituição Imperial revestiu-se, a princípio, do caráter antipático de Carta outorgada. As dificuldades políticas internas, especialmente o dissídio que surgiu entre a Constituinte e o Imperador, foram agravadas, artificialmente, por este e o seu círculo de colaboradores mais chegados, a fim de se abrir caminho à solução do golpe de Estado.

Após o decreto que informava sobre a outorga do texto constitucional, vários foram os artifícios que o Governo utilizou para que a imposição da Constituição passasse despercebida e não causasse grandes alardes. O Imperador mandou que o Conselho enviasse cópias da Constituição às municipalidades, pedindo-lhes sugestões e propostas de emendas ao seu texto.

O decreto de 13 de novembro de 1823 criara o Conselho de Estado e dispunha que, após a elaboração do projeto de Constituição, ele fosse "remetido às Câmaras" locais para recolher "[...] as observações que parecessem justas" e, depois, as oferecessem aos "Representantes das Províncias", das quais se utilizariam "[...] quando reunidos em Assembleia" (LEAL, 1994, p. 77).

Segundo o Governo, o envio de cópias do texto constitucional às províncias representava uma espécie de consulta ao povo. Com efeito, usava-se esse artifício na tentativa de disfarçar a manobra política empreendida pelo Imperador. Além disso, a abertura a propostas de emendas ao texto original demonstrava possível preocupação em se estabelecer o povo como verdadeiro construtor da Constituição de seu país.

A elaboração da Constituição Imperial de 1824 constituiu o primeiro passo para consolidar o processo de Independência do Brasil, frente a Portugal. A criação de um Estado exige a elaboração de corpo normativo capaz de vincular o governo ao seu povo. O texto constitucional do Império objetivou, inicialmente, conferir ao Brasil uma Constituição genuinamente brasileira, atenta às suas particularidades políticas, culturais e sociais.

Verifica-se que o Estado, representado pela figura do Imperador, viciou a função depositada na Carta Constitucional, o que implantou um sistema pautado em interesses econômicos pessoais e não em reivindicações populares. Na ambição por permanecer no trono e garantir continuidade à sua dinastia, D. Pedro I renegou todas as inspirações democráticas liberais e implantou regime político preso às tradições autoritárias e conservadoras de Portugal. A Constituição outorgada havia de reger a vida política do Brasil durante mais de meio século. Ela atenuava o antigo vigor do absolutismo monárquico, mas ainda deixava ao soberano muitas prerrogativas e faculdades que abriam possibilidades a uma efetiva predominância do seu poder pessoal (PACHECO, 1990, p. 113).

Os debates parlamentares da Assembleia Constituinte de 1823 perpassaram questões centrais sobre quem seriam os brasileiros e quais os interesses econômicos para se desenvolver o Brasil em suas mais diversas regiões. Os signos e significados externados sobre a cidadania aparecem expressos no Diário da Assembleia Geral Constituinte e Legislativa de 1823, principalmente nas discussões em torno do Capítulo I, do Projeto da Constituição "Dos Membros da Sociedade do Império do Brasil". Pode-se acertar que os discursos parlamentares que compuseram a primeira Assembleia Constituinte manifestaram mecanismos utilizados pela elite política, no esforço de se pensar e de se definir projeto de cidadania para a recém-inaugurada Nação (MARTINS, 2008, p. 174).

O esclarecimento acerca do tipo peculiar de inserção dos indivíduos componentes da elite política no modelo de cidadania teve seu início com as vias constitucionais e colabora com a reflexão e a problematização do poder político do Estado enquanto produtor de continuidades históricas racionais. Contribuem com os estudos sobre as fragilidades da promoção da cidadania no decurso histórico brasileiro posterior a 1823 e revelam que a centralização na constitucionalização brasileira marcou-se pela intensa discussão sobre as relações econômicas no signo constitucional pátrio.

3.2 Constituição Imperial de 1824 no contexto das relações constitucionais econômicas

A Constituição de 1824 foi a do Império, posterior à Independência, e se relacionou com a dissolução da Assembleia Constituinte. Não deixou de representar ruptura, ainda que de índole política. A Constituição Imperial, em razão de se tratar de produção de seu tempo, não se apresentou capaz de assumir dimensão jurídica ou mesmo principiológica da democracia. Restringiu-se à adoção da dimensão política monárquica, estabelecendo a democracia como mero regime político.

Registre-se que, no âmago constitucional pátrio, as relações constitucionais econômicas devem ser compreendidas como produto da associação entre manifestação do poder do Estado e direitos fundamentais dos indivíduos contra o uso arbitrário desse poder. Não significa que a manifestação do poder não tenha constituído elemento jurídico, já que a sua adoção no texto constitucional vigente lhe conferia a natureza de instituto juridicizado: a democracia.

As argumentações em torno da ordem jurídica econômica da Constituição de 1824 consideraram que o Brasil até então era a Colônia mais rica. Por tal razão, transferia mais recursos para a Metrópole, o que era a essência do sistema econômico do colonialismo. A disputa que travavam os países europeus para constituírem colônias justificava-se, porque era a exploração das terras colonizadas que proporcionava o enriquecimento do próprio país com o acúmulo de propriedades e a confecção de títulos de proprietários.

Os embates de interesses entre a metrópole e a colônia determinaram inúmeros processos políticos de rebeliões e revoltas. Nesse período histórico, são consideradas as principais: a Inconfidência Mineira, em 1789; a Conjuração Baiana, em 1798; e, a Revolta Pernambucana, em 1817. Todas fomentavam o desejo de autogoverno (COTRIM, 2005).

O tamanho da Colônia explica parte dessas revoltas, que eclodiram em locais diversos, frequentemente justificadas por uma particularidade local, mas, invariavelmente, ligadas pelo desejo de autogoverno. No caso brasileiro, o estopim de algumas revoltas era o abuso ou arbitrariedade das autoridades portuguesas, em especial, na cobrança dos tributos.

Outro fator a ser considerado era a distância entre a Metrópole e a Colônia, que exigia uma logística toda própria de administração. Elucidativo disso era o tempo que corria entre a expedição de ordens em Lisboa e a chegada delas ao seu destino (CALDEIRA, 1997).

O anseio de *autogoverno* era, permanentemente, fomentado pela própria política fiscal do governo da metrópole que taxava as atividades da colônia de modo a causar dificuldades econômicas para seus habitantes. Também é certo que os anseios decorriam da disseminação de ideias, a partir da Revolução Francesa de 1789, e, em especial, da Declaração de Independência das colônias que vieram a constituir os Estados Unidos da América, em 1776.

Também tinham relação com esse anseio as restrições feitas à própria autonomia, para comerciar ou estabelecer indústrias, o que era, invariavelmente, proibido, para não permitir concorrência com os comerciantes ou industriais portugueses ou mesmo ingleses. Repita-se que somente ao fim de revoltas, como foi a da Inconfidência, é que o governo português, a partir de 1790, determinou o fim do monopólio do sal e incentivou a instalação de indústrias, como a indústria de ferro, no Brasil.

O século XIX marcou intensas alterações no contexto político e econômico do Brasil Colônia, inclusive a tão almejada independência. Essas mudanças tiveram como marco um fato importante: a transferência da família real portuguesa para o Brasil. Em "História da vida privada do Brasil",

Novais e Alencastro (1997) apresentam fatos históricos que se relacionam ao processo de independência da América portuguesa por terem enfraquecido o pacto de dominação metropolitana. Para os autores, a transferência da corte trouxe, para a América portuguesa, a família real e o governo da Metrópole. Sobretudo, trouxe boa parte do aparato administrativo português, sendo que, mesmo após o ano de 1808, personalidades diversas e funcionários régios continuaram embarcando para o Brasil atrás da corte, dos seus parentes e dos seus empregos.

A Constituição de 1824 representou formulação jurídica constitucional de poucos, daqueles que se encontravam mais próximos da política e que exerciam certa influência nas decisões do país: os grandes latifundiários, alguns poucos profissionais liberais, como advogados e médicos, e alguns funcionários públicos. Era uma Assembleia da aristocracia intelectual brasileira, graduada em Coimbra, e da nobreza rural assentada sobre a base dos grandes latifúndios. Enfim, tratava-se da elite mental, econômica e política brasileira daquela época. O sistema eleitoral não propiciava composição mais democrática, pois só podia votar e ser votado quem dispusesse de certa quantia de bens imóveis ou de rendas. Era uma composição elitista, em muito imbuída das novas teorias políticas que então agitavam o mundo europeu: liberalismo, constitucionalismo, parlamentarismo, democracia (SILVA, 2003, p. 235).

No intuito de elaborar uma Constituição que atendesse às reivindicações de pequeno grupo influente, o texto constitucional de 1824 representou forte centralismo administrativo e político, com características do unitarismo e até mesmo do absolutismo. Não restam dúvidas de que a outorga da Constituição Imperial constituiu grande passo para o processo de constitucionalização do Brasil. Porém, os acontecimentos atingiram apenas os aspectos formais de transformação do país. As modificações materiais, ou seja, as mudanças no âmbito social, não foram intentadas de modo significativo.

A Constituição de 1824, ainda que formalmente democrática, reflete os conservadores interesses da classe dominante. Com efeito, a Carta Imperial assume relativa postura democrática. Ainda que traga expressamente, em seu texto, a existência de um sistema representativo, as práticas políticas e jurídicas permanecem absolutistas, elitistas, marcadas pelos preceitos da pessoalidade e do patriarcalismo (FAORO, 2000, p. 44).

Cezar Saldanha Souza Júnior (2002, p. 34-35) disserta que o artificialismo das instituições do Império provinha de circunstância invencível. Para o autor, é que o Brasil adotou, em 1824, o sistema político (representativo liberal) mais avançado do ocidente, próprio de nações já urbanizadas e de industrialização já iniciada, que possuiam eleitorado razoavelmente independente. Porém, o Brasil era país provincial, eminentemente rural, não urbanizado, de eleitorado praticamente inexistente. Assim, não é de surpreender a crônica dificuldade de funcionamento do sistema representativo que levava o Imperador a, muitas vezes, suprir a inexistência do eleitorado.

Algo que se mostra alarmante, que se aponta até agora, é o fato de que, nas análises diacrônicas, com a Constituição de 1824, não se pode defender a normatividade, a superioridade e a centralidade da Constituição brasileira de 1988. Deve-se fugir dessa contradição de real preocupação com a participação e a deliberação popular, nos assuntos do Estado, nas peculiaridades do pensamento constitucional brasileiro, pois "[...] a política democrática includente é que manterá a força constitucional, não a retórica idealista" (LIMA, 2012, p. 17).

A Constituição de 1824 previa o direito à propriedade privada em toda a sua plenitude. Protegia-se a propriedade privada de modo fixo e liberal, ao estabelecer que a propriedade privada é absoluta e o bem só é público quando legalmente verificado, sendo o cidadão previamente indenizado (Artigo 179, XXII, da Constituição brasileira Imperial de 1824). Paulo Bonavides e Paes de Andrade (2004, p. 102) argumentam:

> Toda análise ao texto da Constituição de 1824 e sua aplicação à realidade brasileira, durante os dois reinados e a fase intermediária de regência, requer necessariamente uma exposição de valores básicos do liberalismo e de seu significado histórico para a sociedade e o Estado.

Assim, a Constituição Imperial de 1824, no contexto das relações constitucionais econômicas, reflete a situação de que o movimento do constitucionalismo, na época imperial, organizou, no Brasil, uma forma política de poder que se inspirava, em grande parte, nos princípios fundamentais da ideologia liberal, o que valorizou a propriedade privada individual como propulsora das atividades econômicas.

3.3 A história constitucional brasileira como elo para a Constituição de 1988

Em 15 de novembro de 1889, ocorreu, no Brasil, o que se considerou um golpe de Estado, e que pôs fim à monarquia. O Imperador foi destituído de sua função e proclamou-se a República Federativa do Brasil.

A Constituição brasileira de 1891 assegurava o direito à propriedade privada em sua plenitude máxima, salvo nos casos de desapropriação por necessidade ou utilidade pública, mediante indenização (Artigo 72, § 17, Constituição de 1891). A propósito, nessa Constituição, as minas existentes e as descobertas pertenciam aos proprietários do solo, salvo as limitações estabelecidas pelas lei civis.

> A constitucionalização do direito de propriedade no Brasil não se deu em 1988. Em verdade, desde a Constituição Imperial de 1824, a propriedade é considerada como direito fundamental. Seu artigo 179, inciso XXII, já definia que a propriedade era garantida *em toda a sua plenitude*, sendo direito inviolável dos cidadãos brasileiros, assegurado pela Constituição (RODRIGUES JÚNIOR, 2015, p. 73).

Paulo Bonavides e Paes de Andrade (2004) consideram que este período que marcou a Primeira República destacou-se pelos ideais liberais e, no plano de organização política, preconizava neutralizar o poder pessoal dos governantes e distanciar, tanto quanto possível, o Estado da Sociedade, como era o "axioma do liberalismo".

Paralelamente, a Constituição de 1934 possibilitou o enfoque de uma perspectiva de Estado social, em que os novos governantes fizeram dos princípios políticos e formais do liberalismo uma ideologia para se combater. Paulo Bonavides e Paes de Andrade (2004) argumentam que, em verdade, esses novos governantes estavam mais empenhados em legitimarem seu movimento de concretização de medidas sociais.

A Constituição de 1934 negava a propriedade privada em seu caráter absoluto. Deve-se ressaltar que, nessa época, o Brasil adentrava o movimento constitucional de modo mais tímido, sendo que a constituição era vista como uma carta de intenções e sem poder normativo. O que predominava era o ideal estabelecido na legislação civil. Porém, o estabelecimento da realidade social que ganhava dimensão no país já ocasionava uma preocupação civilista com a função social da propriedade.

Se, por um lado, a Constituição de 1934 sinalizava para o fim dos ideais liberais sobre a propriedade privada no âmbito econômico, por outro, já emergia e ganhava dimensão a noção civilista sobre a função social que a propriedade privada deveria exercer. Clóvis Beviláqua (1941) pactuava do entendimento de que "o arbítrio da lei será desvio de sua função social e o do indivíduo será pertubador da organização jurídica da sociedade", ou seja, comungava-se da ideia de que cabia ao legislador infraconstitucional delimitar os limites à propriedade privada, para o atendimento de sua função social no âmbito das relações econômicas.

Vamireh Chacon (1987) considera que a Constituição de 1934 consolidou uma forma de Estado social com inspiração naquela que a Alemanha estabelecera com Bismarck, havia mais de um século, e que se aperfeiçoou com Preuss (Weimar), finalmente proclamada com solenidade textual, em dois artigos da Lei Fundamental de Bonn, de 1949. Atente-se, porém, para o fato de que a perspectiva social não era novidade, devido à Constituição de 1934. Clóvis Bevilaqua (1941) argumenta que os próprios romanos, segundo demonstraram Jhering e Geny, por exemplo, reconheciam que o direito privado individual à propriedade das coisas sofria restrições determinadas por considerações de ordem social. E os Códigos Civis foram, paulatinamente, orientando-se no sentido de equilibrar o interesse do indivíduo com o da sociedade.

Portanto, o direito à propriedade privada era garantido pela Constituição de 1934. Seu exercício era limitado ao interesse social ou coletivo, na forma da lei (Artigo 113, 17, da Constituição de 1934). O interesse social ou coletivo manifestava-se por intermédio das relações econômicas que se estabeleciam na propriedade privada. Ou seja, a partir desse momento constitucional destacou-se uma problematização para saber juridicamente uma resposta sobre o seguinte questionamento: "até que ponto a titularidade da propriedade privada permanecer no domínio de uma pessoa atrapalha o crescimento econômico do país?".

Assim, o interesse social ou coletivo estava atrelado às condições de vida que se estabeleciam em torno daquela propriedade, vista como um centro de interesses. Foi assim que, em relação à desapropriação por utilidade pública, ampliou-se a limitação aos casos de estado de necessidade, nos casos de perigo iminente, como guerra ou comoção interna. Nesses casos, as autoridades públicas competentes poderiam usar os bens particulares até onde a necessidade pública exigisse, ressaltando a indenização ulterior. Percebe-se, assim, o início da existência de uma noção constitucional sobre indenização ulterior, em prol dos interesses sociais ou coletivos.

A rápida vigência da Constituição de 1934 deu-se, devido a um golpe, em 10 de novembro de 1937, em que uma Assembleia Nacional Constituinte fez surgir a Constituição de 1937. Celso Ribeiro Bastos (1992) argumenta que a Constituição de 1937 sofreu de vícios intrínsecos para sua vigência, o que a tornou questionável e simbolizou para seu *status* jurídico representar uma carta de intenções, atrelada à ciência política.

> A Carta de 1937 nunca chegou a viger. Ela dependia de um plebiscito que nunca se realizou. Destarte, quando a Segunda Guerra já dava mostras de estar se aproximando do seu fim, com a vitória dos países democráticos, Getúlio Vargas, aqui no Brasil, procurou atualizar

> e compaginar o nosso direito constitucional às novas realidades políticas que o término da Guerra já deixava entrever. Foi assim que logo no início de 1945, através da Lei Complementar, Lei Constitucional nº 9, introduziram-se Emendas na Carta de 1937, sendo a principal delas a fixação da data das eleições para 2 de dezembro do mesmo ano (BASTOS, 1992, p. 72).

O artigo 122, 14, da Constituição de 10 de novembro de 1937 disciplinava o direito de propriedade como assegurado, ressaltando a possibilidade de desapropriação por necessidade e utilidade pública, mediante indenização. Os limites da utilização da propriedade privada restaram estabelecidos por lei.

Historicamente, foi com a Constituição de 1946 que se pôs fim a um regime autoritário que vigia no Brasil desde 1930. Paulo Bonavides e Paes de Andrade (2004) argumentam que, durante esse período, o direito à propriedade privada foi garantido, salvo em casos de desapropriação por necessidade ou utilidade pública, ou por interesse social, mediante prévia indenização. O texto constitucional fixou que tal indenização deveria ser em dinheiro, o que pôs fim ao silêncio e omissão sobre a maneira de se promover essa indenização. Ampliou-se também aos casos de estado de necessidade no âmbito das relações constitucionais econômicas.

> Com efeito, a propriedade protegida ontem ao extremo pela lei no Estado de Direito do liberalismo, e a seguir exposta aos perigos, busca hoje proteger-se da lei no Estado Social de massas, concentração de capitais e alta tecnologia industrial. A lei já não é serva do indivíduo, mas da sociedade. Deve o Estado, contudo, abster-se de alargar sua esfera a ponto de absorver ou eliminar o sobredito instituto (BONAVIDES; PAES, 2004, p. 417).

Cumpre destacar que Pontes de Miranda (1953), em sua obra "Comentários à Constituição de 1946", demonstra que a propriedade privada passa, desde o terceiro decênio do século, por transformação profunda. O autor considera que os juristas daquela época ainda não haviam se habituado às perspectivas constitucionais sobre a propriedade privada. Eles ficavam propensos à mera consulta do Código Civil, tratando-se de direito de propriedade. Assinala que a perspectiva constitucional da propriedade correlaciona a patrimonialidade econômica e decompõe-se em três garantias constitucionais diferentes.

> O texto decompõe-se em três preceitos, a que correspondem três garantias constitucionais diferentes: a) É garantido o direito de propriedade quanto ao sujeito, que o tem, salvo desapropriação por necessidade, ou utilidade pública, mediante indenização prévia, de modo que a 1ª parte, *in fine*, do § 16 somente tem como consequência assegurar, em caso de desapropriação por necessidade ou utilidade pública, a pretensão à indenização prévia; b) O conteúdo e os limites do direito de propriedade são definidos nas leis, de modo que só se garante, no § 16, a instituição da propriedade: são suscetíveis de mudança, em virtude de legislação, o conteúdo e os limites mesmos da propriedade e do direito de propriedade. Isso estava expresso na Constituição de 1937, mas subentendia-se antes (Constituição de 1934, II, 184-185). Adiante, arts. 145-148; c) As leis que regulam o conteúdo e os limites do direito de propriedade também lhe regulam o exercício. Aqui, o texto é demasiado elíptico, razão por que temos de separar o que se relaciona com o conteúdo e os limites e o que diz respeito ao exercício. Olhos pouco afeitos à técnica jurídica sentir-se-iam embaraçados diante do texto constitucional. Temos, assim, que as leis regulam o exercício e definem o conteúdo e os limites (MIRANDA, 1953, p. 214).

Gustavo Tepedino e Anderson Schreiber (2005, p. 102) assinalam que somente com a Constituição de 1946, produto de uma postura intervencionista e assistencialista, é que se introduz, no ordenamento constitucional brasileiro, "a preocupação com a funcionalização da propriedade ao interesse social". O preceito repetiu-se no texto constitucional de 1967, que se encarregou ainda de elevar a função social à categoria de princípio da ordem econômica e social.

O Regime Militar instaurou-se, no Brasil, no ano de 1964. Por meio da Constituição de 1967, houve uma concentração de poderes na União, sendo que o Poder Executivo ficava investido de todos os poderes que anteriormente eram exercidos pelo Legislativo. O direito à propriedade privada foi garantido, ressalvando a desapropriação por necessidade ou utilidade pública ou por interesse social, mediante indenização em dinheiro (artigo 150, § 22, da Constituição de 1967). Também estabeleceu-se o mecanismo da indenização ulterior para os casos de perigo iminente, em que as autoridades competentes poderiam usar a propriedade particular. O Título III da Constituição de 1967 tratava "Da Ordem Econômica e Social" e, no artigo 157, III, tinha-se a previsão de se estabelecer como princípio da ordem econômica a função social da propriedade.

A Emenda Constitucional nº 1, de 17 de outubro de 1969, não representou formalmente, modificação no sistema jurídico quanto à propriedade privada, embora tenha ocorrido certa modificação no texto. O direito à propriedade privada foi assegurado, ressalvando também a desapropriação por necessidade ou utilidade pública ou por interesse social, mediante prévia e justa indenização (artigo 153, § 22, da Constituição de 1967 com redação dada pela Emenda Constitucional nº 1, de 17 de outubro de 1969).

Ressalte-se que houve um acréscimo no texto constitucional, ao facultar ao expropriado que o pagamento ocorresse em títulos da dívida pública, com cláusula de exata correção monetária. A EC nº 1 de 1969 também considerou como princípio da ordem econômica e social a função social da propriedade (Art. 160, III, da Constituição de 1967, com redação dada pela EC nº 1 de 1969).

3.4 A perspectiva econômica do direito de propriedade no contexto constitucional brasileiro

A análise das Constituições brasileiras identifica as alterações que ocorreram na formatação do Estado brasileiro, por força do próprio momento histórico e das situações econômicas vivenciadas. As estruturas sociais se alteraram e, consequentemente, as noções em torno dos institutos jurídicos se reformularam, exigindo mudanças nas constituições para indicar novas necessidades nas formatações jurídicas do Estado brasileiro.

As análises da Assembleia Constituinte de 1823 e da Constituição Política do Império do Brasil de 1824 partem dos fatos políticos marcantes da época, como a Independência do Brasil e a instalação de pensamentos jurídicos brasileiros. Formularam-se por uma elite política permeada por juristas que construíram noções jurídicas sobre a maneira como o estado brasileiro deveria se organizar. Atrelada à análise dos fatos históricos, tem-se a análise do próprio contexto econômico, por meio da qual se demonstra como o regime político, no Brasil Império, formulou pensamento constitucional genuinamente brasileiro.

Contextualmente, a Constituição de 1891 foi a Constituição da República proclamada em 1889. A Constituição de 1934 foi sequente a período turbulento (Revolução de 1930 e Revolução Constitucionalista de 1932). A Constituição de 1937 foi a da ditadura de Getúlio Vargas. A Constituição de 1946 foi a da redemocratização, subsequente ao período getulista, e manifestou significativa capacidade de aceitar o regime democrático bem como de qualificar a democracia como postulado fundamental. A Constituição de 1967 e a Emenda nº 1, de 1969, foram produtos da Revolução ou Movimento de Março de 1964. Finalmente, a Constituição de 1988 adveio, igualmente, do processo de redemocratização.

Após a declaração da Independência do Brasil, em 7 de setembro de 1822, D. Pedro I convocou, em 1823, a Assembleia Geral Constituinte e Legislativa, com preponderâncias liberais. Ela foi dissolvida de modo arbitrário, devido à própria divergência com a noção de "Majestade Imperial". Em substituição da Assembleia Constituinte, D. Pedro I criou um Conselho de Estado para tratar dos negócios jurídicos que tivessem maior impacto econômico e elaborar um novo projeto de Constituição.

Mas todo o trabalho da Assembleia Constituinte de 1823 não foi inútil. O Conselho de Estado criado para formular a Constituição Imperial deu continuidade aos debates da Assembleia Constituinte de 1823, mas privilegiou de modo marcante os pensamentos com teor de centralismo administrativo e político, adequando os embates para certo unitarismo e absolutismo.

Em 25 de março de 1824, a Constituição Política do Império do Brasil foi outorgada, com influências da Constituição Francesa de 1814. Mas não se tratou de uma cópia. A Constituição Francesa de 1814 serviu de paradigma, tendo debate racional e calculista do texto da Constituição Imperial brasileira, para se atingir governo monárquico, hereditário, constitucional e representativo. A organização dos poderes seguiu as ideias de Benjamin Constant, e, além das funções legislativa, executiva e judiciária, adotou-se a função moderadora.

Dessa forma, apresenta-se quadro identificativo da maneira como as Constituições do Brasil foram permeadas pelo pensamento constitucional brasileiro existente na Assembleia Constituinte de 1823 e na Constituição Imperial. As injunções e as razões que contribuíram para que os institutos jurídicos fossem tratados como foram (e como são), assim como as razões que levaram à alteração dessa ordem nas sucessivas Constituições, demonstram a presença constante de tentativas de se estabelecer manutenção econômica apta para o desenvolvimento, pensamento constitucional que se entendeu dependente frente ao capital Internacional e que luta timidamente por sua liberdade e autonomia.

Desde a Constituição Imperial de 1824, o desafio é romper com o fato de que, historicamente, o pensamento constitucional brasileiro não significa real preocupação com a participação e a deliberação popular nos assuntos do Estado. Verifica-se que a realização de eleições indiretas, sem participação direta do povo por meio do voto, denuncia o formalismo da Carta de 1824. O Manifesto Central Liberal (1869) e o Manifesto Republicano (1870) contribuíram para a construção de pensamento constitucional genuinamente brasileiro de situações de manifestação de domínio de poder.

Além disso, a insistência na manutenção de sistema produtivo escravista, que se baseava na violação aos direitos e garantias individuais de igualdade e de liberdade, reflete o descompasso entre a previsão constitucional e as adoções práticas de constitucionalismo. E revela que a história constitucional brasileira marca-se pela relação entre o direito de propriedade e a Economia.

A Constituição Federal brasileira de 1988 caracterizou a democracia brasileira como semidireta, ou seja, é uma democracia representativa, com mecanismos de democracia direta. Augusto Zimmermann (2002) assinala que a Constituição de 1988, ao aprimorar o sistema jurídico brasileiro por intermédio do incremento da democracia semidireta (plebiscito, referendo e a iniciativa popular), representou inegáveis avanços no reconhecimento de direitos e garantias individuais e coletivos. Depreende-se da leitura do seu artigo primeiro que a República Federativa do Brasil forma-se pela união indissolúvel dos Estados e Municípios e do Distrito Federal e constitui-se em Estado Democrático de Direito. Possui como fundamentos: a soberania; a cidadania; a dignidade humana; os valores sociais do trabalho e da livre iniciativa; o pluralismo político.

Rubens Beçak (2014) evidencia que a ampliação da gama dos institutos de participação popular foi bastante discutida, ao longo do processo de redemocratização, basicamente durante a Constituinte de 1987-1988, na qual era subjacente o entendimento de que, em outros ordenamentos, os mecanismos influíam decisivamente para o "sucesso" e vitalidade da democracia. Com a promulgação da Constituição Federal de 1988, tornou-se evidente a presença do "modelo semidireto", sendo contempladas, em seu texto, três figuras diferentes: o plebiscito, o referendum e a "iniciativa popular". Essas figuras foram essenciais para a hegemonia da democracia, e sua efetivação, no âmbito social, possibilita o aperfeiçoamento dos ideais democráticos.

A inovação constitucional que a Constituição de 1988 trouxe ocorreu com a situação de que a função social da propriedade foi incorporada aos Direitos e Garantias Fundamentais, mas isto não excluiu o direito à propriedade em si. Em relação à Constituição Federal de 1988, o direito à propriedade teve o seu conteúdo explicitado no *caput* do artigo quinto, como direito e garantia fundamental. Nessa linha de raciocínio da constitucionalização do direito de propriedade, Francisco Luciano Lima Rodrigues (2008) afirma que a natureza jurídica do direito de propriedade é a de direito e garantia fundamental.

O autor alerta, porém, que outras ordens constitucionais, como a de Portugal, por exemplo, insere o direito de propriedade no catálogo dos direitos econômicos, sociais e culturais. Nesse sentido, mostra-se viável entender em que consiste o conteúdo do direito de propriedade no signo constitucional brasileiro de 1988. "O conteúdo do direito de propriedade consiste na verificação pela sua extensão, na definição de seu objeto e na composição de seus poderes e faculdades [...], resultando em exercício de direito os atos e fatos praticados pelo proprietário" (RODRIGUES, 2008, p. 169).

A Constituição Cidadã reconhece a função social da propriedade privada. Não se trata de negar o direito exclusivo do dono sobre a coisa, mas sim de exigir que o uso da coisa seja adequado. O que o contexto constitucional pretende é estabelecer uma adequação da propriedade privada à sua perspectiva social, ou seja, uma compreensão jurídica da propriedade privada que atenda ao interesse social ou coletivo de representar um uso adequado às relações privadas constitucionais.

Nas peculiaridades brasileiras da função social da propriedade privada, pode-se avaliar criticamente que a Constituição da República Federativa do Brasil de 1988, além de consolidar uma situação de desequilíbrio do setor público, concentrou a insuficiência de recursos na União e não proveu os meios legais e financeiros para que houvesse um processo ordenado de descentralização dos encargos. Por isso, tão logo ela foi promulgada, já se reclamava nova reforma do Estado brasileiro.

Varsano (1996) considera que a propriedade privada como princípio da ordem econômica (artigo 170, II, CF/88) sofreu sérios impactos com o fato de que houve uma mudança na distribuição das receitas entre os três níveis de governo, desde o início da vigência do novo sistema tributário. A receita própria da União foi inferior aos patamares anteriormente alcançados; o crescimento da carga tributária ocorreu nos estados e municípios, proporcionalmente mais nos municípios, ente da Federação em que a arrecadação quase dobrou, em relação aos níveis históricos. O quadro das receitas tributárias disponíveis, após computadas as transferências intergovernamentais, mostra resultados semelhantes.

> A Constituição Federal de 5 de outubro de 1988, em face de não haver partido de um Projeto padrão, permitiu o acolhimento das mais variadas propostas, cabendo às Subcomissões temáticas tentar conferir um mínimo de unidade ao que se fazia. Depois, com a comissão de Sistematização, lançou-se novamente nesta difícil tarefa. Vários foram os dispositivos que, embora promulgados, tinham contra si uma forte oposição, especialmente aqueles que envolviam matéria econômica e financeira. As privatizações posteriores, a partir de agosto de 1995, demonstram o disputado teatro das operações político-constitucionais. (CAMPOS, 2004, p. 120).

O fato de a Constituição brasileira de 1988 não haver partido de um projeto padrão fez com que, nos municípios mais densamente povoados, onde a demanda por serviços de infraestrutura urbana é maior, o crescimento dos recursos tenha sido relativamente menor. A reação do governo federal à nova ordem tributária, instituída a partir da Constituição de 1988, ocasionou uma queda na qualidade do sistema tributário sem, contudo, acarretar um equacionamento definitivo de seu desequilíbrio financeiro fiscal. Como parte da reação, foi gerado um processo acentuado de descentralização.

Todavia, tal processo não foi decorrente de uma política deliberada, mas apenas consequência da adoção de políticas restritivas, visando ao controle do déficit. Faltou um plano de descentralização previamente negociado entre os entes da federação, sendo que a ação do governo federal, nas áreas sociais, ficou ainda mais comprometida, enquanto que o fortalecimento financeiro dos estados e municípios, apesar de significativo, tem sido insuficiente para atender às ampliadas demandas sociais (VARSANO, 1996).

O direito à propriedade privada imóvel insere-se no texto da Constituição de 1988, tanto em uma dimensão de caráter individual, como em uma dimensão de caráter social ou coletivo. A primeira relaciona-se com o direito fundamental de garantir o direito de propriedade (Art. 5º, XXII, CF/88) e a outra se relaciona com o direito fundamental de atribuir à propriedade o atendimento de sua função social (Art. 5º, XXIII, CF/88). Além dessas dimensões, a constitucionalização do direito de propriedade reafirma a propriedade privada e a sua função social como princípios da ordem econômica (Art. 170, II e III).

> Nunca, porém, em toda a história constitucional brasileira, a função social recebeu tratamento tão amplo e tão concretizante como o que se vê na atual Constituição. Não foi ela apenas referida como direito e garantia individual e como princípio da ordem econômica, mas ganhou, ao lado de seu adequado posicionamento no sistema constitucional, indicação de um conteúdo mínimo, expresso no que tange à propriedade imobiliária. Escapando à generalidade e abstração que marcavam a matéria nas constituições anteriores, e que permitiam a sua flutuação no jogo político cotidiano, o artigo 186 da Constituição de 1988 traçou requisitos objetivos para o atendimento da função social da propriedade rural (TEPEDINO; SCHREIBER, 2005, p. 103).

As novas perspectivas constitucionais para o direito à propriedade privada imóvel indicam que a análise constitucional do direito de propriedade deve perceber o impacto econômico dos estudos sobre a eficácia e efetividade das normas jurídicas constitucionais relativas ao direito de propriedade. Os ensinamentos de Edvaldo Brito (2013) alertam para o fato de que a eficácia e a efetividade da norma jurídica constitucional divergem se a concepção for a normativa ou se for a institucional do Direito.

Desse modo, afirma-se que a norma é eficaz, quando irradia efeito, quando produz resultados. A eficácia é um pressuposto da efetividade, porque somente se estabiliza aquela norma que é apta a gerar consequência, tem um relato capaz de ser recebido pelo destinatário de modo que não ocorra desconfirmação. E, em caso de tal ocorrência, aconteça-lhe a sanção, tudo formando uma "relação de adequação" entre relato e cometimento, com o que já se ingressa no campo da efetividade.

A defesa da propriedade representou uma das grandes bandeiras de luta das revoluções liberais, com o objetivo de romper com os privilégios da nobreza e garantir a igualdade de todos perante a lei, sem distinções de qualquer natureza. A consolidação do direito de propriedade como direito fundamental concebe-se como o ápice da afirmação da dignidade humana e da garantia do livre desenvolvimento do indivíduo. A dimensão positiva do direito fundamental à propriedade pressupõe uma síntese dialética entre a norma e a realidade para ampliar o horizonte jurídico, conferindo a este último a possibilidade de ponderar, para garantir uma atuação adequada ao Estado Democrático de Direito.

A PROPRIEDADE PRIVADA IMÓVEL NO SIGNO DA CONSTITUCIONALIZAÇÃO DO DIREITO PRIVADO: a dicotomia entre função social e propriedade economicamente adequada

O capítulo objetiva relacionar os aspectos divergentes da *interface* dicotômica "propriedade/função social" com a adequação aos princípios constitucionais e ao crescimento econômico. Para tal, identifica a função social da propriedade com a necessidade jurídica e econômica de operacionalizar e otimizar a efetivação da propriedade economicamente adequada.

O estudo analisa a propriedade adequada no enfoque da ponderação de interesses e da aplicação dos princípios constitucionais para a ampliação dos direitos subjetivos. Delimita as implicações da Constitucionalização dos Direitos Fundamentais Civis. Traça uma abordagem panorâmica sobre a concepção de Estado, a partir da passagem do Estado Liberal para o Estado Social, com ênfase para o Estado Democrático de Direito. Identifica os elementos que formam a noção constitucional da função social da propriedade, localizando-a num contexto global de adequação para o Estado e para a Economia. Analisa a compatibilidade da função social com a ampliação ou restrição dos direitos subjetivos.

Propõe que a propriedade assuma seu caráter de relação jurídica complexa e mostre-se como um instituto que permite segurança jurídica ao se encaixar nos direitos fundamentais civis, sendo que a sua função social também tem como finalidade a valorização do trabalho humano. Comunga da ideia de que "[...] o conceito unitário de propriedade, decalcado sobre a noção de propriedade fundiária, tem, pouco a pouco, cedido lugar à ideia de que não existe uma única propriedade, mas múltiplas propriedades" (PRATA, 2010, p. 186).

A propriedade privada imóvel, no contexto da constitucionalização do direito privado, discute a teoria interna e externa dos direitos fundamentais, pois a constitucionalização dos direitos fundamentais civis mostra-se como um movimento contínuo que ocorre junto à necessidade de uma vinculação direta dos Direitos Fundamentais com os particulares, com a atividade econômica e com o Estado. Nesse movimento, destaca-se a ampliação dos direitos subjetivos, em especial o direito à propriedade adequada no prisma da relação Estado Constitucional e Economia. Os contornos jurídicos que a função social da propriedade assume no âmbito da constitucionalização buscam publicização do direito à propriedade.

> O direito de propriedade, concedendo ao proprietário as prerrogativas de usar, gozar, dispor e reavê-la do poder de quem injustamente a possua, confere, portanto, ao proprietário o direito de contratar, como expressão da liberdade de iniciativa constitucionalmente assegurada. Mesmo em relação à propriedade rural, não há impedimento legal para a contratação do uso temporário da terra. Ao contrário, o ordenamento jurídico contempla também a atividade agrária indireta, disciplinando-a segundo os valores eleitos em cada época (FALCONE, 2005, p. 133).

Os direitos fundamentais podem ser limitados e o modo como deve ser exercida essa limitação se relaciona com a discussão que se desenvolveu, sobretudo no direito comparado alemão, sobre a possibilidade de se limitarem os direitos. O âmbito desses embates desenvolveu duas correntes teóricas distintas: a teoria externa (*Aussentheorie*) e o da teoria interna (*Innentheorie*). Martin Borowsky (2003, p. 66) argumenta que a teoria externa pressupõe a existência de dois objetos jurídicos distintos, quais sejam, o direito em si não limitado (direito *prima facie*) e o direito limitado que se restringe (direito definitivo). Já a teoria interna defende que existe apenas um direito fundamental, o direito com determinado conteúdo e com seus limites concretos.

Por essa linha de raciocínio, chega-se a uma concepção dos limites à propriedade, tendo-se como referência que a Constituição Federal brasileira de 1988 também positivou o direito fundamental à propriedade privada sobre bem imóvel. Pela teoria externa, existe, primeiramente, apenas o direito de propriedade não limitado e somente depois de ocorrida a limitação é que se obtém o direito definitivo ou limitado. Assim, não existe nenhuma relação necessária entre o conceito de direito de propriedade e o conceito de barreira jurídica como norma limitante.

No âmbito da teoria externa, o direito fundamental à propriedade privada se apresenta sem nenhuma barreira e, assim, produz suas consequências jurídicas sem qualquer óbice. A análise jurídica para a aplicação do direito de propriedade privada se realiza, necessariamente, em duas etapas. Em uma primeira etapa, problematiza-se se a consequência jurídica se encontra no conteúdo desse direito *prima facie*. Sendo a resposta afirmativa, ocorre uma segunda etapa, que examina se o direito *prima facie* é limitado no caso concreto por outra(s) norma(s). É, nesse sentido, que a realidade constitucional brasileira aponta para a função social.

Em outra vertente, a teoria interna considera que não existem dois objetos sobre o direito fundamental à propriedade privada. O que existe é o direito de propriedade com determinado conteúdo, o direito de propriedade com seus limites concretos. As dúvidas acerca do limite do direito fundamental à propriedade não são questionamentos sobre o quanto ele pode ser limitado, mas sim, sobre qual é o seu conteúdo. Nesse sentido, a análise jurídica do direito de propriedade consiste em verificar se o seu conteúdo aparente é também o seu conteúdo real, pois se o direito tem seu alcance definido de antemão, sua limitação torna-se impossível.

Ao discorrer sobre a propriedade privada imóvel no âmbito da constitucionalização do direito privado, a presente tese adota o posicionamento de que o direito à propriedade privada é direito fundamental devidamente positivado na Constituição brasileira. Assim, verifica a dicotomia entre função social e propriedade adequada e se filia à teoria interna de limitação ao direito de propriedade privada, na perspectiva constitucional da propriedade como instrumento existencial nos centros econômicos de interesses subjetivos, que manifestam as relações constitucionais econômicas.

No paradigma das particularidades brasileiras sobre a teoria externa e interna do direito comparado alemão, Luiz Fernando Calil de Freitas (2007, p. 138) argumenta que dois modelos estruturais de limitação se contrapõem na dogmática dos direitos fundamentais: o modelo da intervenção e o modelo da pré-formação. A diferença de concepção acerca da limitabilidade dos direitos existente entre o esquema da intervenção e o modelo da pré-formação corresponde à distinção de concepção existente entre a teoria externa e a teoria interna. O direito à propriedade adequada vincula-se à constitucionalização dos direitos fundamentais civis e assegura uma proteção do indivíduo, em um plano horizontal e em um plano vertical.

No plano horizontal, o indivíduo merece certa proteção jurídica, em face do seu desenvolvimento social e econômico (relações particulares), a propriedade deve ser adequada para seu próprio desenvolvimento social e para o seu desenvolvimento econômico, possibilitando-lhe crescimento em sua esfera micro. No plano vertical, o indivíduo merece uma proteção em face do desenvolvimento social e econômico de toda a sociedade e do Estado com a sociedade (relação estabelecida entre o Estado, a Constituição e a Economia). A propriedade deve ser adequada para o desenvolvimento social e para o desenvolvimento econômico e financeiro de um país, possibilitando-se o crescimento de todos os indivíduos que compõem o país, em uma esfera macro.

No que se refere à despatrimonialização do Direito Civil, verifica-se certa tendência normativo-cultural que evidencia que o ordenamento jurídico faz opção, que, lentamente, vai-se concretizando, entre personalismo (com a superação do individualismo) e patrimonialismo (com a superação da patrimonialidade fim em si mesma). Pietro Perlingieri (2007) argumenta que, com isso, não se projeta a expulsão, nem a redução quantitativa do conteúdo patrimonial no sistema jurídico, pois a situação econômica, como aspecto da realidade social organizada, não é eliminável da dimensão humana.

> A divergência, não certamente de natureza técnica, concerne à avaliação qualitativa do momento econômico e à disponibilidade de encontrar, na exigência de tutela do homem, um aspecto idôneo, não a 'humilhar' a aspiração econômica, mas, pelo menos, a atribuir-lhe uma justificativa institucional de suporte ao livre desenvolvimento da pessoa. Isso induz a repelir a afirmação – tendente a conservar o caráter estático-qualitativo do ordenamento – pela qual não pode ser 'radicalmente alterada a natureza dos institutos patrimoniais do direito privado' (PERLINGIERI, 2007, p. 33).

Nesse sentido, evita-se comprimir o livre e digno desenvolvimento da pessoa, mediante esquemas inadequados e superados. A intenção é permitir o funcionamento de um sistema econômico misto – privado e público – que se incline a produzir moderadamente e a distribuir com mais justiça. Pietro Perlingieri (2007, p. 34) assevera que o pluralismo econômico assume o papel de garantia do pluralismo também político e do respeito à dignidade humana. O direito fundamental à propriedade imóvel assume formas renovadas que se destinam "[...] a exercer a tutela dos direitos "civis" em uma nova síntese – cuja consciência normativa tem importância histórica – entre as relações civis e aquelas econômicas e políticas".

A positivação da função social da propriedade pela Constituição Federal de 1988 no rol dos direitos e garantias fundamentais manifestou-se como inovação para o Direito Civil brasileiro, caracterizando-se como desafio para o Estado Democrático de Direito, em análise plural da aplicação dos princípios constitucionais. Tanto se encontra o pensamento tradicionalista de apego à ideia individual da propriedade, como o pensamento da necessidade de solidariedade. Mas, em ambos os pensamentos, tem-se a premissa de que "não existe <<propriedade>> desligada dos valores sociais que justificam o seu apoio normativo e a sua regulação" (ARAÚJO, 2008, p. 250).

Na dicotomia entre função social e propriedade economicamente adequada, a função social se manifesta como limite para o exercício pleno do direito à propriedade privada. Assim, mostra-se necessário que, cada vez mais, chegue-se a resultados práticos satisfatórios para a harmonização, na seara jurídica, do direito à propriedade adequada, que proteja o indivíduo no fluxo da relação que se estabelece entre o Estado Constituional e a Economia.

> Ideologicamente a função social da propriedade traz à luz a possibilidade de realização de interesses sociais, sem eliminar o direito de propriedade de bens, de produção ou não. Concilia o interesse privado com o interesse público. Conceitualmente ela modifica o eixo da dogmática jurídica privada concernente ao direito subjetivo encarado de forma absoluta, o que implica a construção de uma dogmática diferente a conceber o direito de propriedade como algo relativo, sujeito a injunções que se caracterizam por deveres impostos pela lei, a serem cumpridos pelo proprietário (FALCONE, 2005, p. 128).

Gustavo Tepedino e Anderson Schreiber (2005, p. 102) argumentam que a ideia da função social rompe com a concepção individualista e liberal do direito de propriedade. O Código Civil brasileiro de 1916 inspirou-se no *Code Napolèon*, que conceitua a propriedade como o direito de usar e dispor da coisa de maneira absoluta. Tratou a propriedade, em especial, sob o seu aspecto estrutural, como um feixe de poderes atribuídos ao proprietário. "Era natural, por isso e por razões históricas, que se visse na propriedade um direito cuja única função era atender aos interesses particulares do seu titular" (TEPEDINO; SCHREIBER, 2005, p. 102).

A propriedade adequada configura sua expressão jurídica no âmbito dos direitos fundamentais, de modo a assegurar sua função social no ordenamento jurídico brasileiro. A constatação da importância dos debates, em torno da função social da propriedade, reforça-se diante da expectativa que se tem de que a ampliação dos direitos subjetivos ocasione fortes impactos na realidade jurídica brasileira, efetivando a força normativa do texto constitucional e promovendo um fluxo de pacificação social, por meio da ponderação de interesses. Orlando Gomes (2000) argumenta que a fórmula função social, ao se manifestar como uma concepção sociológica e não um conceito técnico-jurídico, revela hipocrisia, pois legitima o lucro ao configurar o meio da atividade capitalista como maneira de exercício no interesse geral.

> Se não chega a ser uma mentira convencional, é um conceito ancilar do regime capitalista; é por isso que, para os socialistas autênticos, a fórmula função social, sobre ser uma concepção sociológica e não um conceito técnico-jurídico, revela profunda hipocrisia, pois 'para mais não serve do que para embelezar e esconder a substância da propriedade capitalística'. É que legitima o lucro ao configurar a atividade do produtor de riqueza, do empresário, do capitalista, como exercício de uma profissão no interesse geral. Seu conteúdo essencial permanece intangível, assim como seus componentes estruturais. A propriedade continua privada, isto é, exclusiva e transmissível livremente. Do fato

> de poder ser desapropriada com maior facilidade e de poder ser nacionalizada com maior desenvoltura não resulta em que a sua substância se estaria deteriorando (GOMES, 2000, p. 109).

Guido Calabresi e Douglas Melamed (1972), ao analisarem as regras para proteger e regulamentar direitos, asseguram que, sempre que a sociedade escolhe um direito inicial, ela deve também determinar-se a proteger o direito pelas regras de propriedade, por normas de responsabilidade ou por regras de inalienabilidade. Nessa perspectiva, muito do que é geralmente chamado de propriedade privada pode ser visto como um direito que é protegido por uma regra de propriedade.

Fernando Araújo (2008) argumenta que os pensamentos de Calabresi e Melamed combinam a perspectiva contratual e extracontratual num mecanismo único de afetação de recursos por intermédio de regras. Para Araújo (2008), essa combinação ocorre de modos bilaterais, por um lado, e coletivos, por outro, representando a afetação dos recursos da propriedade privada por meio das titularidades. Assim, a combinação encontra-se "naquilo que se diria ser uma forma especialmente <<plástica>> de gerir o <<acervo de direitos>>, visto que nela a propriedade é concebida como uma espécie de caixa vazia a ser preenchida com qualquer conjunto de poderes e legitimações" (ARAÚJO, 2008, p. 23).

A abordagem de Calabresi e Melamed inspira-se no paradigma dos contratos, não no da propriedade privada imóvel em sua configuração tradicional. Fernando Araújo (2008, p. 24) explica que, a partir da "análise de Calabresi e Melamed começou a desenvolver-se uma alternativa teórica mais vincadamente contratualista do que a abordagem da *bundle-of-rights analysis"*. Assim, o quadro normativo que preside as titularidades e as trocas se designou por outras vias teóricas como, por exemplo, a *rule-governed entitlements analysis*.

> Resumindo, essa última visão de síntese entre regime e regras de propriedade e de responsabilidade alcançará as hipóteses de <<circulação forçada>> que se apresentam como alternativas à circulação voluntária, de mercado, das titularidades, e fá-lo de forma ainda mais casuística e contingente do que aquela que é espelhada no <<Teorema de Coase>> em situações de elevados custos de transação, sugerindo uma infinita plasticidade *ad hoc* de prerrogativas de acesso e de exploração (ARAÚJO, 2008, p. 24).

Nessa linha de raciocínio, analisa-se a fragmentação da propriedade. Os regimes jurídicos da propriedade no âmbito das relações constitucionais econômicas consistem "essencialmente em salvaguardas contra fragmentação improdutiva, mormente da propriedade fundiária – avultando regras sucessórias e da propriedade vinculada, como os morgadios" (ARAÚJO, 2008, p. 24).

Assim, ninguém pode deter os direitos à propriedade privada produtiva do titular, a menos que o titular pretenda transacioná-lo, por vontade própria e no preço pelo qual ele, subjetivamente, valoriza a propriedade. "Se existe um sujeito que é titular de uma situação de propriedade, existe, da outra parte, não um sujeito determinado, mas a coletividade, que tem o dever de respeitá-la, não de se ingerir" (PERLINGIERI, 2007, p. 114).

O tratamento jurídico que deve ser dado à função social da propriedade, na Constituição, é para que a propriedade funcione de modo adequado, conforme a ponderação de interesses. A propriedade deve ser entendida como uma relação jurídica complexa que relaciona a concessão de tutela jurídica a interesses divergentes, mas que, ponderados, tendem a harmonizar a solução para o caso concreto, com a matriz ideológica da dignidade humana e com as premissas de desenvolvimento social e econômico do ser humano.

Nessas condições, a função social da propriedade se relaciona com a ampliação dos direitos subjetivos e os contornos de novos limites para a ponderação de interesses no âmbito da constitucionalização dos direitos fundamentais. O estudo parte do pressuposto de que o conceito constitucional de propriedade converge com a ideia de que não existe uma única propriedade, mas múltiplas propriedades. Nessa tônica, disserta-se sobre a propriedade adequada, no contexto jurídico brasileiro, no sentido de se analisar o encaixe da função social da propriedade na ampliação dos direitos subjetivos, sendo certo que "[...] função social da propriedade corresponde às limitações fixadas no interesse público e tem por finalidade instituir um conceito dinâmico de propriedade em substituição ao conceito estático, representando uma projeção da reação anti-individualista" (FACHIN, 1988, p. 19).

> A função social, portanto, é marcada pela fase do constitucionalismo no mundo ocidental. De fato, qualquer transformação no mundo do direito deve passar em primeiro lugar pela diretriz constitucional, cabendo ao direito civil, agrário, ambiental, e outros realizarem a disciplina das matérias constitucionalizadas em convergência com os mandamentos dessa matriz. Nesse sentido, há de se ressaltar que, na América, a visão arejada sobre a função social da propriedade se faz presente pioneiramente na Constituição mexicana, cujas diretrizes cuidou o legislador ordinário de repassar para o Código Civil posteriormente (FALCONE, 2005, p. 113).

Rafael Machado Soares (2007, p. 122) argumenta que a função social da propriedade foi uma estrutura importante para a redução da complexidade apresentada no que se refere ao direito de propriedade. A partir de seu nascimento, modificaram-se as expectativas normativas do direito sobre a propriedade privada, não se aceitando mais que as decisões tomadas, nesse contexto, contrariassem os anseios sociais. Ao final, percebe-se que, diante dessa nova estrutura, o alcance da redução das desigualdades sociais pode ser perfectibilizado, introduzindo-se esse requisito como item indispensável para a decisão de qualquer complexidade gerada em função de seu descumprimento.

Faz-se certa associação da Constituição brasileira de 1988 com o artigo 1.228 do Código Civil brasileiro e seu parágrafo primeiro. Pelo Código Civil, o proprietário tem a faculdade de usar, gozar e dispor da coisa, e o direito de reavê-la do poder de quem quer que, injustamente, a possua ou detenha. Porém, o direito de propriedade deve ser exercido em consonância com as suas finalidades econômicas e sociais e de modo que sejam preservados, de conformidade com o estabelecido em lei especial, a flora, a fauna, as belezas naturais, o equilíbrio ecológico e o patrimônio histórico e artístico, bem como evitada a poluição do ar e das águas (parágrafo primeiro do artigo 1.228, CC).

O *caput* do artigo 1.228 do Código Civil em vigor, manifesta-se como repetição do Código Civil de 1916 e da visão tradicional e patrimonialista da propriedade, poder absoluto sobre a coisa, se não existissem os parágrafos do artigo. O § 1º tem total relação com o inciso VI, do art. 170, e do art. 225, da Constituição Federal, pois mostra feições da propriedade que revelam a preocupação do legislador, na pós-modernidade, com valores patrimoniais e extrapatrimoniais (belezas naturais, flora, fauna) condicionadores e limitadores do exercício da propriedade, além da habitual preocupação com o patrimônio histórico e artístico.

A propriedade privada sobre bem imóvel é instituto que, nitidamente, influencia-se pela política e detém conotações social, cultural e econômica. Possui pluralidade ideológica. Seu formato jurídico como direito constitucional fundamental sinaliza para situações jurídicas subjetivas do proprietário e situações jurídicas que entram em conflito com as primeiras, no âmbito das relações constitucionais econômicas, pois representam, muitas vezes, centros de interesses opostos e divergentes.

Como relação jurídica complexa e dinâmica, a propriedade não mais se concebe como relação de completa subordinação de terceiros frente ao proprietário, mas sim, de situações jurídicas subjetivas do proprietário e situações jurídicas que entram em conflito com as primeiras e representam centros econômicos de interesses muitas vezes opostos e divergentes. Nessa linha de raciocínio, o jurista italiano Stefano Rodotà (2012) desvenda caminhos acadêmicos para o significado do instituto da propriedade, nas décadas iniciais do século XXI. A propriedade manifesta-se, juridicamente, de modo diverso das feições que se formularam no decorrer dos séculos XIX e XX.

Stefano Rodotà (2012) defende a tese de que existe o *mundo novo dos direitos*, em que a propriedade assume múltiplas feições. Nas diversas dimensões constitucionais que contribuem para compor os formatos da propriedade no cerne da globalização (mundialização) existem incessantes necessidades de reescrever o catálogo dos direitos fundamentais no âmbito das relações constitucionais econômicas.

Assim, tem-se que os formatos jurídicos da propriedade privada sobre bem imóvel se manifestam em múltiplas feições. Stefano Rodotà (2012) considera que não é possível fechar-se a propriedade na fronteira histórica, pois a circulação e o confronto entre diversos modelos são impostos. Em primeiro lugar, pelo emergir de necessidades materiais comuns, pela influência comum da inovação científica e tecnológica, pelas relações de dependência, pela distribuição dos poderes e por aquela contínua obrigação de lidar com os outros, com todos os outros. E é, nesse contexto, que se localiza a "revolução dos bens comuns" que abrange mais do que as ambivalências no conflito propriedade privada/propriedade pública. Daí, a importância da análise sobre a dicotomia entre função social e propriedade economicamente adequada.

A perspectiva da propriedade privada sobre bens imóveis nas relações constitucionais econômicas aponta para sua ligação transitória com sujeitos passivos indeterminados, na medida em que essa situação jurídica se exerce com aqueles que tiverem contato com a atividade econômica na qual a propriedade se insere. O que existe são centros econômicos de interesses. Desse modo, a percepção jurídica é de comportamentos, quer de abstenção, quer de cooperação, entre o proprietário e aqueles que com ele interagirem.

A propriedade privada sobre bem imóvel, vista como situação subjetiva e como relação, discute, em particular, a propriedade, no âmbito de uma relação proprietária essencial para a atividade econômica. Esta é a linha de raciocínio de Pietro Perlingieri (2007) que, na perspectiva constitucional do direito civil, defende que os direitos associados à propriedade, como o direito de gozar e o direito de dispor, não são direitos autônomos, mas sim, faculdades ou poderes ínsitos à situação proprietária.

> A objeção principal que se faz à definição da propriedade como relação é a não determinação dos sujeitos titulares da situação passiva o relevo não é decisivo. Correlativamente ao sujeito que é titular de uma situação ativa de propriedade, existe não um sujeito deter-

> minado, mas a coletividade que se encontra na condição de dever respeitar aquela situação e de não se ingerir na esfera do titular. No perfil estrutural, a relação de propriedade é ligação entre a situação do proprietário e aqueles que entram em conflito com esta e constituem centros de interesses antagônicos. A situação do proprietário é relevante somente enquanto pressupõe a obrigação de comportamento, de abstenção, às vezes a obrigação de cooperação dos outros sujeitos, que podem tornar-se, de fato, e concretamente, titulares da situação antagônica. O aspecto funcional é certamente prevalente na propriedade vista como relação; entre proprietário e terceiros, entre proprietário e vizinhos, entre proprietário e Estado, entre proprietário e entes públicos, existe relação – não de subordinação –, mas de cooperação. O regulamento da propriedade às vezes dá prevalência aos interesses do proprietário, outras vezes àqueles de outros sujeitos (PERLINGIERI, 2007, p. 221-222).

A perspectiva da propriedade privada sobre bens imóveis nas relações constitucionais econômicas aponta para sua ligação transitória com sujeitos passivos indeterminados, na medida em que essa situação jurídica se exerce com aqueles que tiverem contato com a atividade econômica na qual a propriedade se insere. O que existe são centros econômicos de interesses. Desse modo, a percepção jurídica é de comportamentos, quer de abstenção, quer de cooperação, entre o proprietário e aqueles que com ele interagirem.

4.1 Por uma constitucionalização do direito civil à propriedade adequada: os parâmetros da dignidade humana na ponderação de interesses e na aplicação dos princípios constitucionais

A compreensão do encaixe da função social da propriedade no movimento de ampliação dos direitos subjetivos correlaciona-se com a passagem do Estado liberal para o Estado social e na assimilação, pelo direito de propriedade, do conceito de dignidade humana. Introduz, na argumentação jurídica, elemento capaz de servir de instrumento para a reelaboração dos conceitos clássicos do direito civil, presentes na tradição oitocentista e que não podem ser, simplesmente, desconsiderados. Estudar a função social:

> [...] é, primeiramente, refletir para a origem da propriedade como instituição, sendo certo que a origem da propriedade como instituição é justificada por meio de teorias que atribuem sua criação desde a von-

tade divina, passando pela valorização econômica até uma concepção materialista (RODRIGUES, 2008, p. 155).

Nos paradigmas da filosofia da racionalidade, "[...] o personalismo ético atribui ao homem, precisamente porque é uma pessoa em sentido ético, um valor em si mesmo, não como meio para realização de outros fins" (LARENZ, 1978, p. 45). Nesse sentido, relaciona-se a dignidade humana com o direito à propriedade adequada, para associá-la à constitucionalização dos direitos civis.

A dignidade da pessoa mostra-se como uma qualidade intrínseca e indissociável do ser humano. Exterioriza a existência de direitos, sobre os quais ela se realiza, "[...] salvaguardados constitucionalmente como direitos fundamentais" (SARLET, 2007, p. 26-27). O valor fundamental da ordem jurídica deixa de ser a liberdade ou a autonomia privada e "[...] desloca-se para a pessoa, no pressuposto de que o homem é titular de direitos que devem ser reconhecidos e respeitados pelos seus semelhantes e pelo Estado" (SARLET, 2007, p. 39).

A natureza da dignidade da pessoa não permite estabelecer seu conteúdo a partir de conceitos abstratos nem, tampouco, fixar uma pauta exaustiva das suas violações. Ela "[...] apresenta-se como um princípio ou como um vetor axiológico, cujas implicações práticas só serão conhecidas com exatidão pelo labor dos tribunais" (SARLET, 2007, p. 41-42).

Apesar das dificuldades de se estabelecer o conteúdo da dignidade humana, é possível reconhecer-lhe um conteúdo mínimo, sendo que a Constituição Federal de 1988 (artigo 1º, III) o erigiu à categoria de fundamento do Estado brasileiro. Nessas circunstâncias, pode-se afirmar que a dignidade da pessoa está no centro do ordenamento jurídico, ou seja, o personalismo ético tem primazia em relação aos valores meramente patrimoniais. Por força da Constituição Federal, a dignidade permeia todo o sistema jurídico, o que indica novas perspectivas para os sistemas civis da tradição oitocentista e aponta a necessidade de uma nova metodologia para a interpretação e aplicação do direito de propriedade, para que a propriedade seja, juridicamente, adequada à realidade contemporânea.

Ao estabelecer diálogo entre o conteúdo da dignidade da pessoa e a constitucionalização dos direitos civis, percebe-se o sentido material que define que os direitos fundamentais são pretensões que se revelam, a partir da perspectiva do valor da dignidade humana. O problema persiste quanto a discernir quais as pretensões que podem ser capituladas como exigências dessa dignidade, enquanto um valor humano. Prieto Sanchís (2003) propõe a compreensão histórica dos direitos fundamentais, analisando que, historicamente, os direitos humanos relacionam-se com os vetores da vida, da dignidade, da liberdade, da igualdade e da participação política. E, nos termos de um dado contexto jurídico, somente se apresenta um direito fundamental, quando se possa, razoavelmente, sustentar que esse direito (ou a instituição a que ele corresponda) servirá a algum dos vetores dos direitos humanos.

A constitucionalização não limita a propriedade privada apenas aos bens imóveis. Abrange todos os bens, apesar de parte da doutrina clássica, como em Orlando Gomes (2000), entender ser inviável formular a propriedade dos bens de consumo, restando restrita aos bens de produção. Dialeticamente, "[...] a função social não pode, em caso algum, contrastar o conteúdo mínimo: função social e conteúdo mínimo são aspectos complementares e justificativos da propriedade" (PERLINGIERI, 2007, p. 231).

Nas peculiaridades brasileiras, Gilmar Mendes e Gonet Branco (2011) consideram que os julgados acentuam que o Supremo Tribunal Federal brasileiro mostra-se sensível à identificação de normas de direito fundamental fora do catálogo específico do ordenamento jurídico pátrio. A partir do exame da existência de um especial vínculo, evidenciado por considerações de ordem histórica, do bem jurídico protegido com alguns dos valores essenciais que resguardam a dignidade humana e se enumeram no *caput* do artigo 5º , da Constituição Federal de 1988 (vida, liberdade, igualdade, segurança e propriedade). No Direito brasileiro, os direitos fundamentais se definem como direitos constitucionais.

Nessa perspectiva, pode-se considerar que a validez universal dos direitos fundamentais não supõe uniformidade. Os ensinamentos de Gilmar Mendes e Gonet Branco (2011) demonstram que a razão é que o conteúdo concreto e a significação dos direitos fundamentais para um Estado dependem de numerosos fatores extrajurídicos, especialmente das peculiaridades, da cultura e da história dos povos. Assim, uma característica que se associa aos direitos fundamentais relaciona-os ao fato de estarem consagrados em preceitos da ordem jurídica, sendo que essa característica serve de traço divisor entre as expressões *direitos fundamentais* e *direitos humanos*. Porém, a divisão conceitual não significa que os direitos humanos e os direitos fundamentais estejam em esferas estanques, incomunicáveis entre si.

Mostra-se relevante a divisão conceitual entre os *direitos fundamentais* e os *direitos humanos,* no sentido de se verificar que a constitucionalização dos direitos civis delimita-se no enquadramento jurídico dos direitos fundamentais. Mazzuoli (2010, p. 750) assegura que os direitos humanos "são direitos inscritos (positivados) em tratados ou em costumes internacionais. Ou seja, são aqueles direitos que já ascenderam ao patamar do Direito Internacional Público", enquanto que os direitos fundamentais são direitos que estão positivados nas Constituições.

A expressão *direitos humanos* (ou *direitos do homem)* reserva-se para as reivindicações que se relacionam com as posições essenciais que os seres humanos assumem num dado contexto, com bases jusnaturalistas e índole filosófica. Já a expressão *direitos fundamentais* reserva-se aos direitos que têm repercussões básicas na tutela da dignidade da pessoa, sendo inscritos em diplomas normativos de cada Estado, em sua ordem jurídica concreta, garantidos e limitados no espaço e no tempo.

A constitucionalização dos direitos fundamentais ocasiona consequências de grande repercussão para os direitos civis. As normas constitucionais que disciplinam os direitos fundamentais civis impõem-se a todos os poderes constituídos, até ao poder de reforma da Constituição e, consequentemente, aos diplomas normativos legais, como o Código Civil. Porém, os direitos fundamentais não são coincidentes nos seus modos de proteção ou nos seus graus de efetividade, pois os sistemas jurídicos internos de cada Estado possuem mecanismos de implementação peculiares, que tornam mais céleres e eficazes alguns direitos civis em relação a outros, no âmbito de incidência da constitucionalização.

Nesse sentido, mostra-se viável o entendimento das dimensões subjetiva e objetiva dos direitos fundamentais. Para Gilmar Mendes e Gonet Branco (2011), a dimensão subjetiva dos direitos fundamentais corresponde à característica desses direitos de, em maior ou em menor escala, ensejarem uma pretensão a que se adote um dado comportamento ou então essa dimensão se expresse no poder da vontade de produzir efeitos sobre certas relações jurídicas. A dimensão objetiva resulta do significado dos direitos fundamentais como princípios básicos da ordem constitucional, pois participam da essência do Estado de Direito democrático e operam como limite do poder e como diretriz para a sua ação.

Na perspectiva da dimensão subjetiva, os direitos fundamentais correspondem à exigência de uma ação negativa (em especial, o respeito ao espaço de liberdade do indivíduo) ou positiva de outrem. Já a perspectiva objetiva legitima as restrições aos direitos subjetivos individuais, limitando o conteúdo e o alcance dos direitos fundamentais, em favor dos seus próprios titulares ou de outros bens constitucionalmente valiosos. Assim, os direitos fundamentais transcendem a perspectiva da garantia de posições individuais e alcançam as normas que filtram os valores básicos da sociedade política, expandindo-os para todo o direito positivo e formando a base do ordenamento jurídico de um Estado democrático.

A análise das dimensões subjetiva e objetiva dos direitos fundamentais repercute nos direitos civis, para delinear que, com a constitucionalização, os direitos fundamentais ensejam um dever de proteção pelo Estado dos direitos fundamentais contra agressões dos próprios Poderes Públicos, contra agressões provindas de outros particulares ou mesmo contra agressões de outros Estados. Isso corrobora a assertiva que diz que "[...] a dimensão objetiva interfere na dimensão subjetiva dos direitos fundamentais, nesse caso, atribuindo-lhe reforço de efetividade" (MENDES; BRANCO, 2011, p. 302).

Os aspectos objetivos e subjetivos dos direitos fundamentais civis comunicam-lhes uma eficácia irradiante, convertendo-os em diretrizes para a interpretação e aplicação das normas próprias do Direito Civil. A dimensão objetiva enseja a discussão sobre a eficácia vertical dos direitos fundamentais civis – a eficácia desses direitos, na esfera pública, no âmbito das relações que os particulares estabelecem com o Estado. A dimensão subjetiva enseja a discussão sobre a eficácia horizontal dos direitos fundamentais civis – a eficácia desses direitos na esfera privada, no âmbito das relações entre particulares.

No âmbito de incidência das dimensões objetiva e subjetiva dos direitos fundamentais, encontra-se a problemática do conceito de propriedade. A definição clássica de propriedade consta das legislações civis, sendo certo que um dos grandes impactos da constitucionalização é a assertiva de que "[...] a garantia constitucional da propriedade abrange não só os bens móveis ou imóveis, mas também outros valores patrimoniais" (MENDES; BRANCO, 2011, p. 618).

Nessa perspectiva, há de se superar a mentalidade pela qual o Direito de Propriedade é a liberdade de cada um de cuidar, por vezes arbitrariamente, dos próprios interesses, enquanto que a função social deve ser a mera manifestação de estruturas e serviços sociais que permitam ao interesse privado limitar sua livre e efetiva atuação no manejo da propriedade. Assim, com a constitucionalização do direito civil, mostra-se importante a discussão de o direito de propriedade enquadrar-se ou não no rol dos direitos subjetivos públicos de caráter patrimonial, como as pensões previdenciárias, as remunerações de agentes públicos ou até mesmo o direito à restituição no caso de pagamento de tributos. Vale destacar que:

> No Brasil, o tema, em geral, sobre a preservação do valor dos salários, pensões ou outros benefícios previdenciários e do auxílio-desemprego não tem sido discutido com base no direito de propriedade, mas com fundamento na irredutibilidade de vencimentos ou dos benefícios, ou, eventualmente, com respaldo na proteção da confiança e no resguardo ao direito adquirido (MENDES; BRANCO, 2011, p. 620).

A amplitude que a constitucionalização conferiu aos direitos civis impactou no conceito constitucional de propriedade, que se correlaciona com a noção de direitos fundamentais. A delimitação conceitual da propriedade perpassa a ideia de abrangência dos valores de índole patrimonial, como a noção do dinheiro que consta em depósitos bancários. A extensão do conceito constitucional da propriedade aos valores patrimoniais contemplam as próprias alterações do padrão monetário, visto como um fator concernente à própria noção constitucional da propriedade, sendo que "[...] o conceito unitário de propriedade, decalcado sobre a noção de propriedade fundiária, tem, pouco a pouco, cedido lugar à ideia de que não existe uma única propriedade, mas múltiplas propriedades" (PRATA, 2010, p. 186).

> Essa garantia não torna o padrão monetário imune às vicissitudes da vida econômica. Evidentemente, é a própria natureza institucional da garantia outorgada que permite e legitima a intervenção do legislador na ordem monetária, com vista ao retorno a uma situação de equilíbrio econômico-financeiro. Portanto, a simples extensão da garantia constitucional da propriedade aos valores patrimoniais expressos em dinheiro não lhes assegura um *bill of indemnity* contra eventuais alterações legais do sistema monetário (MENDES; BRANCO, 2011, p. 629).

No contexto da constitucionalização, as normas jurídicas dos direitos reais se enquadram nas diretrizes dos direitos fundamentais. O desafio para os direitos reais é abarcar a construção de uma ordem jurídica mais sensível dos problemas e desafios da sociedade contemporânea, sendo que a pessoa assume uma posição central na relação Estado, Constituição e Economia. A propriedade, antes vista como um direito real absoluto, assume pluralidades que denotam o fato de que não existe um conceito constitucional estático de propriedade, sendo que as delimitações constitucionais sobre a propriedade hão de ser necessariamente dinâmicas.

> A renovação do direito brasileiro tem no chamado 'direito civil constitucional' o seu mais firme ponto de apoio. O reconhecimento da incidência dos valores e princípios constitucionais no direito civil reflete não apenas uma tendência metodológica, mas a preocupação com a construção de uma ordem jurídica mais sensível dos problemas e desafios da sociedade contemporânea (MATTIETTO, 2000, p. 163-164).

O direito de propriedade proveniente da tradição oitocentista possuía índole notadamente patrimonial e individualista, marcando o Estado liberal. A autonomia da vontade encontrava-se presente na perspectiva absoluta ao direito do proprietário de usar, gozar, dispor e reinvidicar. O Estado Moderno surgiu na perspectiva da economia liberal como concentração do poder e absorção de forças históricas. Conforme Saldanha (2000), com o Estado Moderno "[...] se fariam 'políticas' as questões culturais e as econômicas. Com ele, as nações assumiriam forma e papel na história, pondo-se o problema da soberania e, logo depois, o direito das gentes" (SALDANHA, 2000, p. 18).

No âmago do Estado moderno e sobre seu arcabouço, ocorreram "[...] alterações constitucionais trazidas pelas revoluções demoliberais burguesas, cujo acompanhamento doutrinário forma, precisamente, o pensamento constitucional em sua acepção própria, correspondente aos séculos contemporâneos" (SALDANHA, 2000, p. 19). Depois, com o advento do Estado social, o movimento do constitucionalismo assumiu novas projeções capazes de alçar as perspectivas sociais das Constituições para o eixo de todo o sistema jurídico e, com isso, possibilitando a constitucionalização dos direitos fundamentais civis. Em sequência, o Estado Democrático de Direito tem o desafio de harmonizar a liberdade com a igualdade, vistas estas como pilares da construção democrática, que busca uma fraternidade. Daí, a necessidade de se ter uma propriedade adequada à dignidade humana, para possibilitar o desenvolvimento social e econômico.

> Os objetivos constitucionais de construção de uma sociedade livre, justa e solidária e de erradicação da pobreza colocam a pessoa – isto é, os valores existenciais – no vértice do ordenamento jurídico brasileiro, de modo que tal é o valor que conforma todos os ramos do direito. Em síntese, não se pode negar a incidência dos valores constitucionais na normativa civilística, operando uma espécie de 'despatrimonialização' do direito privado, em razão da prioridade atribuída, pela Constituição, à pessoa, sua dignidade, sua personalidade e seu livre desenvolvimento (MORAES, 2011, p. 26).

No cerne dos estudos jurídicos, que se convencionou denominar direito civil constitucional, encontram-se as premissas metodológicas de Gustavo Tepedino (1997), associados aos estudos holísticos de Maria Celina Bodin de Moraes (2011). Tendo-se como referência aludidos autores, a constitucionalização dos direitos fundamentais civis envolve a compreensão de que a funcionalização social ressignificou os institutos civis clássicos da propriedade, da empresa e do contrato, sendo que seus enquadramentos jurídicos não mais coincidem com aqueles ofertados pela tradição oitocentista. Assim, as normas constitucionais possuem supremacia e ocupam papel relevante, na teoria das fontes do direito civil, e o ordenamento civilista deve ser interpretado e aplicado, conforme os parâmetros constitucionais, que servem de diretrizes e justificação para as normas infraconstitucionais.

Garcia (1994), ao analisar o ordenamento jurídico espanhol, enfatiza o modo como a autonomia privada atua na criação, extinção e modificação de relações jurídicas que permeiam os direitos reais e, em especial, o direito de propriedade. Sustenta que o Direito das coisas não é estático e não contrasta com o Direito das obrigações, que é dinâmico. Afirma haver uma comunicação entre as categorias dos direitos obrigacionais e os direitos reais, e que o sistema de *numeros apertus* será utilizado para a determinação dos tipos e modalidades dos direitos reais existentes no Direito privado espanhol. Considera que nem o Código Civil Espanhol, nem a Lei Hipotecária espanhola esgotam as possibilidades de tipificação das relações jurídico-reais. Assim, pressupõe que vigora o sistema de tipicidade causal e não de tipicidade legal, em que os parâmetros e critérios orientadores – que o jurista possa utilizar para interpretar e qualificar, adequadamente, as possibilidades para uma função social da propriedade – se operacionalizam na atuação e limites da autonomia privada (na criação, extinção e modificação dos direitos reais).

> *Debe tenerse muy presente la extraordinária permeabilidad y dinamicidad del Derecho de bienes. No es correcto el planteamiento estático del Derecho de bienes frente al esquema dinâmico del Derecho de obligaciones. El Código civil, al regular los derechos reales, no adopta un sistema de tipicidad legal puro o estricto; sino un sistema que en su origen tiene como critério la tipicidad causal propia del Derecho de obligaciones, que transcenderá, con rigurosas limitaciones, al Derecho de bienes, lo cual permitirá que exista una gran movilidad en el tratamiento del Derecho de bienes y dejará un amplio margen a la autonomía privada en ese particular ámbito del Derecho* (GARCIA, 1994, p. 196).

A autonomia privada, no contexto da constitucionalização dos direitos fundamentais civis, deixa de ter como fundamento a mera liberdade individual e passa a se legitimar por sua função promocional dos valores existenciais, harmonizando liberdade com igualdade. É, no contexto do direito civil constitucional, que deverá ser compreendido o conteúdo e alcance do princípio da função social da propriedade. A propósito:

> A ideia de uma complementariedade entre a propriedade e a liberdade pessoal não deve, todavia, ser distorcida através da redução *a priori* da garantia da propriedade a uma mera garantia da base material do livre desenvolvimento da pessoa, tornando-a inadequada à partida da tutela de tudo o que exceda o 'mínimo' inerente à liberdade pessoal. Uma tal configuração

> da garantia da propriedade seria, desde logo, incompatível com a afirmação da respectiva função social, bem como com a própria previsão constitucional da socialização dos meios de produção. Isso não significa, no entanto, que seja irrelevante a justificação da propriedade como direito de liberdade pessoal (BRITO, 2010, p. 89).

Sob a interpretação e aplicação da função social aos direitos fundamentais civis, Gustavo Tepedino (2008) elucida que se destacam três correntes doutrinárias. Uma primeira corrente defende que o princípio da função social não tem eficácia jurídica autônoma, servindo como justificativa para institutos como a onerosidade excessiva, conversão do negócio jurídico, lesão e simulação como causa de nulidade. Uma segunda corrente sustenta que a função social, como um valor social das relações contratuais, aponta para a mitigação do princípio da relatividade dos contratos e criação de garantias da posição contratual, consistente na tutela externa do crédito. Uma terceira corrente assegura que a função social age como meio de imposição de deveres aos contratantes. As três correntes doutrinárias tencionam para a diferenciação entre os direitos obrigacionais e os direitos reais, voltando-se mais para a questão contratual do Direito obrigacional.

Entre essas correntes doutrinárias, correlacionam-se ideias para o campo de aplicação de um direito real de propriedade que não seja absoluto em si, mas que seja adequado ao Estado Democrático de Direito. Elas partem do pressuposto de que a função social é uma limitação à autonomia privada. Assim, comparativamente, pode-se perceber que a discussão sobre a aplicação da função social à propriedade ocorre paralelamente à discussão sobre a ponderação de interesses. Branco (2008) defende a tese de que o juízo de ponderação deve ter os seus limites e condicionamentos descobertos, a partir do conhecimento das razões históricas a que se liga e das teorias que o explicam, criticam e justificam.

> O recurso ao princípio da proporcionalidade e ao juízo de ponderação se firmou na jurisprudência não somente do Supremo Tribunal Federal como dos demais órgãos jurisdicionais brasileiros, sobretudo a partir da década de 1990, quando, em seguida a estudos pioneiros sobre o princípio da proporcionalidade na jurisdição constitucional, notou-se uma eclosão de julgados e de estudos em torno do assunto. Decerto é possível reunir precedentes anteriores até mesmo à Constituição de 1988, em que foram formulados juízos de razoabilidade informados por ponderações, embora neles não se explicitasse a adesão ao prin-

> cípio da proporcionalidade e nem se trilhassem claramente os vários passos em que a técnica se desdobra (BRANCO, 2008, p. 363).

Amaral (2006, p. 148) comenta que existe a tendência de interpretar, na perspectiva da constitucionalização dos direitos fundamentais, todo e qualquer instituto do direito civil como restrição à autonomia da vontade, como se a autonomia da vontade fosse "a grande vilã do direito civil contemporâneo" e a barreira para conferir força normativa ao texto constitucional. "Essa postura limita a compreensão do problema e impede o desdobramento da função social para alcançar outros aspectos do fenômeno jurídico que não estejam relacionados com a vontade" (CORREIA, 2009, p. 24). E ainda impede uma delimitação do âmbito prático de aplicação processual dos bens que se referem ao direito das obrigações daqueles que se referem aos direitos reais. Referida situação tenciona para a aplicação dos princípios constitucionais, quanto à ponderação de interesses.

> Nessa linha de ideias é que se pode afirmar que os interesses constituídos por meio do exercício da autonomia privada são merecedores de proteção ou tutela jurídica na medida em que realizam uma função socialmente relevante. Na aferição do merecimento de tutela jurídica, entretanto, não está autorizado ao juiz negar proteção a interesses que são expressamente tutelados pelo ordenamento jurídico. Ao contrário, o juiz está autorizado a conceder a proteção a interesses que, embora sejam merecedores de tutela jurídica, não encontram no ordenamento um tratamento adequado e compatível com os princípios e valores constitucionais. Assim, os fatos sociais que, em princípio, não se subsumem em modelos legais de contrato, porém desempenham função socialmente relevante, devem ser tratados como contratos e terem os interesses dele emergentes protegidos juridicamente, como ocorre com o 'contrato de gaveta', cujo conteúdo passou a ser considerado fonte do direito, servindo de regras jurídicas capazes de integrar, pela via da funcionalização e mediante o reconhecimento do poder social de criação do direito, o ordenamento jurídico (CORREIA, 2009, p. 109).

O contexto da constitucionalização do Direito Civil impactou nos institutos clássicos do direito civil, como o contrato e a propriedade, relacionando-os à categoria dos direitos fundamentais. Nesse sentido, a noção constitucional de propriedade se perfaz da necessidade de sua adequação à relação que se estabelece entre o Estado, a Constituição e a Economia. A própria garantia institucional da propriedade atua na perspectiva constitucional relacionada a um núcleo básico de normas que conferem significados ao instituto civil denominado propriedade no campo dos direitos reais.

Rubens Beçak (2007) defende que a dimensão ético-moral é algo indissociável do entendimento do Direito e, sobretudo, da interpretação constitucional contemporânea. Para o autor, a evolução da humanidade e, no campo da discussão das ideias, a própria experiência histórica demonstram que não sobra espaço para os defensores do isolamento do campo ético-moral em relação ao Direito. Nessa linha de raciocínio, mostra-se irreversível o reconhecimento cada vez maior de direitos, o que encontra expressão no que é denominado sua terceira fase, qual seja, a dos direitos solidários. Essa fase representa a expansão dos direitos fundamentais e encontra expressão constitucional no desenvolvimento de grande número de princípios constitucionais.

Daí, decorre a necessidade de a propriedade ser adequada para assegurar a utilidade privada para o titular e a possibilidade de disposição. Gilmar Mendes e Gonet Branco (2011) assinalam que se deve reconhecer que a garantia constitucional da propriedade está submetida a um intenso processo de relativização, sendo interpretada, fundamentalmente, de acordo com os parâmetros fixados pela legislação ordinária. As disposições legais relativas ao conteúdo têm, para os autores, um inconfundível caráter constitutivo. Porém, não significa que o legislador possa afastar os limites, constitucionalmente, estabelecidos.

Por outro lado, a definição do conteúdo da propriedade pelo legislador há de preservar o direito de propriedade, enquanto garantia institucional, observando, especialmente, o princípio da proporcionalidade, que exige que as restrições legais sejam adequadas, necessárias e proporcionais.

É na órbita da Constitucionalização do Direito Civil que as abordagens da relação que se estabelece entre o Estado, a Constituição e a Economia demonstram a necessidade de leituras interdisciplinares que efetivem os direitos fundamentais civis à propriedade adequada. A propósito:

> A dimensão subjetivo-individual do direito de propriedade pretende assegurar ao titular dos bens o exercício das faculdades inerentes ao direito de propriedade, ou seja, usar, gozar, dispor e reaver, concedendo ao proprietário o direito de exercer as prerrogativas inerentes à propriedade, de forma plena, de acordo com a conformação estipulada pela legislação ou, ao contrário, na impossibilidade de exercê-los, ter ao seu alcance as garantias processuais e patrimoniais para garantir o exercício de suas prerrogativas ou, em caso extremo, a garantia da justa indenização (RODRIGUES, 2008, p. 223).

Entretanto, Fernandes (2005) avalia que a dimensão subjetivo-individual do direito de propriedade tem sido negligenciada. A análise da regulação legal, pelo Estado, das formas de apropriação da propriedade urbana e suas consequências para os marcos regulatórios postos pela Constituição de 1988 devem permitir novos tratamentos ao uso da propriedade. A propriedade deve ser adequada ao desenvolvimento social e econômico.

4.2 A função social da propriedade e a ampliação dos direitos subjetivos nas perspectivas da constitucionalização dos direitos fundamentais civis

A análise filosófica e histórica dos modos como se constituíram as apropriações de propriedades privadas no território nacional do Brasil (como uma unidade política), bem como os modelos jurídicos que regulam a propriedade fundiária, desde a época colonial, evidenciam alguns aspectos para as perspectivas do direito civil constitucional brasileiro. Em especial sobre a propriedade, Barbosa (2006) analisa-a como um direito fundamental civil que, em relação ao seu acesso, ocorre no Brasil um excesso de normatização e controle estatal e também uma permanente e histórica insegurança jurídica sobre a posse, ao longo do desenvolvimento econômico, social e político do país.

Muitas análises sobre a Constituição Federal brasileira de 1988 denotam que o constituinte quis açambarcar a concepção de São Tomás de Aquino em que o proprietário é um procurador da sociedade para a gestão de bens destinados ao bem-estar social. Não se nega o direito do dono sobre a coisa, porém determina-se a relativização do direito de propriedade condicionado. Estabelecem-se restrições que se destinam ao uso de forma racional.

> No pensamento de Santo Tomás, a propriedade é tida como um bem de produção e não como um bem inserido na riqueza de alguém, sem outra finalidade que não a especulativa, contém em si uma função social, isto é, uma preocupação com o bem estar comum, de modo a conduzir o seu uso às melhores formas de justiça social. Vislumbra-se, na doutrina tomista, a ideia de que o direito de propriedade decorre do direito natural; que o homem para sobreviver, se alimentar, tem, na terra, por meio da produção, suas necessidades básicas atendidas; assim uma sociedade justa é aquela que garante a todos pelo menos o essencial à vida, ainda que compreenda ser legítimo o fato de que alguns possam mais que os outros, desde que a estes últimos não escasseie o vital (TEIZEN JÚNIOR, 2004, p. 120 -121).

No que se refere à superação das concepções clássicas sobre pessoa e patrimônio, Luiz Edson Fachin (2006, p. 39) argumenta que a "repersonalização" do Direito assenta-se na premissa de que *patrimônio* e *pessoa* não estão absolutamente entrelaçados, nem ocupa um primeiro plano a relação entre eles. A propósito, "nem sempre o conceito de universalidade jurídica é aplicável à mesma massa patrimonial". Assim, espera-se a compreensão de que o patrimônio individual não é apenas fruto das oportunidades individuais, mas algo que é antes definido pelo coletivo, dotado de um sentido social.

A constitucionalização dos direitos civis impacta para que o direito de propriedade tenha a necessária oxigenação, por intermédio de estabelecimentos jurídicos que permitam a ampliação dos direitos subjetivos. No entanto, a ampliação dos direitos subjetivos encontra imprecisão no ordenamento jurídico brasileiro no que se refere a uma necessidade de maior amadurecimento do alcance da função social da propriedade no Estado Democrático de Direito. Ao contrário, se não houver referido amadurecimento, facilmente poder-se-á chegar à conclusão de que "[...] os termos direito subjetivo e função contêm divergências inconciliáveis" (LOUREIRO, 2003, p. 45).

Jorge Miranda (2015, p. 23-24) argumenta que a necessidade de "[...] perscrutar os fundamentos ou, se se preferir, as referências éticas subjacentes aos direitos historicamente consignados em cada Constituição material" manifesta-se tanto nos planos estritamente abstrato e teórico, como nos planos da interpretação jurídica e no da política legislativa. Deve-se entender que "reduzir a problemática dos direitos do homem à da sua positivação e garantia como direitos fundamentais" equivale a uma atitude conservadora, alheia às aspirações da ampliação dos direitos subjetivos, e acarreta "a resignação perante as leis decretadas ou perante as contingências da sua aplicação", traduzindo "a recusa de qualquer dimensão utópica ou idealista", ou a perda da universalidade dos direitos fundamentais civis num mundo cada vez mais próximo e globalizado.

O amadurecimento do alcance da função social da propriedade no Estado Democrático de Direito mostra-se viável nas peculiaridades brasileiras, para o estabelecimento de novas perspectivas sobre a constitucionalização dos direitos civis, no âmbito da relação que se estabelece entre o Estado, a Constituição e a Economia. A propriedade passa a ser considerada como uma relação jurídica complexa, justamente para permitir uma ampliação dos direitos subjetivos que também atenda à função social. A adequação surge para a propriedade como uma maneira de harmonizar o ideal de liberdade com o ideal de igualdade.

> Não se nega, portanto, que a propriedade – como relação complexa – contém inúmeros direitos subjetivos, mas não se pode simplesmente reduzi-la a mero direito subjetivo, diante da ocorrência de potencial desvantagem do proprietário frente a terceiros não proprietários (o que a doutrina tradicional denomina de limites, ônus e obrigações) (LOUREIRO, 2003, p. 45).

Sílvio Rodrigues (2002, p. 91) argumenta que a evolução histórica do direito de propriedade se manifesta no sentido de uma incessante redução dos direitos do proprietário. A propriedade rompe com a ideia de domínio para sofrer restrições profundas, sendo que a evolução civilista se marca por um considerável aumento de restrições. A função social da propriedade vista apenas como restrição torna inconciliável a ampliação dos direitos subjetivos e, consequentemente, inviabiliza o desenvolvimento social e econômico, gerando graves crises na relação Estado, Constituição e Economia, principalmente no aspecto segurança jurídica.

Nesse sentido, Luiz Carlos Falconi (2005, p. 99) defende que "a função social é um *plus* no conteúdo da propriedade". A noção de *plus* se caracteriza por transformar a propriedade estática em propriedade dinâmica. Trata-se de construção jurídica que se permeia pela flexibilidade, sendo "possível amoldar a conformação do direito às transformações da ordem econômica e social, segundo as necessidades de tempo e lugar".

> A consagração da função social no mundo do Direito teve por alvo primeiro atingir o direito de propriedade, atrelando-o a uma indispensável função, termo tomado de empréstimo das ciências sociais para dar a esse direito uma outra concepção, voltada para o cumprimento de interesses maiores que o meramente particular, transformando-o num instrumento de construção social. Nesse sentido, distancia-se obviamente do individualismo jurídico que deixava ao sabor da vontade isolada do indivíduo a realização de ações positivadoras da construção do bem-estar social (FALCONE, 2005, p. 92).

A noção jurídica sobre função social da propriedade relaciona-se com o afloramento do Estado Social e a própria doutrina da Igreja Católica, desenvolvidas, especialmente, pelas autoridades eclesiásticas e propagadas no Século XIX pelos tomistas, que consideravam a propriedade um pressuposto de igualdade para se atingir a dignidade. Essa argumentação se voltou contra o absolutismo da propriedade liberal do Estado Moderno do Século XVIII.

Na obra tomista, verifica-se que o delineamento da propriedade de cada povo ao longo da história é dado pelo coletivo e não, pelo individual, sendo esse o sentido ideológico da função social da propriedade no século XIX. A propósito, "São Tomás de Aquino admite expressamente o condicionamento da propriedade ao momento histórico de cada povo" (BORGES, 1983, p. 8). Ao discorrer sobre o assunto, Peters (2003, p. 70) mostra o confronto da ideia de função social com a de propriedade individual.

> A concepção tomista é a que melhor caracteriza o sentido social da propriedade na doutrina da Igreja, notadamente quando confere ao homem dois tipos de direito: o poder de administrar e de distribuir as coisas, sendo o primeiro de ordem privatística permitindo ao homem cuidar melhor daquilo que está sob sua gestão e evitando o conflito com outros homens; e o segundo de ordem pública, tendo relação com a distribuição e uso das coisas para a satisfação de todos (no interesse da sociedade). No sentido tomista, a ninguém é dado o direito de acumular riquezas em proveito próprio, sejam terras ou outros bens, cabendo ao proprietário destinar tudo ao bem comum (PETERS, 2003, p. 70).

No que se refere ao sentido histórico da expressão função social da propriedade, no Brasil, destaca-se a análise de sua delimitação na Economia. Para o Direito Agrário brasileiro anterior à Constituição Federal de 1988, a propriedade exerceria a função unicamente econômica, em atendimento aos princípios de justiça social e ao aumento da produtividade. Nesse sentido, tem-se o ensinamento de que:

> A terra e seus produtos fazem viver o homem. Que expressão mais significativa para indicar a finalidade da terra representada pela sua função econômica! De fato, o verdadeiro sentido da expressão função social da propriedade é o de produzir a terra todos os bens que possam satisfazer às necessidades presentes e futuras dos homens. Portanto, admitindo que ela tenha essa função e que se lhe dê o caráter social, o seu sentido não pode ser outro senão o de função econômica, para que atenda aos princípios de justiça social e ao aumento da produtividade (OPITIZ; OPITIZ, 1983, p. 309-310).

Com o movimento do constitucionalismo e o advento da Constituição Federal de 1988, o ordenamento jurídico brasileiro se viu forçado a conciliar os primados da liberdade com a igualdade. Tal situação repercute de modo nítido no direito de propriedade e seu enquadramento no rol dos direitos fundamentais civis. A garantia da propriedade privada associa-se ao próprio significado da função social. O controle judicial do exercício da situação subjetiva de propriedade reflete as proteções clássicas da propriedade privada e sua adequação econômica aos interesses sociais ou coletivos.

Na análise constitucional sobre o direito de propriedade privada, Pietro Perlingieri (2007) apresenta a *Teoria dos limites*. Não se pode sustentar que os limites e as obrigações não fazem parte do direito de propriedade. Os fatos externos são o ônus real, a servidão, o peso imposto pelo exterior e que, portanto, não fazem parte da estrutura da situação subjetiva, em torno da propriedade privada. Para o autor, a opinião oposta se explica, também, com uma razão de ordem lógico-formal, isto é, com o caráter dogmático de que a propriedade privada seja um direito subjetivo *tout court*. Porém, argumenta que a propriedade é, ao revés, uma situação subjetiva complexa.

A análise da propriedade privada como uma situação subjetiva complexa evidencia que a função social é um princípio a ser ponderado com o direito fundamental da propriedade privada. Gustavo Tepedino e Anderson Schreiber (2005, p. 106) propõem que "[...] a função social compõe a propriedade". A propriedade privada é composta pela função social, sendo ela capaz de harmonizar o estatuto do proprietário, em toda a sua essência, na relação entre o público e o privado, constituindo o título justificativo, a causa, o fundamento de atribuição dos poderes ao titular.

Verifica-se a existência de uma necessidade de compreensão da propriedade como uma relação jurídica complexa que situa o direito de propriedade na adequação aos direitos fundamentais civis. Nesse sentido, percebe-se que as perspectivas evolutivas dos direitos civis, conforme Pietro Perlingieri (2002), puseram em marcha no ordenamento jurídico do Direito Civil uma opção harmônica, que, lentamente, vai-se concretizando, entre personalismo (superação do individualismo) e patrimonialismo (superação da patrimonialidade fim a si mesma, do produtivismo, antes, e do consumismo, depois, como valores).

> *Al abordar el estudio del régimen constitucional de la propiedad privada se señaló que aquél debía partir del análisis del reconocimiento constitucional de un determinado concepto, el tradicional, de propiedad, así como del examen de la medida en que tal cencepto resultaba, en su caso, modificado o alterado por imperativo constitucional. Constatado aquel reconocimiento e identificado el* novum *constitucional en materia de propiedad privada en la función social, corresponde en este momento el análisis de esa última, eje vertebrador de toda la disciplina constitucional de la propiedad privada* (GUIJOSA, 2010, p. 95).

A Constituição Federal brasileira, no artigo 170, inciso III, dispõe que a Ordem Econômica funda-se na valorização do trabalho humano e na livre iniciativa e tem por fim assegurar a todos existência digna, conforme os ditames da justiça social, observados certos princípios, entre os quais o da função social da propriedade. Assim, a Ordem Econômica e Financeira do Estado brasileiro dialoga diretamente com os direitos e garantias fundamentais do artigo quinto, que prevê, expressamente, o direito de propriedade e também o parâmetro da função social. Porém, devem-se harmonizar esses preceitos constitucionais com as premissas do artigo terceiro, que dispõe:

> constituem objetivos fundamentais da República Federativa do Brasil: I - construir uma sociedade livre, justa e solidária; II - garantir o desenvolvimento nacional; III - erradicar a pobreza e a marginalização e reduzir as desigualdades sociais e regionais; IV - promover o bem de todos, sem preconceitos de origem, raça, sexo, cor, idade e quaisquer outras formas de discriminação.

O objetivo dessa harmonização significa "[...] que a função social da propriedade atua como fonte de imposição de comportamentos positivos" (GRAU, 2002). Nesse sentido:

> À propriedade dotada de função individual respeita o art. 5º, XXII, do texto constitucional; de outra parte a 'propriedade que atenderá a sua função social', a que faz alusão o inciso seguinte – XXIII – só pode ser aquela que exceda o padrão qualificador da propriedade como dotada de função individual. À propriedade-função social, que diretamente importa à ordem econômica – respeita o princípio inscrito no art. 170, III. No mais, quanto à inclusão do princípio da garantia da propriedade privada dos bens de produção entre os princípios da ordem econômica, tem o condão de não apenas afetá-los pela função social – conúbio entre os incisos II e III do art. 170 –, mas, além disso, de subordinar o exercício em instrumento para a realização do fim de assegurar a todos existência digna (GRAU, 2002, p. 243).

A dificuldade de se estabelecer o alcance constitucional da função social da propriedade repercute, diretamente, sobre a ampliação dos direitos subjetivos. Em face da constitucionalização dos direitos civis, o direito de propriedade propriamente caracterizado nas normas civilistas relativizou seu caráter absoluto e exclusivo. Daí, a necessidade de se perceber que a propriedade individual deve ser adequada ao meio social, pois se trata de uma relação jurídica complexa que envolve a liberdade individual de aquisição, o direito ao poder de adquirir em termos de igualdade e o direito de acesso à propriedade.

> Quando se fala de direito à propriedade, podem-se ter em vista três realidades distintas. Em primeiro lugar, a liberdade individual de aquisição; depois o direito ao poder de adquirir propriedade, enquanto instituição jurídica; finalmente, o direito de acesso à propriedade, isto é, o direito de não ser excluído dos recursos materiais existenciais numa comunidade. Dessas três realidades, apenas a segunda integra, nos termos apontados, a garantia constitucional da propriedade entendida como direito fundamental. Diversamente, a tutela constitucional da liberdade em geral de aquisição não revela a garantia constitucional da propriedade, mas de outros princípios constitucionais, como a liberdade de escolha de profissão e a liberdade de iniciativa privada. Por seu turno, o direito de acesso à propriedade é também objeto de proteção de outros princípios constitucionais, designadamente os relativos à igualdade e à dignidade humana (BRITO, 2007, p. 945).

No âmbito de incidência da constitucionalização dos direitos fundamentais civis, o Estado deve assegurar o direito individual ao poder de adquirir propriedade, enquanto instituição jurídica. Esse poder de adquirir propriedade revela-se como uma garantia constitucional do direito fundamental à propriedade adequada. Nesse sentido, o texto constitucional referente à função social da propriedade deve ser compreendido em sintonia com o pensamento de ampliação dos direitos subjetivos.

> A racionalidade da ponderação e da proporcionalidade reside sim na aplicação da interpretação racional como forma de fundamentação de cada etapa do procedimento, de forma que a subjetividade extremada da qual decorre a arbitrariedade não encontrará carga argumentativa para sustentar a decisão, caracterizando a sua irracionalidade e afastando a sua legitimidade. Diferentemente da decisão ponderativa construída com base na interpretação racional, que encontra na argumentação jurídica as razões e os argumentos racionais e coerentes capazes que convencer sobre a importância de cada uma das parciais e principalmente da decisão final, criando assim um juízo de plausibilidade, aceitabilidade e legitimidade jurídica, ou seja, de racionalidade e legitimidade para o resultado da ponderação, a decisão meramente subjetivista não encontra argumentos racionais capazes de sustentá-la e aferir legitimidade à aplicação, sendo facilmente afastada do ordenamento (MATIELO, 2007, p. 111).

Os preceitos constitucionais que se vinculam ao regime jurídico da propriedade e sua garantia permeiam-se da função social. Conforme Monteiro (2003, p. 92), a Constituição Federal positiva e garante o direito de propriedade. "Contudo, em seguida, impõe a subordinação da propriedade à sua função social, expressão de conteúdo vago, mas que, genericamente, pode ser interpretada como a subordinação do direito individual ao interesse coletivo" (MONTEIRO, 2003, p. 92).

Porém, discorda-se de Monteiro (2003), para assegurar que a ampliação dos direitos subjetivos está diretamente relacionada à dimensão subjetivo-individual do direito de propriedade e revela que a função social não é uma expressão de conteúdo vago: a função social da propriedade é o conteúdo que vincula o proprietário com os direitos que decorrem da propriedade, localizando-os no contexto da relação que se estabelece entre o público (macro) e o privado (micro), em busca de desenvolvimento social e econômico com a garantia da dignidade humana.

> A dimensão subjetivo-individual do direito de propriedade pretende assegurar ao titular dos bens o exercício das faculdades inerentes ao direito de propriedade, ou seja, usar, gozar, dispor e reaver, concedendo ao proprietário o direito de exercer as prerrogativas inerentes à propriedade, de forma plena, de acordo com a conformação estipulada pela legislação ou, ao contrário, na impossibilidade de exercê-las, ter ao seu alcance as garantias processuais e patrimoniais para garantir o exercício de suas prerrogativas ou, em caso extremo, a garantia da justa indenização (RODRIGUES, 2008, p. 223).

A ampliação dos direitos subjetivos encontra nos postulados da publicização dos direitos fundamentais civis a viabilidade de uma delimitação conceitual sobre a propriedade adequada à função social. A dimensão subjetivo-individual do direito de propriedade assegura ao titular da propriedade as possibilidades de exercer as prerrogativas institucionais da propriedade (usar, gozar, dispor e reaver), mas esse exercício deverá ocorrer, de modo adequado, dentro da função social da propriedade de valorização do trabalho humano na livre iniciativa, apto a garantir o desenvolvimento nacional.

Luiz Edson Fachin (2006, p. 285) avalia que a vida social e a estrutura da sociedade, o modo de produção de articulação dos objetos do desejo individual ou coletivo não estão apartados do regime jurídico-patrimonial. A guarida a essa esfera patrimonial básica acentua a consideração de valores que denotam interesses sociais incidentes sobre as titularidades. Tais valores recaem, ainda que de modo diverso, sobre a propriedade. "Não se trata de voltar a reconhecer que o trabalho justifica o patrimônio. Trata-se, isso sim, de ressaltar que a titularidade das coisas não pode ser um fim em si mesmo".

> A ausência de patrimônio não permite, nem de longe, inferir a invalidade dos postulados aqui sustentados em favor da pessoa. A falta de objeto patrimonial não pode (nem deve jamais) acarretar o não comparecimento da pessoa ao estatuto de sujeito. Não há pecúnia nem patrimônio. A constatação daquela ausência é, por si só, ainda que paradoxalmente, o atestado de uma presença, coerente com uma concepção aberta do fenômeno jurídico (FACHIN, 2006, p. 290).

Nessa linha de raciocínio, Eliana Calmon (2015) considera que a função social da propriedade privada é exigida para a garantia do direito outorgado constitucionalmente ao proprietário. Isso implica em uma série de ônus para o seu titular, desde as restrições de exercício, até a proibição de uso exclusivo. Essas restrições refletem para a exigência de um aproveitamento racional e eficiente, com a adequada utilização dos recursos naturais e a preservação do meio ambiente. Nessa perspectiva, só se garante a propriedade que cumpra função social. O direito de propriedade privada, no Brasil, é, substancialmente, diferente do que era previsto anteriormente, sendo que se retira a garantia constitucional e, com ela, a proteção estatal, se a propriedade não for adequada, ou seja, se não cumprir a função social.

A análise da Função Social da Propriedade, no contexto da Ampliação dos Direitos Subjetivos, conforme Marco Aurélio Bezerra de Melo (2009, p. 86), confirma que "a função social da propriedade privada tornou-se uma exigência da vida em sociedade", pois da mesma forma que é importante a defesa dos direitos individuais dos titulares da propriedade, é fundamental que se exija do proprietário a observância das potencialidades econômicas e sociais dos bens que deverão ser revertidos em benefícios à sociedade.

4.3 A jurisprudência do Supremo Tribunal Federal sobre o Direito de Propriedade Privada no âmbito das relações constitucionais econômicas

A análise da jurisprudência do Supremo Tribunal Federal parte do pressuposto de que a interpretação jurídica tem como requisito a necessidade da integração das normas que derivam de situações de fato problemáticas, quanto à compreensão do sentido e alcance do texto da norma constitucional. A teoria de Karl Larenz (1997) sobre a metodologia do direito aponta que a análise da jurisprudência é uma abordagem necessária para a percepção do quadro evolutivo jurídico, aliando a teoria à prática.

No que diz respeito à interpretação constitucional, verifica-se que a importância da identificação do plano ético-moral que exerça influência no Direito é uma das características da visão pós-positivista. A coexistência, em uma Constituição, de normas que exsurgem, originalmente, do campo ético-moral a par de outras que o fazem do campo jurídico é tarefa prévia à discussão da existência de normas-princípio e normas-regra. Nesse sentido, Rubens Beçak (2007) argumenta que apenas uma exegese extensiva, que não prescinda dessa constatação, inclusive com a possibilidade de aplicação da ponderação de interesses às normas principiológicas, poderá possibilitar um real primado constitucional.

Neste sentido, quando o intérprete da lei se vê diante de conceitos jurídicos que implicam em mais de um sentido (polissemia), verifica-se que há uma espécie de conflito de normas que, potencialmente, regulam a mesma situação fática, mas atingindo resultados totalmente contrários. A crítica que se faz à jurisprudência do Supremo Tribunal Federal brasileiro sobre o direito de propriedade privada leva em consideração os aspectos metodológicos de investigação da jurisprudência, uma vez que a interpretação "[...] é uma actividade de mediação, pela qual o intérprete traz à compreensão o sentido de um texto que se lhe torna problemático" (LARENZ, 1997, p. 439).

> Interpretação (*Auslegung*) é, se nos ativermos ao sentido das palavras, desentranhamento, difusão e exposição do sentido disposto no texto, mas, de certo modo, ainda oculto. Mediante a interpretação faz-se falar esse sentido, quer dizer, ele é enunciado com outras palavras, expressado de modo mais claro e preciso, e tornado comunicável (LARENZ, 1997, p. 441).

Ao se analisar a jurisprudência do Supremo Tribunal Federal (STF) sobre os direitos e garantias fundamentais, em especial sobre o direito fundamental à propriedade, observa-se que essa questão é enfrentada sob o aspecto da dignidade humana, em correlação com a ordem econômica. Cabe a ressalva dos fundamentos do texto constitucional para a ordem econômica na valorização do trabalho humano e na livre iniciativa. Pela leitura do artigo 170, da Constituição brasileira de 1988, verifica-se que o objetivo é assegurar a todos uma existência digna, conforme os ditames da justiça social.

Nesse sentido, a intervenção estatal na economia, mediante regulamentação e regulação de setores econômicos, faz-se com respeito aos princípios e fundamentos da Ordem Econômica. O princípio da livre iniciativa é fundamento da República e da Ordem econômica, não se devendo estimular empecilhos ao livre exercício da atividade econômica, com desrespeito ao princípio da livre iniciativa (RE 422.941, Rel. Min. Carlos Velloso, julgamento em 5/12/2005, Segunda Turma, DJ de 24/3/2006. No mesmo sentido: AI 683.098 - AgR, Rel. Min. Ellen Gracie, julgamento em 1º/6/2010, Segunda Turma, DJE de 25/6/2010).

Paralelamente, o citado tribunal vem, reiteradamente, decidindo que "o direito de propriedade não se revela absoluto. Está relativizado pela Carta da República – arts. 5º, XXII, XXIII e XXIV, e 184" (MS 25.284, Rel. Min. Marco Aurélio, julgamento em 17/6/2010, Plenário, DJE de 13/8/2010). Desse modo, tem-se o caso concreto de que a restrição ao direito de construir, advinda da limitação administrativa, "[...] causa aniquilamento da propriedade privada, resulta, em favor do proprietário, o direito à indenização". Todavia, o Supremo entende que "[...] o direito de edificar é relativo, dado que condicionado à função social da propriedade". Essa linha de posicionamento argumenta que, se as restrições decorrentes da limitação administrativa preexistiam à aquisição do bem imóvel, assim já do conhecimento dos adquirentes, não podem estes, com base em tais restrições, pedir indenização ao Poder Público (RE 140.436, Rel. Min. Carlos Velloso, julgamento em 25/5/1999, Segunda Turma, DJ de 6/8/1999. No mesmo sentido: AI 526.272, AgR, Rel. Min. Ellen Gracie, julgamento em 1º/2/2011, Segunda Turma, DJE de 22/2/2011).

No que se refere à função social da propriedade no âmbito das relações constitucionais econômicas, o Supremo Tribunal tem posicionamento firmado no sentido de que "[...] o direito do proprietário à percepção de justa e adequada indenização, reconhecida no diploma legal impugnado, afasta a alegada violação ao art. 5º, XXII, da CF, bem como ao ato jurídico perfeito e ao direito adquirido" (ADI 3.112, Rel. Min. Ricardo Lewandowski, julgamento em 2/5/2007, Plenário, DJ de 26/10/2007).

Esse entendimento, inclusive, foi reafirmado em ação direta de inconstitucionalidade, no sentido de que a propriedade privada no âmago da ordem econômica sinaliza que "[...] a Constituição de 1988 define opção por um sistema no qual joga um papel primordial a livre iniciativa". Essa "[...] circunstância não legitima, no entanto, a assertiva de que o Estado só intervirá na economia em situações excepcionais". O Supremo firmou entendimento de que a Constituição enuncia diretrizes, programas e fins a serem realizados pelo Estado e pela sociedade. "[...] Postula um plano de ação global normativo para o Estado e para a sociedade". (ADI 1.950, Rel. Min. Eros Grau, julgamento em 3/11/2005, Plenário, DJ de 2/6/2006. No mesmo sentido: ADI 3.512, julgamento em 15/2/2006, Plenário, DJ de 23/6/2006).

Da análise dos citados julgados, observa-se que a defesa da livre concorrência é imperativo de ordem constitucional (art. 170, IV), que deve harmonizar-se com o princípio da livre iniciativa (art. 170, *caput*), no âmbito do direito fundamental à propriedade privada. O princípio da livre iniciativa é uma cláusula geral, cujo conteúdo se preenche pela perspectiva que define a liberdade de iniciativa não como uma liberdade anárquica, porém social e que, consequentemente, pode ser limitada.

Por oportuno, cabe analisar os argumentos que fundamentam o tratamento dado pelo STF à matéria, ainda que sob o aspecto dos direitos e garantias fundamentais. O Supremo tem entendimento de que a alegação de ofensa à garantia sobre o direito à propriedade privada de bem imóvel impõe, para efeito de seu reconhecimento, a análise "[...] pertinente à regência normativa do direito de propriedade, o que poderá caracterizar, quando muito, situação de ofensa reflexa ao texto da Constituição, suficiente, por si só, para descaracterizar o próprio cabimento do apelo extremo" (AI 338.090, AgR, Rel. Min. Celso de Mello, julgamento em 12/3/2002, Segunda Turma, DJ de 12/4/2002).

No entendimento consolidado do STF, o direito à propriedade privada sobre bem imóvel é relativo, "dado que condicionado à função social da propriedade" (RE 178.836, Rel. Min. Carlos Velloso, julgamento em 8/6/1999, Segunda Turma, DJ de 20/8/1999). Nesse sentido, a Corte Constitucional entende que a própria Constituição, "[...] ao impor ao Poder Público dever de fazer respeitar a integridade do patrimônio ambiental, não o inibe, quando necessária a intervenção estatal na esfera dominial privada" (MS 22.164, Rel. Min. Celso de Mello, julgamento em 30/10/1995, Plenário, DJ de 17/11/1995). Desse modo, um dos instrumentos de realização da função social da propriedade consiste, precisamente, na submissão do domínio à necessidade de o seu titular utilizar, adequadamente, os recursos naturais disponíveis no âmago do desenvolvimento nacional.

Com isso, a Suprema Corte reafirma sua posição, no sentido de a possibilidade de intervenção do Estado no domínio econômico, e em especial no âmbito da propriedade privada sobre bem imóvel, não exonerar o Poder Público do dever jurídico de respeitar os postulados que emergem do ordenamento constitucional brasileiro, em relação ao direito fundamental da propriedade privada. Assim:

> Razões de Estado – que muitas vezes configuram fundamentos políticos destinados a justificar, pragmaticamente, *ex parte principis*, a inaceitável adoção de medidas de caráter normativo – não podem ser invocadas para viabilizar o descumprimento da própria Constituição (RE 205.193, Rel. Min. Celso de Mello, julgamento em 25/2/1997, Primeira Turma, DJ de 6/6/1997).

É relevante ressaltar que a jurisprudência do STF desenvolve o entendimento de limitação à propriedade pública, em respeito à própria propriedade privada. Nesse sentido:

> A circunstância de o Estado dispor de competência para criar reservas florestais não lhe confere, só por si – considerando-se os princípios que tutelam, em nosso sistema normativo, o direito de propriedade –, a prerrogativa de subtrair-se ao pagamento de indenização compensatória ao particular, quando a atividade pública, decorrente do exercício de atribuições em tema de direito florestal, impedir ou afetar a válida exploração econômica do imóvel por seu proprietário (RE 134.297, Rel. Min. Celso de Mello, julgamento em 13/6/1995, Primeira Turma, DJ de 22/9/1995).

O Supremo Tribunal Federal brasileiro, enquanto guardião da Constituição, tem o dever precípuo de assegurar o direito fundamental à propriedade privada no âmbito das relações constitucionais econômicas. Desse modo, uma sociedade estruturada em bases democráticas, não pode ser implementada pelo uso arbitrário da força na prática de atos ilícitos de violação ao direito de propriedade:

> ainda que se cuide de imóveis alegadamente improdutivos, notadamente porque a CF – ao amparar o proprietário com a cláusula de garantia do direito de propriedade (CF, art. 5º, XXII) – proclama que 'ninguém será privado de seus bens, sem o devido processo legal' (art. 5º, LIV) (ADI 2.213 - MC, Rel. Min. Celso de Mello, julgamento em 4/4/2002, Plenário, DJ de 23/4/2004).

No prisma da ponderação de interesses, a propriedade adequada se apresenta como manifestação dos direitos fundamentais civis, necessários para o desenvolvimento social e econômico de um indivíduo e de um país, no âmbito do Estado Democrático de Direito.

A ampliação dos direitos subjetivos ocasiona a necessidade de se analisar a propriedade na perspectiva da adequação, pois a propriedade é, em si, relação jurídica complexa e dinâmica. O conteúdo jurídico da propriedade mostra-se como a adequação aos fins sociais e econômicos, o que possibilita o alcance da função social da propriedade.

ANÁLISE ECONÔMICA DA PROPRIEDADE PRIVADA IMÓVEL NO ÂMBITO DO CRESCIMENTO ECONÔMICO: as perspectivas do registro de imóveis

Este capítulo objetiva examinar criticamente as implicações econômicas que se relacionam com a perspectiva constitucional da propriedade privada imóvel. Tem como delimitação temporal e espacial a concepção jurídica de propriedade privada, no ordenamento brasileiro, nas décadas iniciais do século XXI, analisando a função econômica do Registro de Imóveis no Brasil no âmbito das relações constitucionais privadas. Examina a atividade econômica, em sentido amplo, como gênero que possibilita a análise econômica do direito à propriedade privada imóvel, para se aliar o crescimento econômico com o desenvolvimento humano nas esferas local, regional e global.

> A vigília atual consiste em impedir que o desenvolvimento econômico se limite à especulação financeira e à concentração de renda. Para aliar o desenvolvimento humano com o econômico nas esferas local e global, essencial será a presença constante de instituições sociais, de população interativa e bem informada e do Estado responsável e coerente com os interesses nacionais (POMPEU, 2014, p. 42).

A análise do capítulo leva em consideração que a Constituição Brasileira de 1988 é plural. Muitas vezes, a atividade econômica e o seu titular, o empresário (ou empreendedor), terá que fazer investimentos para cumprir metas e objetivos das políticas públicas (nas vertentes do consumidor, do meio ambiente, da regulação estatal, por exemplo), mesmo que isto lhe traga custos maiores de transação. O capítulo procurará responder a um dos desafios do século XXI que se relaciona diretamente com a propriedade no viés econômico: é possível assegurar o cumprimento da função social da propriedade privada sem impor ao empreendedor custos maiores? Quais os limites e abusos regulatórios no que se refere aos contornos da propriedade na esfera do público e do privado?

As limitações constitucionais ao exercício do direito de propriedade formulam uma noção jurídica de propriedade privada, mas também uma noção econômica, sendo que o conceito e a análise da propriedade também devem observar os aspectos da economia política. Cumpre mencionar que as relações constitucionais econômicas transcendem à mera análise econômica do direito de propriedade privada, sendo esta uma perspectiva de análise sobre a influência da Economia, nos negócios jurídicos do Estado no âmbito das relações constitucionais privadas. O direito fundamental à propriedade privada na esfera das relações constitucionais econômicas analisa as possibilidades de crescimento econômico com desenvolvimento humano, como mecanismo da dimensão que a economia política opera sobre o direito constitucional.

Os estudos em torno do Estado Constitucional e da Economia correlacionam os conceitos de direito e economia política com as próprias Teorias do Estado. O constitucionalismo se relaciona com as relações constitucionais econômicas, sendo que legitima a intervenção estatal na Ordem Econômica e disciplina seus princípios norteadores, bem como as maneiras pelas quais a interferência estatal deverá se materializar (artigo 170 e seguintes da CF/88). A intervenção do Estado, no mercado, somente se justifica com fundamentação jurídica para efetivar a observância dos princípios norteadores da Ordem Econômica (artigo 170, CF/88), bem como os objetivos fundamentais da República (artigo terceiro, CF/88).

Cumpre esclarecer que a Ordem Econômica Constitucional permeia-se pelas discussões em torno dos significados que o liberalismo assume no Estado Democrático de Direito. O liberalismo é uma doutrina político-econômica que surgiu na Europa, na Idade Moderna, como "substrato ideológico às revoluções antiabsolutistas que ocorreram na Europa (Inglaterra e França, basicamente) ao longo dos séculos XVII e XVIII, e à luta pela independência dos Estados Unidos", que correspondia aos anseios de poder econômico da burguesia, poder este que se consolidava ante uma aristocracia em decadência. O liberalismo defendia (a) ampla liberdade individual; (b) democracia representativa, com separação e independência entre os três poderes; (c) direito inalienável à propriedade; e (d) "a livre iniciativa e a concorrência como princípios básicos capazes de harmonizar os interesses individuais e coletivos e gerar o progresso social" (SANDRONI, 1999, p. 347).

No âmbito político, como fundamento das relações sociais, o liberalismo coloca o direito de o indivíduo seguir sua própria determinação, dentro dos limites impostos pelas normas definidas. Defende as liberdades individuais frente ao poder do Estado e prevê oportunidades iguais para todos. No âmbito da economia, essa doutrina defende a não intervenção do Estado, por acreditar na dinâmica da lei da oferta e da procura, que estabelece o equilíbrio.

O principal representante do liberalismo clássico é o escocês Adam Smith (1996), com seu estudo sobre a natureza e as causas da riqueza das nações. A corrente clássica se baseava na Lei de Say (1983), segundo a qual toda oferta gera uma demanda e, assim, tudo que é produzido é consumido, não havendo crises econômicas. Para a corrente clássica, conforme Sandroni

(1999, p. 212), trata-se de linha de pensamento econômico que vai da publicação do livro *A Riqueza das Nações,* de Adam Smith, em 1776, aos *Princípios de Economia Política,* de John Stuart Mill, de 1848, e é marcada pela obra de David Ricardo, *Princípios de Economia Política e Tributação,* de 1817. Fundada por Smith e Ricardo, a escola clássica desenvolveu-se nos escritos de Malthus, Stuart Mill, McCulloch, Senior e do francês Jean-Baptiste Say.

Foi com os representantes da escola clássica que a economia adquiriu caráter científico integral, quando passou a centralizar a abordagem teórica na questão do valor, cuja única fonte original era identificada no trabalho em geral. Além da teoria do valor-trabalho, do uso do método dedutivo, do materialismo e da preocupação em simplificar e generalizar as proposições econômicas e de certa visão de conjunto da evolução econômica, "a escola clássica baseou-se nos preceitos filosóficos do liberalismo e do individualismo e firmou os princípios da livre concorrência, que exerceram decisiva influência no pensamento revolucionário burguês" (SANDRONI, 1999, p. 212). Conforme os clássicos, o mercado se autorregularia por uma mão invisível, conforme os princípios do *laissez-faire* (deixar fazer).

> Segundo o princípio do *laissez-faire*, não há lugar para a ação econômica do Estado, que deve apenas garantir a livre concorrência entre as empresas e o direito à propriedade privada, quando esta for ameaçada por convulsões sociais. O pensamento econômico liberal constitui-se, a partir do século XVIII, no processo da Revolução Industrial, com autores como François Quesnay, estruturando-se como doutrina definitiva nos trabalhos de John Stuart Mill, Adam Smith, David Ricardo, Thomas Malthus, J.B. Say e F. Bastiat. Eles consideravam que a economia, tal como a natureza física, é regida por leis universais e imutáveis, cabendo ao indivíduo apenas descobri-las para melhor atuar segundo os mecanismos dessa ordem natural. Só assim poderia o *homo economicus,* livre do Estado e da pressão de grupos sociais, realizar sua tendência natural de alcançar o máximo de lucro com o mínimo de esforço. Os princípios do *laissez-faire* aplicados ao comércio internacional levaram à política do livre-cambismo, que condenava as práticas mercantilistas, as barreiras alfandegárias e protecionistas. A defesa do livre-cambismo foi uma iniciativa fundamentalmente da Inglaterra, a nação mais industrializada da época, ansiosa por colocar seus produtos em todos os mercados europeus e coloniais. Com o desenvolvimento da economia capitalista e a formação dos monopólios no final do século XIX, os princípios do liberalismo econômico foram cada vez mais entrando em contradição com a nova realidade econômica, baseada na concentração da renda e da propriedade. Essa defasagem acentuou-se com as crises cíclicas do

> capitalismo, sobretudo a partir da Primeira Guerra Mundial, quando o Estado se tornou um dos principais agentes orientadores das economias nacionais (SANDRONI, 1999, p. 347).

Existem várias teorias sobre o crescimento econômico, as quais se utilizam da acumulação de capital para medir o crescimento de um país pelo produto interno bruto (PIB), embora divergindo quanto à distribuição do produto e não fazendo diferença entre os termos crescimento e desenvolvimento (correntes clássica, neoclássica, keynesiana, entre outras recentes), que têm o PIB tradicionalmente utilizado para medir o crescimento de um país, o qual também é utilizado para comparações entre países e para classificá-los em países desenvolvidos, em desenvolvimento e subdesenvolvidos.

Antes de discorrer sobre essas correntes, cumpre diferenciar crescimento econômico de desenvolvimento econômico. Para Nali de Jesus de Souza (2008, p. 5), os modelos econômicos que utilizam uma redução simplificada da realidade colocam todos os países em uma mesma problemática: "A ideia é de que o crescimento econômico, distribuindo diretamente a renda entre os proprietários dos fatores de produção, engendra automaticamente a melhoria dos padrões de vida e o desenvolvimento econômico" (SOUZA, 2008, p. 5). O autor esclarece que o desenvolvimento econômico não deve ser confundido com crescimento econômico, porque, como a experiência tem demonstrado, "os frutos dessa expansão nem sempre beneficiam a economia como um todo e o conjunto da população", pois, mesmo que a economia esteja crescendo a taxas elevadas, o desemprego pode não estar diminuindo com a rapidez necessária, uma vez que existe a tendência contemporânea à robotização e informatização do processo produtivo, podendo também ocorrer outros efeitos perversos, como transferência de renda para outros países, por exemplo.

Pode-se inferir que o conceito de desenvolvimento econômico remete ao de desenvolvimento humano, o qual é utilizado pelo Programa das Nações Unidas para o Desenvolvimento (PNUD), como base do Índice de Desenvolvimento Humano (IDH) e do Relatório de Desenvolvimento Humano (RDH), este último idealizado, em 1990, pelo economista paquistanês Mahbub ul Haq e realizado com a colaboração de Amartya Sen, baseado no conceito de que a verdadeira riqueza das nações são as pessoas. Assim, o conceito desenvolvimento humano, conforme o PNUD (2015, n.p.),

> [...] nasceu definido como um processo de ampliação das escolhas das pessoas para que elas tenham capacidades e oportunidades para serem aquilo que desejam ser.

> Diferentemente da perspectiva do crescimento econômico, que vê o bem-estar de uma sociedade apenas pelos recursos ou pela renda que ela pode gerar, a abordagem de desenvolvimento humano procura olhar diretamente para as pessoas, suas oportunidades e capacidades. A renda é importante, mas como um dos meios do desenvolvimento e não como seu fim. É uma mudança de perspectiva: com o desenvolvimento humano, o foco é transferido do crescimento econômico, ou da renda, para o ser humano.
> O conceito de Desenvolvimento Humano também parte do pressuposto de que para aferir o avanço na qualidade de vida de uma população é preciso ir além do viés puramente econômico e considerar outras características sociais, culturais e políticas que influenciam a qualidade da vida humana [...].

No pensamento econômico clássico, segundo Adam Smith (1996), a acumulação de capital é fundamental para o crescimento da riqueza, o qual é alavancado pela poupança (ou não consumo). O progresso econômico depende do autointeresse, da divisão do trabalho e da liberdade de comércio; e o mercado se autorregula (mão invisível). O Estado seria responsável pela defesa da nação, pela garantia à livre-concorrência e pela proteção da propriedade privada. Interessante situar a condição humana neste pensamento, para perceber que as relações de troca, mesmo nesse contexto, envolvem algo mais que a atividade econômica em si.

> O simples fato de que Adam Smith tenha precisado de uma "mão invisível" a guiar as transações econômicas no mercado de trocas mostra claramente que as relações de troca envolvem algo mais que a mera atividade econômica, e que o "homem econômico", ao fazer seu aparecimento no mercado, é um ser atuante e não exclusivamente um produtor ou um negociante e mercador (ARENDT, 2014, p. 230).

Para John Locke (2002), considerado o pai do liberalismo político, o Estado, ou a sociedade civil (que surgiu de um pacto social, de confiança – *trust*), seria necessário para proteger e garantir os direitos naturais, entre eles, a propriedade privada, a qual Locke concebe como sendo anterior ao Estado, por ser um direito fundamentado pelo trabalho, que é próprio do homem.

A corrente econômica neoclássica, que predominou entre 1870 e a Primeira Guerra Mundial, rompeu com a teoria do valor-trabalho dos clássicos e introduziu o conceito de utilidade marginal do investimento (utilidade de cada bem e sua capacidade de satisfazer as necessidades humanas), relacionado ao rendimento decrescente. Assim, associa o investimento à capacidade empresarial (SANDRONI, 1999).

Com a corrente econômica neoclássica, o crescimento passou a ser sinônimo de saber investir. Cumpre destacar que os estudos da presente tese detectaram como representantes dessa corrente de pensamento econômico Carl Menger, William Jevons, Léon Walras, Alfred Marshall, Eungen von Böhm-Bawerk, Vilfredo Paretto, John Bates Clark e Irving Fischer.

> [O] mecanismo da concorrência (ou a interação da oferta e da demanda), explicado a partir de um critério psicológico (maximização do lucro pelos produtores e da utilidade pelos consumidores), [seria] a força reguladora da atividade econômica, capaz de estabelecer o equilíbrio entre a produção e o consumo. A análise da escola neoclássica caracteriza-se fundamentalmente por ser microeconômica, baseada no comportamento dos indivíduos e nas condições de um equilíbrio estático, estudando os grandes agregados econômicos a partir desse ponto de vista e com o uso da matemática. Tem como postulados a concorrência perfeita e a inexistência de crises econômicas, admitidas apenas como acidentes ou consequências de erros (SANDRONI, 1999, p. 217).

As análises econômicas clássica e neoclássica realizavam-se com o objetivo de retorno do capital, com foco na oferta (produção). No que mais se assemelham é quanto ao papel atribuído por ambas ao Estado – considerado este o agente garantidor da livre-concorrência e da proteção à propriedade privada.

No século XX, no contexto do pós-crise de 1929-1933, nos Estados Unidos, que se espalhou mundialmente, o economista britânico John Maynard Keynes, com "A teoria geral do emprego, do juro e da moeda", redefiniu, em 1936, os pressupostos da economia clássica, mudou o foco das análises para o lado da demanda (consumo), aceitou o monopólio e a intervenção do Estado na economia por meio de investimentos públicos e parcerias.

A concentração da renda e da riqueza seria disfuncional e prejudicial ao crescimento econômico e ao próprio desempenho do capitalismo. Em sua "Teoria geral", Keynes (1996) defendeu os investimentos públicos e a redução da taxa de juros para incentivar os investimentos privados bem como a livre-iniciativa e a importância da propriedade privada para uma sociedade mais justa e eficiente. Sua análise centrou-se na abordagem macroeconômica do pleno emprego, nos fatores do crescimento do investimento e nos seus impactos sobre a renda e o emprego. Entre outras coisas, redefiniu o conceito de demanda efetiva e incluiu o conceito de expectativas (do investidor), fundamental na decisão de investir.

É consenso que a teoria de Keynes, que não faz distinção entre clássico e neoclássico, inspirou as políticas de desenvolvimento econômico (do *welfare state* ou estado de bem-estar social) até meados da década de 1970, quando se buscava, na Europa, promover o pleno emprego por meio de relação público-privada, mediante políticas expansionistas monetárias e fiscais. No decorrer dos anos 1970, com a crise fiscal nos países desenvolvidos, esse modelo de Estado entrou em declínio e, no início dos anos 1980, passaram a ser executadas pelos governos de Margareth Thatcher, na Inglaterra, e Ronald Reagan, nos Estados Unidos, políticas (neoliberais) de liberalização, privatização, desregulamentação e reorganização de conquistas sociais e democráticas. E, posteriormente, na América Latina, que seguia as recomendações do Consenso de Washington.

No Brasil, até a década de 1980, vigorava o modelo de industrialização, mediante a substituição de importações (buscando produzir mais internamente do que importar), sendo que a CF/88 (artigos 172 e 177) impunha algumas restrições ao capital estrangeiro no País. No entanto, visando à abertura ao exterior, na década de 1990, houve uma mudança no modelo de desenvolvimento do País com a desregulamentação na economia, mediante emendas constitucionais que procuravam conferir eficiência à Administração Pública, bem como a reforma do aparelho do Estado, em 1995, com a elaboração e implementação do Plano Diretor da Reforma do Aparelho do Estado (BRASIL, 1995), que estabeleceu as bases e parâmetros para um Estado regulador e promotor do desenvolvimento.

O referido Plano Diretor, conforme Luiz Carlos Bresser-Pereira (1997), um de seus elaboradores, implicou em delimitação do tamanho do Estado, desregulamentação, recuperação da governança e aumento da governabilidade (respectivamente, privatização, publicização e terceirização); intervenção no funcionamento do mercado; superação da crise fiscal e da burocracia; redefinição das formas de intervenção econômico-social; e legitimidade e adequação das instituições políticas, para intermediar interesses.

Com relação às formas de propriedades, o referido Plano, considerando que "no setor de produção de bens e serviços para o mercado a eficiência é também o princípio administrativo básico e a administração gerencial, a mais indicada", estabeleceu que "em termos de propriedade, dada a possibilidade de coordenação via mercado, a propriedade privada é a regra" (BRASIL, 1995, p. 44).

O direito de propriedade também está relacionado às liberdades econômicas. Quanto mais liberdade econômica, mais se tem níveis elevados de crescimento econômico e de desenvolvimento humano e níveis mais baixos de desemprego (MELNIK, 2009).

A propriedade privada encontra-se entre os dez componentes de liberdade do Índice de Liberdade Econômica (da *Heritage Foundation*, em parceria com o *Wall Street Journal*), referentes ao Estado Democrático de Direito (direito de propriedade e combate à corrupção), bem como limitações de governo (liberdade fiscal e diminuição do *tamanho* do governo), eficiência regulatória (liberdade empresarial, liberdade trabalhista e liberdade monetária) e abertura de mercados (livre-comércio, liberdade de investimento e liberdade financeira). Países com parâmetro elevado de liberdade econômica superam os demais em crescimento econômico, renda *per capita*, assistência médica, educação, proteção ambiental, redução da pobreza e bem-estar geral (MILKER; KIM; HOLMES, 2014).

Interessante observar que, na classificação dos países no Índice de Liberdade Econômica do ano de 2014 (MILKER; KIM; HOLMES, 2014), entre os 178 países classificados, os 10 primeiros são Hong Kong, Cingapura, Austrália, Suíça, Nova Zelândia, Canadá, Chile, Maurício, Irlanda e Dinamarca, nesta ordem. O Brasil se encontra na 114ª posição. No Índice de Liberdade Econômica, o fator direito de propriedade

> [...] mede o grau das leis de um determinado país que protegem a propriedade privada e o nível em que o governo deste faz valer essas leis. Também avalia a probabilidade de a propriedade privada ser desapropriada e, também, analisada; a independência do poder judiciário; a existência de corrupção dentro deste poder; e a capacidade de indivíduos e empresas respeitarem contratos. Mensura, o país mais correto para com a proteção legal da propriedade e tabula uma pontuação; contudo, quanto maior forem as chances de expropriação de um governo sobre o direito de propriedade, mais baixa será a posição desse país no índice [...] (MELNIK, 2009, p. 13).

A Análise Econômica do Direito (AED), conforme a *Stanford Encyclopedia of Philosophy* (SEP), é a aplicação de métodos econômicos (da microeconomia, em especial) a regras e instituições jurídicas (SEP, 2015). Para analisar sua eficiência, a AED vale-se das ciências jurídica, econômica e política.

Uinie Caminha e Juliana Cardoso Lima (2014) defendem que quando um país tem um regime jurídico forte e respeitado, sua economia tende a crescer. Direito e Economia são duas ciências que não devem se manter reservadas uma em relação à outra. As autoras verificam, assim, a importância dos estudos sobre a Análise Econômica do Direito.

O Direito parte de uma perspectiva objetiva, no sentido de regular o comportamento humano, a ordem jurídica econômica. A Economia está relacionada à tomada de decisões, quanto a alocar recursos limitados (escassos) para satisfazer as ilimitadas necessidades humanas, utilizando-se de modelos microeconômicos para a formação dos preços de mercado que satisfaçam a produtores e consumidores. A Ciência Política refere-se à política (aos sistemas políticos, às organizações políticas e aos processos políticos), tendo por objeto de estudo o Estado e/ou o poder, e, nessa linha, a Economia Política – segmento da Economia que tangencia a Ciência Política – engloba a área social, as ideologias e os institutos referentes à ordem política de uma sociedade, dando estrutura ao aparato social, e exerce influência sobre as atividades econômicas, conforme o regime e a estrutura do Estado (proteção à livre-concorrência, crédito, preço, moeda, câmbio, salários, distribuição de renda, entre outros).

A microeconomia surgiu no início da década de 1930, no contexto da Grande Depressão, quando a ciência econômica dividiu-se em dois ramos: um que estuda os grandes agregados econômicos, como a produção, o consumo e a renda do conjunto da população - a macroeconomia; e outro que se preocupa com as ações econômicas somente de indivíduos e empresas – a microeconomia. Esta estuda o funcionamento dos mercados, ou seja, o comportamento das unidades de consumo (indivíduos e famílias), unidades de produção (empresas) e formação de preços de bens e serviços e de fatores de produção (matéria-prima, equipamentos, aluguéis, salários, lucro etc.). Analisa como consumidores e produtores interagem, no mercado, e decidem preços e quantidades que satisfaçam, simultaneamente, a ambos, visando à maximização do bem-estar, ocupando-se da forma como as unidades individuais da economia (consumidores privados, trabalhadores, latifundiários, empresas comerciais, produtores de bens ou serviços particulares e outros) agem e reagem umas sobre as outras (SANDRONI, 1999; PINDYCK; RUBINFELD, 2002; KRUGMAN; WELLS, 2008).

Para analisar a formação de preços em determinado mercado, a microeconomia se utiliza de modelos estatísticos e econométricos, para analisar: a) a demanda individual (baseada no valor-utilidade) e a demanda de mercado; b) a oferta individual (teoria da produção e teoria dos custos de produção) e a oferta de mercado; c) as estruturas de mercado de bens e serviços (concorrência perfeita, concorrência monopolítica, monopólio, oligopólio) e as estruturas de mercado de fatores de produção (concorrência perfeita, monopsônio e oligopsônio); d) as falhas de mercado (externalidades, bens públicos e informações assimétricas); e, e) o equilíbrio geral e o bem-estar (teoria do equílbrio geral e o Ótimo de Pareto) (PINDYCK; RUBINFELD, 2002).

Conforme Varian (2010, p. 18, tradução nossa), o conceito de eficiência de Pareto pode ser utilizado para avaliar diferentes formas de alocar recursos. Em seu livro "*Intermediate microeconomics*", Varian (2010) elabora um modelo simplificado no mercado de apartamentos em uma cidade universitária. Une teoria e prática da microeconomia e, assim, argumenta que sempre que se trata de explicar o comportamento humano, faz-se necessário ter um modelo no qual basear a análise. Em economia, em geral se utiliza um modelo que se baseia no princípio da otimização (segundo o qual os indivíduos escolhem a melhor pauta de consumo que está ao seu alcance) e no princípio do equilíbrio (os preços se ajustam até o ponto em que a quantidade demandada de algo pelos indivíduos é igual à quantidade ofertada).

Ressalte-se que, em termos de análise econômica, o equilíbro é uma condição hipotética do mercado na qual a oferta é igual à procura. O termo equilíbrio expressa a estabilidade do sistema de forças que atuam na circulação e troca de mercadorias e títulos na atividade econômica. "O equilíbrio geral supõe a análise de todas as variáveis relevantes para o problema em estudo – por exemplo, produção e preços de todos os setores industriais – e foi estudado por Walras" (SANDRONI, 1999, p. 209). Assim:

> Situação em que os recursos de uma economia são alocados de tal maneira que nenhuma reordenação diferente possa melhorar a situação de qualquer pessoa (ou agente econômico) sem piorar a situação de qualquer outra. O conceito [de equilíbrio] foi introduzido por Vilfredo Pareto (1848-1923), e a Economia do Bem-Estar em grande medida estuda as condições nas quais um Ótimo de Pareto possa ser alcançado (SANDRONI, 1999, p. 437).

Semelhantemente à análise microeconômica, na Análise Econômica do Direito (AED) há a possibilidade de prever racionalmente o comportamento humano durante certas situações do domínio do Direito. A AED surgiu nos Estados Unidos, tendo como artigos seminais os de Ronald Coase (1960) e Guido Calabresi (1961), mas o pensamento econômico já havia sido trazido para o estudo do Direito nas décadas de 1910 e 1920 por outros autores. A AED deriva de várias tradições diferentes da economia (SEP, 2010, tradução nossa).

Fernando Araújo (2008), em sua obra "A tragédia dos baldios e dos antibaldios: O problema econômico do nível ótimo de apropriação", argumenta que, com efeito, se deve sobretudo a Ronald Coase a ideia de que a propriedade privada serve "como baliza para a negociação reafectuadora de recursos, ou, na impossibilidade dessa negociação, como fronteira para a definição de prerrogativas de uso coletivo, centrando a análise subsequente nestas áreas em situações bipolares de disputa" (ARAÚJO, 2008, p. 15).

A análise econômica leva em consideração que, muitas vezes, o titular jurídico da atividade econômica, o empresário (empreendedor) ou empresa, terá que fazer investimentos para cumprir metas e objetivos das políticas públicas, mesmo que isso lhe traga custos maiores de transação. Custos de transação são os custos de "negociar, redigir e garantir o cumprimento de um contrato", quando os agentes recorrem ao mercado, para eliminar assimetrias de informações (FIANI, 2002, p. 269). Trata-se de:

> Conceito relacionado com os custos necessários para a realização de contratos de compra e venda de fatores num mercado composto por agentes formalmente independentes. Esses custos são comparados com aqueles necessários à internalização dessas atividades no âmbito da própria empresa e constituem um critério importante na tomada de decisão nas empresas modernas (SANDRONI, 1999, p. 153).

As limitações constitucionais ao exercício do direito de propriedade formulam uma noção jurídica de propriedade privada, mas também uma noção econômica, sendo que o conceito e a análise da propriedade também devem observar os aspectos da economia política. Cumpre mencionar que as relações constitucionais econômicas transcendem à mera análise econômica do direito de propriedade privada, sendo uma perspectiva de análise sobre a influência da Economia nos negócios jurídicos. O direito fundamental à propriedade privada no âmbito das relações constitucionais privadas analisa as possibilidades de crescimento econômico com desenvolvimento humano como mecanismo da dimensão que a economia opera sobre o direito constitucional.

No que se refere à Ordem Econômica, José Afonso da Silva (2003) argumenta que consiste na racionalização jurídica da vida econômica com o fim de se garantir o desenvolvimento sustentável da Nação. Nesse sentido, André Ramos Tavares (2003) entende que a Ordem Econômica compreende o conjunto de normas e instituições jurídicas que visam a disciplinar as relações oriundas do exercício da atividade econômica bem como a orientar a produção dos diversos ramos do direito que se envolvem no ciclo econômico.

Cabe esclarecer que, em economia, conforme Sandroni (1999), ciclo econômico é o período de expansão e contração de toda a atividade econômica de determinado país ou conjunto de países, que se constitui de um período de expansão econômica, seguido de recessão, de depressão e de recuperação econômica. O ciclo de longo prazo (ciclo de Kondratieff) é marcado por 60 anos de ascenção ou declínio da economia mundial. O ciclo de médio prazo (ciclo de Juglar) dura de 6 a 10 anos e o ciclo de curto prazo ou ciclo de estoque (ciclo de Kitchin), em média, 40 dias. O termo ciclo econômico também é utilizado para designar os períodos de predomínio de determinados produtos coloniais de exportação (ouro, açúcar, café) (SANDRONI, 1999).

Por outra vertente, Eros Roberto Grau (2002) inferiu duplo sentido à expressão Ordem Econômica, ora entendendo-a numa visão subjetiva como ser, ou seja, como conjunto de relações econômicas constitucionais. E ora, objetivamente, como dever ser, o que representa o conjunto de normas jurídicas disciplinadoras dessas relações.

A Análise Econômica do Direito oferece um enfoque para a propriedade privada imóvel no contexto da teoria microeconômica. A análise econômica é muito mais viva do que uma visão unificada da lei. Isso está em contraste com uma perspectiva isolada do direito em que a propriedade imóvel separa-se completamente, da sua própria lógica. O desenvolvimento da Análise Econômica do Direito incorporou novas teorias econômicas nas análises juridicas, como a Teoria dos Jogos, a Teoria do Equilíbrio, a Economia Comportamental e a utilização dos métodos estatísticos e dos métodos econométricos.

Importante salientar que, conforme Sandroni (1999), a Teoria dos Jogos é a aplicação da lógica matemática aos jogos e, analogamente, à economia, aos negócios jurídicos e à política para analisar os resultados das tomadas de decisões estratégicas dos envolvidos, em que cada jogador leva em consideração as possíveis estratégias do(s) outro(s). Quando envolvem duas pessoas ou empresas, uma das partes perde exatamente o que a outra parte ganha (soma zero); seria o caso, por esemplo, de uma empresa de oligopólio definir uma estratégia de produção para analisar como essa decisão afetaria as estratégias (decisões) de produção de todas as outras empresas. Quando mais de dois paticipantes estão envolvidas, o jogo pode se reduzir a dois participantes, quando influenciado por coalizões (acordos), e, neste caso, o que se ganha não é necessariamente o que a outra parte perde; seria o caso de algumas grandes empresas objetivando eliminar pequenos concorrentes do mercado, que passariam a exercer poder de cartel (SANDRONI, 1999).

O objetivo da análise econômica é indicar, para o direito, qual deve ser a abordagem econômica para que o problema seja solucionado com o menor custo possível, preocupando-se "com a intervenção da economia no Estado" (JANSEN, 2003, p. 141). Jansen (2003), ao se referir à obra "Teoria dos jogos e da economia comportamental", de Johannes von Neumann e Oscar Morgenstern (1944), comunga com a ideia de que, em economia, a terminologia "teoria do equilíbrio" pode ser teoria do equilíbrio parcial, teoria do equilíbrio geral, equilíbrio dominante, ou do equilíbrio de Nash (esta relacionada à teoria dos jogos).

Contextualmente, nas peculiaridades brasileiras, Leonardo Vizeu Figueiredo (2014) estabelece diferenciação entre Direito Econômico e Análise Econômica do Direito. Para o autor, o uso da expressão Análise Econômica do Direito, refere-se, comumente, à aplicação de métodos da microeconomia a questões jurídicas. Assim, a Análise Econômica do Direito traduz-se no emprego dos instrumentais teóricos e empíricos econômicos e de ciências afins, para expandir a compreensão e o alcance do direito, aperfeiçoando o desenvolvimento, a aplicação e a avaliação de normas jurídicas, principalmente, com relação às suas consequências.

Em outra vertente, o Direito Econômico se interessa pelos fenômenos macroeconômicos, focando seu estudo nas relações jurídicas oriundas da intervenção do Estado no controle e na condução da utilização racional dos fatores de produção por parte de seus detentores. O Direito Econômico visa, com a condução da política econômica, a alcançar e realizar os interesses coletivos e transindividuais que o Estado objetiva. Letácio Jansen (2003, p. 141) destaca que o Direito Econômico trata "[...] da intervenção do Estado no domínio econômico (ou, mais do que isso, da própria direção da Economia pelo Direito), a Análise Econômica do Direito estaria preocupada, inversamente, com a intervenção da economia no Estado".

> Observe-se que os fenômenos microeconômicos, dado o seu caráter individualista, caracterizam-se pela bilateralidade das relações obrigacionais assumidas, sendo disciplinadas, juridicamente, por outros ramos, mormente oriundos do Direito Privado. As normas de Direito Econômico têm por fito o direcionamento da macroeconomia, por meio de um ordenamento jurídico peculiar, que visa a direcionar a economia, tendo por base os fenômenos econômicos concretos, ocorridos no plano fático (FIGUEIREDO, 2014, p. 57).

Nessa perspectiva, a Análise Econômica do Direito representa a aplicação do instrumental analítico e empírico da Economia, em especial da microeconomia e da economia do bem-estar social, baseada esta no Ótimo (ou eficiência) de Pareto. Seu objetivo é compreender, explicar e prever as implicações fáticas das relações jurídicas que se estabelecem bem como a lógica (racionalidade) do próprio ordenamento jurídico, de forma que se trabalhem melhor as noções de previsibilidade e segurança jurídica.

As críticas relativas à Análise Econômica do Direito levam em consideração que a análise comparativa da lei, que é central para a contextualidade de análise crítica da lei como um modelo de estudos jurídicos, reflete a distinção entre contextualidade interna e externa, no sentido mais restrito.

Porém, a Análise Econômica do Direito não atinge isso. Tradicionalmente, a análise comparativa tem sido pensada apenas como um meio de comparar as normas legais de um sistema com o de outro (comparação de *intersystemic*). Markus D. Dubber (2012) considera que a nova análise comparativa, no entanto, também explora a diversidade de normas legais dentro de um parâmetro jurídico local.

Essa linha de raciocínio considera que a contextualização dos estudos jurídicos implica sua globalização sem, no entanto, negligenciar a importância de mais contextos locais. A análise crítica da lei persegue contextualização, em todos os níveis e em todos os aspectos de estudos jurídicos, dentro e entre as disciplinas, dentro e entre países, sistemas e ordenamentos jurídicos.

A propósito, Markus D. Dubber (2012) argumenta que a análise econômica crítica do direito representa modelo contextual de estudos jurídicos, disciplinar e interdisciplinar, interno e externo, doméstico e global, doutrinais e teóricos, descritivos e normativos. Dessa forma, a análise econômica crítica do direito reflete a tensão entre facticidade e normatividade inerentes – mas não exclusivas – à lei. Possibilita e incentiva as explorações diversificadas, imprevisíveis, arriscadas e, ocasionalmente, emocionantes e esclarecedoras no ponto de contato, e talvez até mesmo conflito entre os referenciais analíticos.

Nessa perspectiva, a análise econômica crítica do direito atua com contextualidade em estudos jurídicos. Assim, assemelha-se e difere-se de contextualidade em outras disciplinas. Os objetivos analíticos e métodos são os mesmos que em outros lugares; a lei, no entanto, não é apenas fato, mas também a norma, e estudos jurídicos não são meramente analíticos, mas críticos. A análise crítica investiga não apenas o funcionamento de uma ordem jurídica para melhor compreendê-lo ou até mesmo melhorá-lo. Interroga a legitimidade de uma ordem jurídica, testa seu alcance normativo, não apenas o seu funcionamento. Assim, os estudos jurídicos, com base em Dubber (2012), não representam apenas uma ciência social ou um "*Geisteswissenschaft*", mas também uma sistemática normativa.

A estrutura da propriedade privada imóvel marca-se pela simbiose entre a norma jurídica e o *status* econômico, devido à existência de uma correlação entre titularidade e função social. A análise dessa correlação identifica quem suporta o ônus da propriedade privada e analisa, criticamente, se quem suporta o ônus é o próprio titular do direito de propriedade ou se é outra pessoa. Como exemplo, tem-se a discussão sobre o imposto predial territorial urbano (IPTU), que incide sobre a propriedade privada imóvel urbana, cabendo a definição do ônus ao seu titular ou ao locatário.

O modelo clássico do direito de propriedade privada, quando trouxe a análise econômica da propriedade imóvel, repercutiu na tendência de considerar que a flexibilidade e o relaxamento do absolutismo proprietário é uma *conditio sine qua non* para o desenvolvimento do direito de propriedade, em uma época caracterizada pela integração econômica regional e global, com uma resultante osmose entre direito de propriedade local, regional, nacional e global. Neste sentido, Sjef van Erp (2009) considera que o direito à propriedade privada imóvel lida com a aquisição e distribuição de riqueza (bens) em uma sociedade.

Como a riqueza só pode ser criada, se o quadro jurídico vigente, que regula a sua aquisição e distribuição, prever estabilidade e segurança, o direito à propriedade privada sob bem imóvel incide sobre as relações de longa duração. Sjef van Erp (2009) assinala que essa é uma das principais distinções estruturais entre o direito de propriedade e o direito das obrigações, especialmente o direito contratual. As relações contratuais são mais, frequentemente, de curta duração, embora, naturalmente, algumas relações contratuais e acordos em particular complexos, tais como projetos de construção grandes, frequentemente, possam ser de natureza de longo prazo.

5.1 A relação entre o Estado constitucional e a Economia no sistema capitalista

O Estado define-se, de modo sintético, como a organização política de uma nação. Classicamente, o Estado possui como elementos constitutivos: povo, território e soberania (governo soberano). A noção em torno do Estado perpassa uma perspectiva interdisciplinar. O presente estudo faz seu recorte teórico, de modo contextual; filia-se à construção teórica ocidental da Teoria Contratualista e analisa as implicações das concepções de Estado nas políticas públicas. Um dos desafios, ao mencionar alguns teóricos, é perceber que se deve enquadrá-los em seu momento histórico e nas situações vivenciadas de sua realidade para, assim, poder se chegar a uma concepção de Estado que contemple as décadas iniciais deste século XXI.

Pela Teoria Contratualista, o Estado encontra-se associado a um acordo de vontades. A sociedade representa um contrato hipotético celebrado entre os homens, o que forma um verdadeiro pacto contratualista. A Teoria Contratualista desenvolveu-se com Rousseau (1971), com a perspectiva da análise do instante da formação do agrupamento humano "mais complexo", denominado estado de sociedade; porém, a construção teórica de um entendimento ocidental de Estado e sociedade perpassa as teses defendidas por diversos teóricos, e a formulação do Estado, evidenciado no início deste século XXI, perpassa a discussão teórica sobre estado de natureza e estado de sociedade.

O estado de natureza explica a situação pré-social, na qual os indivíduos vivem isoladamente. Nesse momento, duas formulações teóricas clássicas se destacam: a tese de Hobbes (1971), no século XVII, e a tese de Rousseau (1987), no século XVIII. A tese proposta por Hobbes defende que, quando se tem um estado de natureza, os indivíduos vivem isolados e lutam permanente, sendo que a guerra de todos contra todos é o que se verifica. Os homens formularam as armas (seu material bélico) e delimitaram as terras que ocupavam e conquistavam, para se protegerem uns dos outros.

Jean-Jacques Rousseau (1971) defende que, quando se tem um estado de natureza, os homens vivem isolados entre as florestas e sobrevivem com o que a natureza oferta, na figura de um bom selvagem inocente. Essa figura representa a felicidade original do homem, mas que termina, quando um outro homem delimita uma propriedade e anuncia: Isto é meu! A propriedade privada se origina da divisão entre o meu e o teu, da guerra de todos contra todos, sendo que essa zona de tensão é que possibilita o surgimento do estado de sociedade.

Rousseau (1971, p. 96) considera que "a soberania não pode ser representada, pela mesma razão que não pode ser alienada; ela consiste essencialmente na vontade geral, e a vontade de modo algum se representa; ou é a mesma ou é outra; não há nisso meio termo". Naquela realidade histórica, em que se manifestava, Rousseau (1971, p. 96) enfatizou que "o povo inglês pensa ser livre, mas está completamente iludido; apenas o é durante a eleição dos membros do Parlamento; tão logo estejam estes eleitos, é de novo escravo, não é nada".

No âmbito das relações que se estabelecem, entre os particulares, acontece a violência física legítima. Max Weber (2005) considera que a violência física legítima no monopólio do Estado foi um mecanismo necessário para a própria existência do Estado Moderno. Nesse contexto, fala-se de Estado de Direito, quando a atividade estatal utiliza a lei para que o Estado garanta o seu monopólio e também se submeta às leis que cria.

O Estado de Direito foi um produto da teoria racionalista e da teoria iluminista. Nos séculos XVII e XVIII, foram elaboradas as bases modernas do pensamento liberal e constitucional. As formulações sobre a teoria racionalista são fruto do antitradicionalismo renascentista e do que se denomina laicização da cultura. Já as formulações teóricas sobre a teoria iluminista representam as projeções e as ampliações das "[...] conotações do racionalismo", para torná-las "acessíveis e militantes, pedagógicas e revolucionárias" (SALDANHA, 2000, p. 41).

Nesse contexto histórico, o Estado se reestruturava e buscava uma ordem política esclarecedora com identificação das novas noções de nacionalidade e de povo; daí a formulação do contratualismo, um elo entre política e direito. A ideia de lei era revista e reestudada como uma essência do Estado de Direito e a lei adquiria prestígio crescente, tanto na ordem ética de compromisso dos particulares com o Estado, como na ordem que os próprios particulares estabeleciam entre si.

> [...] Das revoluções burguesas sairão o constitucionalismo e o movimento das codificações, fenômenos sem dúvida complementares e correlatos, mas irredutivelmente distintos. Um problema, aqui, seria o de perguntar se a preponderância, com o iluminismo e com o liberalismo burguês, coube ao direito público ou ao direito privado. D'Amélio, levando em conta as implicações políticas da concepção das fontes cultivadas nos setecentos, vê no período iluminasta um tempo de 'vocação publicística'. Groethuysen, porém, relacionou a nova concepção do direito a um símbolo, o proprietário, situado no âmago do sistema e amparado pelos novos princípios, fundados a um tempo no jusnaturalismo e no direito romano (SALDANHA, 2000, p. 43).

Conforme Becker (2010), o Estado, em sua origem, é sempre uma sociedade natural. A causa originária da sociedade política está na natureza humana racional dos indivíduos que a constituem. Esta causa natural é uma tendência ou inclinação instintiva, porém ainda insuficiente para, por si mesma, coagir os homens a constituírem uma sociedade. É necessário que essa inclinação instintiva atue pela ação e esta – embora instintiva – dependa da vontade dos homens, pois estes são animais sociais racionais.

O Estado liberal possibilitou a exploração individual da terra com o objetivo de progresso econômico. Fez-se necessário a inclusão de garantias aptas a resolverem a complexidade social do direito de propriedade liberal. O individualismo do liberalismo representa a inserção da propriedade no rol dos direitos fundamentais, sendo que se começa a encarar o proprietário como uma pessoa (como indivíduo) e não mais como mero meio de produção. No Estado liberal, a exploração da propriedade privada imóvel executava-se sem maiores preocupações com os seus impactos puramente humanos, uma vez que a exploração da terra tinha como primordial diretiva o crescimento econômico.

Ivan Ramon Chemeris (2003, p. 26) analisa que o modelo econômico do liberalismo se relaciona com a ideia dos direitos econômicos e de propriedade, individualismo econômico ou sistema de livre-empresa ou capitalismo. Os pilares desse modelo têm sido a propriedade privada e uma economia de mercado livre de controles estatais. "A mais alta exteriorização da personalidade do indivíduo no Estado Liberal é o gozo pacífico e absoluto da propriedade. A propriedade era sinônimo de realização e liberdade".

No sentido liberal, a propriedade privada imóvel representava direito individual e absoluto dos titulares da propriedade, mas tinha-se noção da função que ela possuía. A propriedade era a mais nítida demonstração do poderio econômico da burguesia. A sociedade liberal expressava o liberalismo econômico, através das garantias dos direitos individuais, como o direito de propriedade.

Luiz Ernani Bonesso de Araújo (1998, p. 22) analisa o acesso à terra no Estado Democrático de Direito e argumenta que foram as revoluções burguesas que propiciaram a emergência do Estado Liberal, cuja preocupação maior era dar àqueles que controlavam a economia (os burgueses) ampla liberdade de exercerem suas atividades, sem estarem ameaçados por qualquer outro poder. "Os liberais pregavam o respeito aos direitos individuais, mas, quanto ao mercado, este deveria regular-se por si só".

Ressalte-se, porém, que, conforme as ponderações de Nagib Slaibi Filho (2006, p. 314), o liberalismo puro só foi possível até o século XIX. A partir do século XX, as pressões sociais e econômicas, a Revolução Industrial, a urbanização, o desenvolvimento das comunicações e da atividade terciária exigiram novos serviços públicos além daqueles já clássicos. O Estado passou a intervir cada vez mais na ordem econômica e social, a normatizar o conteúdo das relações entre os fatores sociais de produção; houve a regulamentação das relações de trabalho e a própria utilização do capital, como forma de expropriar os meios de produção a suplementar a iniciativa privada e a monopolizar setores da economia.

O século XX vivenciou uma valorização da Constituição, como a base jurídica dos Estados democráticos e como um instrumento político capaz de contemplar os direitos fundamentais da pessoa. A referida valorização reforçou-se com a Declaração Universal dos Direitos Humanos, da Organização das Nações Unidas, de 1948, que positivou que "todos os homens nascem livres e iguais em dignidade e direitos. São dotados de razão e consciência e devem agir em relação uns aos outros com espírito de fraternidade" (artigo primeiro). Os Pactos Internacionais de Direitos Humanos, de 1966, bem como a Declaração e Programa de Ação de Viena, em 1933, contribuíram para a reafirmação da natureza universal dos direitos humanos e liberdades civis a serem consagradas em um texto constitucional.

Luigi Ferrajoli (2004) ressalta a valorização da Constituição no século XX e seus impactos para o século XXI, como materialização dos direitos fundamentais e como limites à legislação positiva; e analisa que o constitucionalismo representa um novo paradigma para o Direito e que o prestígio da Constituição foi fruto de uma profunda mudança no modelo do positivismo clássico, cujo postulado era o princípio da legalidade formal, que prezava a onipresença do legislador. Desse modo, "[...] a validade da lei não apenas será aferida pela observância ao seu processo formal de elaboração, mas, principalmente, pelo respeito aos princípios e aos direitos estabelecidos na Constituição" (FERRAJOLI, 2004, p. 65-66, tradução própria).

Dalmo de Abreu Dallari (2010, p. 352) argumenta que "[...] a Constituição deve consagrar, com o mesmo valor e em normas dotadas da mesma eficácia jurídica, os direitos civis e políticos e os direitos econômicos, sociais e culturais". A partir do momento em que a Constituição consagra os direitos civis e políticos e os direitos econômicos, sociais e culturais, apresenta-se também como um elemento jurídico valorativo para o Estado e para a tomada de decisões no que se refere às políticas públicas. Assim:

> [...] como complemento necessário da afirmação dos direitos, a Constituição deve estabelecer obrigações para os poderes públicos, que devem não só respeitar integralmente os direitos de todos, mas atuar efetivamente, destinando recursos, desenvolvendo programas e adotando todas as medidas necessárias para dar efetividade aos direitos constantes da Constituição (DALLARI, 2010, p. 352).

Guido Calabresi e Douglas Malamed (1972) avaliam que o Estado intervém não só para determinar quem é inicialmente titularizado em um direito, mas também para determinar a compensação que deve ser paga, se o direito é levado ou destruído; também para proibir a sua venda em algumas ou em todas as circunstâncias. Regras de inalienabilidade, assim, são bastante diferentes das regras de propriedade e responsabilidade. Ao contrário destas últimas, as regras de inalienabilidade não somente protegem o direito; também podem ser vistas como limitando ou regulando a concessão do direito em si. Deve ficar claro que, a maioria dos direitos para a maioria dos bens se permeiam e se interrelacionam. Assim, mostra-se viável explorar duas questões principais: a) em que circunstâncias se deve conceder um direito específico; e, b) em que circunstâncias se deve decidir proteger esse direito, usando uma regra de propriedade, responsabilidade ou inalienabilidade.

Guido Calabresi e Douglas Malamed (1972) argumentam que as regras de propriedade envolvem uma decisão coletiva sobre a necessidade de dar um direito inicial, mas não sobre quanto é o valor do direito. Sempre que alguém pode destruir o direito inicial, se está disposto a pagar um valor objetivamente determinado, o direito é protegido por uma regra de responsabilidade. Esse valor a ser pago pode ser o que se pensa ser o valor transacionado pelo titular originário do direito para sua satisfação, e uma reclamação do titular sobre o valor exigido a mais de nada se aproveitará quando já estiver ajustado o valor objetivamente determinado.

Obviamente, as regras de responsabilidade envolvem uma fase adicional de intervenção do Estado: não só são direitos protegidos, mas sua transferência ou destruição é permitida com base em um valor determinado por algum regulamento do Estado, em vez das próprias partes. Um direito é inalienável na medida em que sua transferência não é permitida entre titulares dispostos a transacionarem entre si.

Guido Calabresi e Douglas Malamed (1972) discutem que a eficiência administrativa pode ser relevante para selecionar os direitos, quando outros motivos são levados em conta. Isso pode ocorrer, quando as razões da aceitação são indiferentes entre direitos conflitantes e quando um direito é mais barato de impor que outros; mas a eficiência administrativa é apenas um aspecto do conceito mais amplo de eficiência econômica.

A eficiência econômica na AED pede que se escolha o conjunto de direitos que levaria a essa alocação de recursos que não poderia ser melhorada, no sentido de que uma mudança mais não iria melhorar a condição daqueles que ganharam. Por isso, eles poderiam compensar aqueles que perderam e a situação ficar ainda melhor que antes.

Nesse contexto, o Estado se mostra como um ser social, pensado, constitucionalmente, no âmbito das relações constitucionais econômicas. Conforme Becker (2010), ao investigar a embriogenia, o Estado, em sua origem, é sempre uma sociedade natural. A causa originária da sociedade política se encontra na natureza humana racional dos indivíduos que a constituem. Essa causa natural é uma tendência ou inclinação instintiva, porém ainda insuficiente para, por si mesma, coagir os homens a constituírem uma sociedade. Mostra-se necessário que essa inclinação instintiva atue pela ação, sendo que a ação depende da vontade dos homens como manifestação de sua racionalidade.

A natureza leva os homens a criarem a sociedade política, mas é a vontade dos homens que realiza essa criação. O criador do Estado (ser social) é o indivíduo humano. Esse ser social (Estado), uma vez criado, não subsiste *per si*, independente de seus criadores; porém, é um ser social cuja criação é continuada. O Estado não é algo que está e sim algo que começou e continua em uma perpétua reafirmação de sua própria unidade. Esse ser social (Estado) criado pelos indivíduos humanos tem uma existência real e inconfundível com a dos indivíduos e é dotado de personalidade própria. Essa personalidade é de natureza social e não se confunde com a personalidade jurídica (BECKER, 2010).

A personalidade jurídica é a personalidade natural que obteve reconhecimento pelo sistema jurídico. Ao ser reconhecida pelo Direito Positivo, a personalidade natural transfigura-se em personalidade jurídica. O problema que Becker (2010) expõe é que o direito positivo é obra construída pelo Estado e que, para haver personalidade jurídica do Estado, é necessário que o direito positivo a reconheça. Então, como explicar a personalidade jurídica daquele mesmo Estado que construiu o próprio direito positivo? O autor apresenta a resposta de que o Estado nasce por uma relação natural e sobrevive porque ele mesmo transfigura aquela relação natural em uma relação jurídica.

Nesse contexto, a teoria de Becker (2010) desenvolve uma análise sobre uma relação genética do Estado, composta por um ir e por um vir entre os indivíduos humanos, como se fosse uma troca de cumprimentos com transferências de boas intenções, que, uma vez efetuada, estabelece a relação constitucional desse ser social (o Estado).

> Para se poder pensar na realidade do Estado como uma relação (primeiro de natureza social e depois de natureza jurídica), deve-se ter sempre presente que o Estado (como todo e qualquer Ser Social) é de *criação continuada.* Isto é, o Estado não é um ser social que, uma vez constituído, subsiste *per se,* independente de seus criadores; mas o Estado é um ser social cuja criação é *contínua*; *é permanente; aquele IR* e *VIR gerador da relação é um movimento contínuo.* Enfim, o Estado não é algo que *'está'*, mas sim algo que 'continua', numa perpétua reafirmação de sua realidade (BECKER, 2010, p. 168, grifos do autor).

Becker (2010) demonstra que a relação social é um ir e um vir entre pessoas e, para se poder melhor pensar ou ver com os olhos do intelecto a realidade espiritual que é o ser social, deve-se imaginar uma esfera na qual os indivíduos humanos encontram-se na periferia da esfera e o bem comum exatamente no centro dela. De cada um daqueles indivíduos humanos que estão na periferia da esfera parte um ir que se dirige a todos os outros indivíduos que estão na periferia daquela esfera. Mas agora atente-se bem para a direção desse ir e como ele atingirá todos aqueles outros indivíduos: este ir parte do indivíduo que está na periferia e se dirige ao centro da esfera (que é o bem comum) e, ao atingir o seu centro, o ir se irradia desse centro em direção à periferia, beneficiando a coletividade (sentir social).

Note-se que, com referência ao indivíduo observado de modo singular, o movimento é um ir, porém, com referência a todos os demais indivíduos, este ir singular vem em sua direção e a eles se dirige; portanto, este ir singular é um vir para todos os demais indivíduos. Assim, este ir ao bem comum e este vir do bem comum liga todos os indivíduos a um, e cada um a todos os demais, o que perfaz precisamente a relação do ser social (do Estado), caracterizando-se a relação constitucional de uma sociedade humana (a relação constitucional do Estado) (BECKER, 2010).

Alfredo Becker (2010) estabelece que a conceituação do Direito Constitucional não é uma premissa dogmaticamente imposta sobre a qual se ergueriam as concepções sobre propriedade privada. O estudo da juridicização, continuidade e realização da relação constitucional do Estado-Realidade Natural mostrou que sua disciplina jurídica é obtida por intermédio da incidência de regras jurídicas que, segundo os seus diferentes efeitos jurídicos, podem ser classificadas em três naturezas distintas: regras jurídicas, administrativas e constitucionais.

Nesse contexto, a relação entre a formulação do Estado e a Constituição perpassa o campo dos sistemas econômicos adotados. Se, no âmbito das relações constitucionais econômicas, a Constituição estabelece obrigações para os poderes públicos e para os particulares, essas obrigações devem ser cumpridas. As definições em torno das relações constitucionais econômicas assumem, em geral, uma perspectiva de que são o envoltório de processos que levam em consideração diversos fatores e se mostram como fluxo de orientações públicas e atuações particulares, com o objetivo de manter o equilíbrio econômico ou de introduzir desequilíbrios destinados a modificar favoravelmente, a realidade, em prol do crescimento econômico em harmonia com o desenvolvimento humano.

Sistema econômico é a forma como o Estado organiza suas relações sociais de produção e como estrutura sua política. Representa a maneira pela qual o Estado se refere à propriedade dos fatores de produção e distribuição do produto do trabalho bem como, entre outros, a gestão da economia, os processos de circulação das mercadorias e os níveis de desenvolvimento tecnológico (SANDRONI, 1999). Nesse âmbito, dialogam as relações constitucionais econômicas permeadas pelo conjunto de princípios e técnicas que possibilitam o enquadramento dos problemas de economia no paradigma constitucional, como o problema da escassez com a alocação de recursos produtivos limitados.

Academicamente, classificaram-se dois sistemas econômicos bem definidos, que formaram dois grandes modelos, diametralmente opostos: capitalismo e socialismo. Resumidamente, capitalismo é um sistema econômico e social que se baseia na separação entre trabalhadores juridicamente livres e capitalistas; os primeiros são detentores apenas da força de trabalho, que a vendem por um salário; os segundos são os proprietários dos meios de produção, que contratam os trabalhadores para produzirem bens e serviços dirigidos para o mercado, visando a obter lucro. Socialismo é um conjunto de doutrinas e de movimentos políticos voltados para os interesses dos trabalhadores, objetivando uma sociedade sem propriedade privada dos meios de produção, visando a eliminar as diferenças entre as classes sociais e planificar a economia para que haja distribuição racional e justa da riqueza social (SANDRONI, 1999).

As décadas iniciais do século XXI revelam que as necessidades econômicas internas e as configurações da economia mundial ocasionam o surgimento de manifestações econômicas, permeadas tanto por características capitalistas quanto socialistas. Assim, "no mundo globalizado, as relações jurídico-econômicas podem assumir feições de cunho capitalista, em que pese serem oriundas de um sistema socialista, como ocorre, atualmente, na República Chinesa" (FIGUEIREDO, 2014, p. 81).

A Constituição Federal do Brasil de 1988 estabelece um sistema econômico capitalista que resguarda princípios de natureza liberal, mas ampara a atuação normativa e reguladora do Estado. As relações econômicas constitucionais fundamentam-se na livre-iniciativa e livre-concorrência, mas com respeito a diretrizes sociais que possuem os objetivos do bem-estar e da justiça-social.

A nomenclatura capitalismo decorre do fato de que se tem no elemento capital um dos principais fatores de produção, preponderante para a sustentação da atividade econômica. Leonardo Vizeu Figueiredo (2014, p. 81) argumenta que o capitalismo caracteriza-se como um sistema econômico em que as relações de produção se assentam na propriedade privada dos bens, em geral com fins lucrativos, dos fatores de produção; na ampla liberdade de iniciativa e de concorrência, bem como na livre contratação de mão de obra. "Não há consenso sobre a definição exata do capitalismo, nem como o termo deve ser utilizado como categoria analítica", porém, é unânime o papel elementar que a propriedade privada exerce nesse sistema econômico.

O Brasil adota sistema econômico capitalista em que a regra é que as questões relativas às relações constitucionais econômicas que envolvem o mercado, como aquelas sobre oferta, demanda, preço, distribuição e investimentos, não sejam tomadas pelo Estado, mas concebidas pelo mercado. Assim, em regra, os lucros são dirigidos para os proprietários que idealizam empresas e investem na atividade econômica, e os salários são pagos aos trabalhadores pelas empresas. Nesse sentido, "[...] a exploração direta de atividade econômica pelo Estado só será permitida quando necessária aos imperativos da segurança nacional ou a relevante interesse coletivo" (artigo 173, CF/88).

Nessa linha de raciocínio, compreende-se que os estudos sobre as relações constitucionais econômicas encontram-se nas explicações sobre a natureza das demandas e processos que desencadeiam a atividade econômica do Estado. Suas investigações envolvem a compreensão dos processos subsequentes que ocorrem antes e após as tomadas de decisões pelos poderes públicos, implicam implementação, execução, avaliação, monitoramento e controle. As formulações teóricas precisam explicar as interrelações de Estado, política, economia e sociedade, pois se trata de uma área abrangente que não se limita a leis e regras, envolvendo ações intencionais com objetivos a serem alcançados.

Idealizar, acompanhar e vivenciar esses estágios, com seriedade e respeito, é o maior desafio que se opera aos atores do crescimento econômico. E a legislação deve procurar efetivar um maior comprometimento desses atores com a atividade econômica, para que cada vez mais se enquadrem nos propósitos do próprio Estado Democrático de Direito.

Becker (2010) considera que a energia dinâmica (poder ou capacidade de agir) continuada dos indivíduos humanos, agrupados em volta de um bem comum, estabelece uma relação constitucional que liga todos os indivíduos a um e cada um a todos. Esta relação de ir e vir conduz um feixe de deveres convergentes (centrípetos) sobre um centro único de gravidade (bem comum) e um feixe de direitos irradiantes (centrífugos). A análise constitucional do direito de propriedade conjuga esses dois feixes num equilíbrio unificador que demonstra que a propriedade compõe uma verdadeira unidade viva das relações constitucionais econômicas.

No contexto das relações que se estabelecem entre o Estado, a Constituição e a Economia, o direito à propriedade privada imóvel deve conferir condições dignas para se atingir o crescimento econômico de modo pleno com o desenvolvimento humano, promovendo os direitos fundamentais positivados na Constituição. Não basta ao Estado reconhecê-los formalmente, deve-se buscar concretizá-los, incorporá-los ao dia a dia dos cidadãos e de seus agentes, uma vez que "A indiferença perante a exclusão social corrói os direitos econômicos, sociais e culturais, assim como o abstencionismo eleitoral corrói os direitos de participação política" (MIRANDA, 2010, p. 24).

A Constituição brasileira de 1988 prescreveu, como principal política econômica para o Brasil, uma política deliberada de desenvolvimento, na qual a tarefa do Estado seria superar o subdesenvolvimento. Para tal, analisa a relação entre política econômica e direito econômico, observando a noção de política econômica sob a perspectiva de uma aproximação desde as origens do sistema econômico capitalista e do Estado moderno. "[...] O sentido da constituição dirigente no Brasil está vinculado, na minha visão, à concepção da constituição como um projeto de construção nacional" (BERCOVICI, 2011, p. 581).

Gilberto Bercovici (2011) argumenta que a Constituição de 1988 prescreve como principal política econômica, para o Brasil, uma política deliberada de desenvolvimento, na qual a tarefa do Estado é superar o subdesenvolvimento, concluindo a "construção da Nação". Para o autor, a constituição dirigente brasileira de 1988 faz sentido enquanto projeto emancipatório, que inclui, expressamente, no texto constitucional, as tarefas que o povo brasileiro entende como absolutamente necessárias para a superação do subdesenvolvimento e para a conclusão da construção da Nação, e que não foram concluídas. Enquanto projeto nacional e como denúncia desta não realização dos anseios da soberania popular no Brasil, ainda faz muito sentido falar em constituição dirigente.

> O curioso é que são apenas os dispositivos constitucionais relativos a políticas econômicas e direitos sociais que 'engessam' a política, retirando a liberdade de atuação do legislador ou do governo. E os mesmos críticos da constituição dirigente são os grandes defensores das políticas de estabilização e de supremacia do orçamento monetário sobre as despesas sociais. Em relação à imposição, pela via da reforma constitucional e da legislação infraconstitucional, das políticas ortodoxas de ajuste fiscal e de liberalização da economia, não houve, paradoxalmente, qualquer manifestação de que se estava 'amarrando' os futuros governos a uma única política possível, sem qualquer alternativa. Ou seja, a constituição dirigente das políticas econômicas e dos direitos sociais é entendida como prejudicial aos interesses do país, causadora última das crises econômicas, do déficit público e da 'ingovernabilidade' (BERCOVICI, 2011, p. 580).

Reiterando, a principal tarefa do Estado Constitucional é superar o subdesenvolvimento. Nesse sentido, na esfera jurídica, a necessária crítica da economia política deve ser empreendida, por meio de uma análise econômica do direito, compreendida como uma economia política da forma jurídica, ou seja, como uma relação teórica dinâmica que compreenda o direito, a partir de uma análise econômica, com impactos não apenas microeconômicos, mas também macroeconômicos. Segundo Eros Roberto Grau (2002, p.179-180), ao analisar a ordem econômica, na Constituição de 1988, as relações constitucionais econômicas refletem-se para o Direito como parâmetro do todo social-perspectiva, pois, da realidade – como mediação específica e necessária das realidades econômicas. Deve-se formular o Direito Econômico com a "adoção de um modelo de interpretação essencialmente teleológica, funcional, que instrumentará toda a interpretação jurídica, no sentido de que conforma a interpretação de todo o direito". Assim, a perspectiva das relações constitucionais econômicas compreende que a realidade jurídica não se resume ao direito formal, mas com um novo sentido de análise "[...] transforma-o não em Direito de síntese, mas em sincretismo metodológico".

O tratamento jurídico que a Constituição disciplina para a condução da atividade econômica da Nação impacta, diretamente, nas relações constitucionais econômicas, sendo que legitimam os casos excepcionais, em que haverá a intervenção do Estado no domínio privado econômico. Eros Roberto Grau (2002) considera que a ordem econômica, consoante ao tratamento que lhe foi dado pelo legislador constituinte de outubro de 1988, assume duas vertentes conceituais, uma ampla e outra estrita: a) ampla: parcela da ordem de fato, inerente ao mundo do ser, isto é, ao tratamento jurídico dispensado para disciplinar as relações jurídicas decorrentes do exercício de atividades econômicas; é a regulação jurídica da intervenção do Estado na economia; b) estrita: parcela da ordem de direito inerente ao mundo do dever ser, isto é, ao tratamento jurídico dispensado para disciplinar o comportamento dos agentes econômicos no mercado; é a regulação jurídica do ciclo econômico (produção, circulação e consumo).

As relações econômicas que se estabelecem no âmago social evidenciam a necessidade de encarar as nações que compõem a América Latina e, em especial, o Brasil, como permeadas de processos econômicos em constante mudança e em relação de diálogo e de (in)dependência de referenciais e de identidades. Tal situação evidencia os impactos que a situação da economia ocasiona para a organização política de uma nação e de sua democracia. Contextualmente, uma das questões que permanecem é saber se é possível uma convergência entre os lucros da empresa e a responsabilidade social.

Em busca de resposta para esse questionamento, encontrou-se em Reich (2008), ao analisar a realidade norte-americana, um quadro negativo do atual papel que as empresas simulam no desenvolvimento ilusório de políticas públicas e na falta de responsabilidade social, vista pelas empresas apenas como ferramenta de *marketing*. O supercapitalismo descreve a responsabilidade social das empresas em sua definição comum pelo público e analisa seu significado na esfera crítica econômica na década inicial do século XXI, envolvendo as relações econômicas em um entendimento de capitalismo adulto.

> A história do capitalismo adulto mostra que o aumento do poder de compra da maioria da população (que são os trabalhadores) acompanhou sempre os períodos de crescimento econômico e de progresso

> social. Isto quer dizer que a subida dos salários reais, em resultado da luta das organizações dos trabalhadores, tem constituído, historicamente, um fator de desenvolvimento pelo menos tão importante como o desenvolvimento científico e tecnológico (e o consequente aumento da produtividade), as exportações e o investimento direto estrangeiro (NUNES, 2011, p. 37-38).

A história da economia e da democracia e sua evolução ao longo da preocupação com o crescimento econômico nos séculos XIX e XX, com a jornada rumo à busca de um desenvolvimento humano nas décadas iniciais do século XXI, ilustram os conflitos que as pessoas enfrentam em seus diferentes papéis como consumidores e investidores e, repectivamente, preocupados em manter seu padrão de consumo e de desenvolvimento; ligam-se à perspectiva do "Estado fator de conciliação, mitigador de conflitos sociais e pacificador necessário entre o trabalho e o capital" (BONAVIDES, 1980, p. 206).

As relações econômicas e as próprias mudanças na economia afetam a organização política democrática, o que faz levar em consideração a própria noção de arena pública e o encaixe das pessoas nas participações políticas. Assim, Chomsky (2002, p. 67) assinala que existe uma "arena pública" na qual, em princípio, os indivíduos podem participar das decisões que dizem respeito à sociedade em geral: a geração e a aplicação das receitas públicas, a política externa etc.. Em um mundo constituído de estados-nação, a arena pública é primordialmente governamental, em vários níveis.

A democracia funciona na medida em que os indivíduos possam ter uma participação significativa na arena pública, ao mesmo tempo em que cuidam de seus próprios assuntos, individual e coletivamente, sem intromissões ilegítimas por parte das concentrações de poder. Conforme Chomsky (2002), uma democracia que funcione pressupõe uma relativa igualdade de acesso aos recursos – materiais, informacionais e outros –, um truísmo tão velho quanto Aristóteles. Em teoria, os governos são instituídos para servirem ao seu público interno e devem se sujeitar à sua vontade. Duas boas medidas da democracia que funciona são, portanto, o grau em que a teoria se aproxima da realidade e o grau em que o público interno aproxima-se verdadeiramente da população.

O enquadramento das supercorporações na relação Estado e Economia refletem as influências do capitalismo sobre o direito, no que se refere às relações constitucionais econômicas. Robert Reich (2008) analisa o desvio da política de seus verdadeiros fins democráticos para criticar a existência continuada da responsabilidade social empresarial. O desvio da política de seus fins democráticos caracteriza o supercapitalismo e relaciona-se com o poder dos investidores e com o poder dos consumidores, tendo como referência que as grandes empresas que dominavam setores inteiros recuaram e os sindicatos trabalhistas encolheram.

> A partir da década de 1970 as grandes empresas se tornaram muito mais competitivas, globais e inovadoras. Nasceu algo que eu denomino de Supercapitalismo. Nesse processo de transformação, como consumidores e como investidores, efetuamos grandes conquistas; no entanto, como cidadãos, em busca do bem comum, perdemos terreno. As mudanças começaram quando as tecnologias desenvolvidas pelo governo para os embates da Guerra Fria se incorporaram em novos produtos e serviços. Daí surgiram oportunidades para novos concorrentes nos transportes, nas comunicações, na manufatura e nas finanças. Tudo isso provocou rupturas no sistema de produção estável e, a partir de fins da década de 1970, em ritmo cada vez mais acelerado, forçou todas as empresas a competirem mais intensamente por clientes e por investidores. O poder dos consumidores se congregou e se ampliou sob a forma de grandes varejistas de massa. O poder dos investidores também se congregou e se ampliou mediante enormes fundos de pensão e fundos de investimentos, que pressionavam as empresas a gerarem retornos cada vez mais elevados. [...] As grandes empresas que dominavam setores inteiros recuaram e os sindicatos trabalhistas encolheram (REICH, 2008, p. 5).

Esse mesmo autor analisa que "[...] no Supercapitalismo a promessa de democracia empresarial é ilusória" (Op. cit., 2008, p. 181), para possibilitar o entendimento de que as empresas não são pessoas. Elas não têm uma bússola moral e existem para seu único propósito de oferecer boas oportunidades para os consumidores como forma de maximizarem os lucros dos acionistas. Para o autor, esperar que elas façam qualquer coisa que não seja isso é acreditar numa ilusão, pois as empresas gastam milhões em relações públicas para que os consumidores passem a acreditar que elas têm personalidade (que são boas ou más e que são instituições criadas para atingirem fins públicos). Considera, no entanto, que, na prática norte-americana, as empresas estão dando passos muito pequenos, e que não vão sacrificar o retorno aos acionistas em prol de um bem social, daí ter-se a noção de reinvenção do Estado Mínimo.

> Reinventado o estado mínimo, o estado capitalista muniu-se de outras armas, para cumprir o seu papel nas condições históricas das últimas

> três ou quatro décadas. Antikeynesiano, apostou na privatização do sector público empresarial; na destruição do estado-providência; na criação das condições para a hegemonia do capital financeiro; na plena liberdade de circulação de capitais; na liberdade da indústria dos produtos financeiros, criados em profusão, sem qualquer relação com a economia real, apenas para alimentar os jogos de azar jogados nas bolsas-casinos; na independência dos bancos centrais, senhores absolutos da política monetária, posta ao serviço exclusivo da estabilidade dos preços; na desregulamentação dos mercados; na redução dos direitos dos trabalhadores, em nome de uma pretensa competitividade; na flexibilização e desumanização do Direito do Trabalho (transformado em direito das empresas ou direito dos empresários e negado na sua caraterística histórica de direito dos trabalhadores, inspirado no princípio do *favor laboratoris*) (NUNES, 2011, p. 1-2).

Paralelamente à noção de reinvento do Estado Mínimo, Robert Reich (2008) considera que o movimento do que se denomina responsabilidade social da empresa distrai as pessoas do problema real e mais difícil, que é limpar e aperfeiçoar a democracia. Para o autor, *shows* de responsabilidade corporativa levam os cidadãos a acreditarem que os problemas sociais estão sendo endereçados aos atores sociais do desenvolvimento social e crescimento econômico e que eles não precisam se preocupar em fazer com que a democracia funcione e dê respostas aos dilemas.

> Finalmente, chegarei a algumas conclusões que talvez sejam consideradas surpreendentes, entre elas: porque as iniciativas para melhorar a governança corporativa reduzem a probabilidade de que as empresas atuem com responsabilidade social; porque a promessa de democracia empresarial é ilusória; porque o imposto de renda incidente sobre as pessoas jurídicas deve ser abolido; porque as empresas não devem ter responsabilidade penal; e porque os acionistas devem ter meios para impedir que seu dinheiro seja usado pelas empresas para fins políticos, sem seu consentimento prévio (REICH, 2008, p. 7).

A noção de supercapitalismo instiga as próprias decisões dos consumidores. Se as questões e os argumentos do supercapitalismo refletem a vida em uma sociedade de consumo, não se pode apenas julgar, mas estimular critérios de escolha de consumo. Assim, o vazio deixado pelo Estado tem sido preenchido por uma mistura heterogênea de corporações internacionais, organizações não governamentais e os mais diversos tipos de organizações internacionais.

> Somente os Estados são capazes de fazer agregar e distribuir poder legítimo. Esse poder é necessário, em termos nacionais, a fazer com que as leis sejam cumpridas, e no plano internacional, a preservar a ordem mundial. Aqueles que se manifestaram a favor do 'crepúsculo da soberania' – quer sejam partidários do livre mercado, à direita, ou multilateralistas comprometidos com a esquerda – precisam explicar o que irá substituir o poder dos Estados-nação soberanos no mundo contemporâneo (FUKUYAMA, 2005, p. 156).

Nessa linha de pensamento, Fábio Konder Comparato (2001) preleciona que a vida econômica no desenvolvimento do século XXI não deve ser submetida à ilimitada acumulação do capital privado; deve-se organizar no sentido de atender às necessidades e utilidades públicas. Assim, o ideal do capitalismo financeiro, da realização de lucros sem produção de bens ou a prestação de serviços à comunidade, deve encontrar no povo e no Estado-nação opositores atentos e eficazes.

Nas peculiaridades brasileiras, Gilberto Bercovici (2006, p. 96) argumenta sobre a atualidade de Carl Schmitt para analisar que o Estado, em sua condição essencialmente política, tem a possibilidade real de determinar por sua decisão soberana quem é o inimigo e combatê-lo. Em última análise, tem a possibilidade de declarar guerra e de dispor abertamente da vida das pessoas. O objetivo do Estado é produzir dentro de seu território uma pacificação completa, pressuposto necessário para a vigência do direito; consequentemente, o Estado, como unidade política, e enquanto existir como tal, tem a capacidade de determinar por si mesmo quem é amigo e quem é inimigo.

Nesse sentido, argumenta-se que nos Estados periféricos há o convívio do decisionismo de emergência para salvaguardar os mercados com o funcionamento dos poderes constitucionais. Bercovici (2010) analisa que existe uma subordinação do Estado ao mercado, com a adaptação do direito interno às necessidades do capital financeiro, exigindo cada vez mais flexibilidade para reduzir as possibilidades de interferência da soberania popular. A razão de mercado passa a ser a nova razão de Estado.

No contexto das relações de cooperação internacional, Bercovici (2006) admoesta que a posição dos Estados Unidos em relação aos países latinoamericanos foi de renúncia à anexação direta, mas com a inclusão de seus territórios estatais no âmbito espacial americano. A soberania exterior, assim, permaneceu inalterada, porém o seu conteúdo material foi modificado para garantir os interesses econômicos norte-americanos. Dessa forma, a soberania territorial se transformou em um espaço vazio para os processos socioeconômicos.

O conteúdo social e econômico da integridade territorial não é mais reconhecido, tornando-se aquele Estado um espaço de poder econômico do Estado controlador, bem diferente do Estado soberano pleno. Então, o

> [...] estado de exceção está se espalhando por toda a parte, tendendo a coincidir com o ordenamento normal, o qual, novamente, torna tudo possível. Dessa forma, o estado de exceção está se tornando uma estrutura jurídico-política permanente com a dissolução do Estado (BERCOVICI, 2006, p. 98).

5.2 O problema do custo social na Análise Econômica do Direito (AED)

Inicialmente, cumpre destacar a AED, tendo-se como referência o direito comparado. Pode-se, para efeitos de sistematização teórica, verificar a AED sob o prisma de duas escolas: a escola norte-americana e a escola europeia.

No âmbito da academia jurídica norte-americana, a Análise Econômica do Direito se instrumentalizou como a disciplina que estuda, por meio da utilização de mecanismos inerentes à economia e às ciências afins, as formas pelas quais o direito podia otimizar seu alcance. O objetivo era a compreensão das implicações fáticas e concretas do ordenamento jurídico, sendo que o marco teórico ocorreu com Ronald Harry Coase (1960), em especial com o impacto do estudo "*The Problem of Social Cost*". Com o desenvolvimento da escola norte-americana, a disciplina denominou-se *Law and Economics*. Nesse sentido, cumpre destacar que:

> A contribuição de Ronald Coase, com sua ideia de custo de transação, modificou o elenco das incertezas, entendendo-as como elementos necessários para assegurar a finalidade e os objetivos desses contratos, fundamentados na impossibilidade de antecipar todas as circunstâncias futuras. No entanto, deixar em aberto determinadas previsões contratuais e substituir os custos de transação por decisões administrativas entre empresas são elementos próprios das relações de longo prazo ou de execução diferida visando a evitar custos transacionais desnecessários (CAMINHA; LIMA, 2014, p. 1).

No âmbito da academia jurídica europeia, não se tem propriamente o que a presente tese denomina de Análise Econômica do Direito. O direito econômico em si assumiu uma perspectiva mais autônoma. A escola francesa tem como expoente André de Laubadèrè. A escola portuguesa possui como expoentes Vital Martins Moreira (1979), Luis Solano Cabral de Moncada e Manoel Afonso Vaz. Ressalte-se que referidos pensadores lusitanos estudam o direito econômico em uma perspectiva das relações constitucionais, como o referencial teórico do direito econômico europeu, em Vital Martins Moreira (1979), no estudo "Economia e constituição: para o conceito de constituição econômica".

Na análise econômica do direito, mostra-se apropriada a perspectiva do problema do custo social. Classicamente, Ronald Coase (1960) analisou que o mercado privado podia resolver os problemas que os economistas tinham acreditado até então ser solucionáveis apenas pelo governo. Antes do teorema de Coase, as pessoas acreditavam, por exemplo, que se um fazendeiro não era responsável pelos danos que suas vacas causavam ao pisotear um campo de milho do vizinho pecuarista, então, haveria muitos danos e seria necessária a intervenção do Estado por meio de um imposto sobre a produção das vacas.

Ronald Coase (1960) demonstrou que, na ausência de custos de transação, a quantidade de dano seria a mesma se o pecuarista tivesse o direito de nenhum dano ou se o fazendeiro tivesse o direito de prejudicar. Isto se tornou a base do teorema de Coase. Mas.o autor estava mais interessado na situação oposta e argumentou que a existência de custos de transação determina o ideal das instituições e leis.

O teorema de Coase (1982) é esclarecedor, pois sugere que a responsabilidade dos direitos deve ser atribuída pelo Tribunal da forma que seria se os acordos de cooperação sempre fossem alcançados. A negociação pode superar o problema das externalidades quando o custo de transação for zero. Assim, a análise econômica do direito da perspectiva da eficiência não faz qualquer diferença se um agricultor tem o direito de não dano das vacas ou se seu vizinho fazendeiro tem o direito de suas vacas danificarem a terra do lavrador. De qualquer forma, o resultado é o mesmo. Externalidades são

> [...] efeitos das atividades de produção e consumo que não se refletem diretamente nos bens públicos [...] Há externalidades *negativas* – que ocorrem quando a ação de uma das partes impõe custos à outra – e externalidades *positivas* – que surgem quando a ação de uma das partes beneficia a outra (PINDYCK; RUBEINFELD, 2002, p. 631, grifo dos autores).

Na perspectiva da análise econômica, cumpre destacar que a eficiência refere-se à forma de se realizar uma tarefa conforme normas e padrões preestabelecidos. "No conceito de eficiência, não se examina se aquilo que foi produzido com eficiência é eficaz, isto é, se o produto ou o resultado do trabalho eficiente está adequado à finalidade proposta" (SANDRONI, 1999, p. 198).

Dialogando com esse pensamento, Robert Cooter (1982) demonstrou que a negociação inerentemente envolve comportamento estratégico, no qual, se cada lado está disposto a *trade-off*, alguma probabilidade de acordo, em troca de um maior excedente de acordo, deve ele ser feito. A possibilidade de um negócio fracassado significa que, mesmo quando os custos de transação são zero, a cessão de direitos faz diferença, desde que o *status quo* tenha uma posição privilegiada. Assim, essa perspectiva considera que o teorema de Coase não é propriamente um teorema, mas uma conjectura sobre como as pessoas irão se comportar.

Nesse sentido, Robert Cooter (1982) formulou o que denominou de teorema de Hobbes, em que a sociedade pode querer limitar os tipos de comportamento estratégico disponível às partes se eles possuem um custo alto para sua efetivação. Fernando Araújo (2008) entende que os neoinstitucionalistas definem os direitos à propriedade privada como meros pontos focais da negociação. Para o autor,

> Por seu lado, a abordagem de Robert Cooter consiste numa tentativa de formulação de uma teoria unificada acerca da afectação de recursos, sustentando que os adjudicadores devem adaptar regras que incentivem ambas as partes de uma transação a tomarem precauções capazes de minimizar os custos sociais – aquilo que Cooter designa por <<*double responsability at the margin*>>. Dessa <<perspectiva aquiliana>> (uma <<*tort perspective*>>), cada conflito de usos de um recurso escasso e disputado acaba por contribuir para a consolidação do <<*bundle of rights*>>, ou seja, para a sedimentação da imagem compósita de um agregado de fragmentos que extracontratualmente se vai definindo – *in personam*, novamente (ARAÚJO, 2008, p. 22).

O problema do custo social é de suma importância para a análise econômica do direito para verificar quais as ações que têm efeitos nocivos sobre outras ações. O exemplo padrão que Ronald Coase (1960) citou foi o de uma fábrica em que o fumo tinha efeitos prejudiciais sobre aqueles que ocupavam propriedades vizinhas. A análise econômica de tal situação prosseguiu geralmente em termos de uma divergência entre o produto da fábrica e os efeitos prejudiciais que sua produção ocasionava. As conclusões a que este tipo de análise parece ter conduzido a maioria dos economistas é que seria desejável tornar o dono da fábrica responsável pelos danos causados pela fumaça ou, alternativamente, colocar um imposto sobre o dono da fábrica, variando com a quantidade de fumaça produzida e equivalente em termos de dinheiro aos danos que causaria ou, finalmente, excluir a fábrica de bairros residenciais (e, presumivelmente, de outras áreas em que a emissão de fumaça teria efeitos nocivos sobre os outros).

A abordagem tradicional da análise econômica antes do teorema de Coase tende a obscurecer a natureza da escolha que tem que ser feita. A questão é comumente pensada como uma em que A inflige dano a B e o que tem de ser decidido é: como se deve conter A? Para Coase (1960), analisar apenas dessa forma é uma análise errada, pois, na realidade, lida-se com um problema de natureza recíproca. Para evitar o dano a B, infligir-se-ia dano a A. Assim, a verdadeira questão que teria que ser decidida era: A deve prejudicar B ou B deve prejudicar A? O problema é evitar os danos mais graves, olhando-se para o total e não meramente para a margem.

Para realizar uma transação de mercado é necessário descobrir quem é que se deseja tratar, para informar com que pessoas se deseja lidar e em que condições, para conduzir as negociações que antecederam ao negócio, para realizar a inspeção necessária a assegurar que os termos do contrato estão sendo observados, e assim por diante. Essas operações são frequentemente onerosas, mas o mercado não é o único que gera os custos. Os custos administrativos das transações dentro da empresa também podem ser altos, particularmente quando atividades muito diversificadas são mantidas sob o controle de uma única organização.

Ronald Coase (1960) apresentou como solução alternativa para os elevados custos a regulamentação do governo direto. Ao invés de instituir um sistema jurídico de direitos, que pode ser modificado pelas transações no mercado, o governo pode impor regulamentos, estabelecendo o que as pessoas devem ou não devem fazer e o que tem que ser obedecido. Assim, o governo (por estatuto ou talvez mais provável por intermédio de órgão administrativo) pode, para lidar com o problema dos custos sociais, regulamentar que determinados métodos de produção devem ou não devem ser usados (por exemplo, que devem ser instalados dispositivos impedindo a fumaça ou que carvão ou óleo não devem ser queimados) ou podem limitar certos tipos de negócio para determinados distritos (regulamentos de zoneamento).

Essa perspectiva analisa que o governo é, em certo sentido, uma empresa (mas de um tipo muito especial), uma vez que é capaz de influenciar a utilização dos fatores de produção por decisão administrativa; mas a empresa comum é submetida ao controle em suas operações por causa da competição de outras empresas, que só pode administrar as mesmas atividades a um custo menor e também porque há sempre a alternativa de transações comerciais, como contra a organização dentro da empresa, se as despesas administrativas tornarem-se demasiado grandes. O governo é capaz, se o desejar, de evitar o mercado completamente – o que uma empresa nunca pode fazer. A empresa tem que fazer acordos de mercado com os proprietários dos fatores de produção que ele usa, assim como o governo pode recrutar ou confiscar propriedades, ou decretar que fatores de produção só devem ser usados em tal e tal forma. Tais métodos autoritários podem evitar diversos problemas (para aqueles que a organização a fazer). Além disso, o governo tem à sua disposição a polícia e as outras agências da lei para certificar-se de que seus regulamentos são efetuados.

Nessa perspectiva de análise, existe um fator subsidiário, que é fazer nada sobre o problema; e dado que os custos envolvidos em resolver o problema por regulamentos emitidos pela máquina administrativa governamental muitas vezes serão pesados (particularmente se os custos são interpretados para incluir todas as consequências que se seguem de o governo engajar-se neste tipo de atividade), sem dúvida será normalmente o caso de que o ganho que veio regulamentar as ações que dão origem aos efeitos nocivos será menor do que os custos envolvidos na regulação governamental.

As soluções jurídicas para os casos concretos têm custos e não há nenhuma razão para supor que a regulamentação pelo Estado Constitucional deve ser utilizada porque o problema não é bem tratado pelo mercado ou pela empresa. A problemática da questão dos custos sociais alerta que os juristas e os economistas precisam estudar o trabalho das corretoras de reunir as partes, a eficácia das cláusulas restritivas, os problemas da empresa, o desenvolvimento imobiliário em grande escala, a operação de zoneamento do governo e outras atividades que o Estado regula.

No caso de transações de mercado sem custos, essa perspectiva de Coase (1960), sustenta que tudo o que importa é que os direitos das várias partes devem ser bem definidos e os resultados das ações judiciais fáceis de prever, mas a situação é bem diferente quando as transações de mercado são tão caras que se torne difícil mudar a disposição dos direitos estabelecidos pela lei. Em tais casos, os tribunais influenciam diretamente na atividade econômica.

Desse modo, Ronald Coase (1960) assinala que parece desejável que os tribunais devem entender as consequências econômicas de suas decisões e devem, na medida em que isso é possível sem criar muita incerteza sobre a situação jurídica em si, tomar essas consequências em conta quando de suas decisões. Mesmo quando é possível alterar a delimitação jurídica dos direitos por meio de operações no mercado, é obviamente desejável reduzir a necessidade de tais transacções e, assim, reduzir o emprego de recursos na realização deles. A discussão sobre o problema dos custos oferece um vislumbre da abordagem jurídica para o problema dos efeitos prejudiciais.

A publicação por Ronald Coase de "*The problem of social cost*", em 1960, reuniu duas poderosas correntes intelectuais: a teoria econômica das externalidades e a tradição de direito comum relacionadas a delitos e incômodo. Robert Cooter (1982) argumenta que Coase desenvolveu seu argumento por meio de uma série de exemplos concretos, mas se recusou firmemente a articular as verdades gerais subjacentes em seus exemplos.

A ideia básica do teorema de Coase é que a estrutura da lei que atribui direitos de propriedade e responsabilidade não importa desde que os custos de transação sejam nulos. A negociação irá apresentar um resultado eficiente, não importa quem carregue o fardo da responsabilidade. A estrutura da lei deve ser escolhida de modo que os custos de transação são minimizados, porque isto vai conservar recursos que serão usados no processo de negociação e também promover resultados eficientes na negociação em si.

Robert Cooter (1982) critica o teorema de Coase no sentido de que sua análise não pode ser deduzida a partir de pressupostos econômicos. A crença generalizada, ao contrário, é sintomática da confusão sobre a negociação. Essa confusão resulta em cegueira em direção a determinados resultados da política. Deve-se tentar restaurar a visão exata, explicando as relações entre a lei de responsabilidade e de negociação e os pressupostos econômicos de comportamento racional. A estratégia de cada jogador é melhor contra adversários, em média, mas não melhor contra cada oponente individual. A redução dos custos de transação da negociação geralmente não faz aumentar a probabilidade de cooperação.

O mecanismo para alcançar eficácia na ausência de mercados competitivos é a negociação. Se um jogador pressupõe racionalidade, sem custos de transação, e não há impedimentos jurídicos para a negociação, a má alocação de recursos seria totalmente sanada no mercado por meio de alternativas juridicamente não aceitas. Para avaliar essa perspectiva, Robert Cooter (1982) explica o lugar de negociação na teoria dos jogos. Um jogo de soma zero é um jogo no qual o prêmio total menos as perdas totais resultam em um valor igual a zero. Um jogo de soma zero é um jogo de pura redistribuição, porque nada é criado ou destruído. Por outro lado, um jogo de coordenação é aquele em que os jogadores têm o mesmo objetivo.

Robert Cooter (1982) considera que o teorema de Coase toma uma atitude otimista em relação à capacidade das pessoas de resolverem esse problema de distribuição. Os obstáculos à cooperação são retratados como o custo de comunicação, o tempo gasto a negociar, o custo de fazer cumprir acordos etc.. Esses obstáculos podem ser descritos como os custos de transação da negociação. Uma abordagem pessimista pressupõe que as pessoas não podem resolver o problema de distribuição, mesmo que não existam custos de negociação.

O problema de distribuição é insolúvel por jogadores racionais. Para eliminar a possibilidade de cooperação, tem-se que eliminar o problema da distribuição, ou seja, para converter o jogo de barganha em um jogo de coordenação. Robert Cooter (1982) argumenta que não faz sentido falar sobre um jogo de negociação sem um problema de distribuição. Os custos de transação, às vezes, constituem obstáculos para trocar. No entanto, há outro obstáculo de um tipo totalmente diferente: a ausência de um preço competitivo. As partes devem regatear o preço até poderem concordar sobre como distribuir os ganhos do comércio. Não há nenhuma garantia de que a busca racional do autointeresse permitirá o acordo.

O teorema de Coase identifica o problema das externalidades com o custo do processo de negociação. Já o teorema de Hobbes identifica o problema com a ausência de uma distribuição autorizada. Esses teoremas oferecem um guia para a estruturação da análise da lei no interesse da eficiência. Em situações reais enfrentadas pelos formuladores de políticas, os custos de transação são positivos.

Na ausência de custos de transação, o teorema de Coase sugere que não faria qualquer diferença se um direito fosse protegido por um direito de propriedade ou por uma regra de responsabilidade ou de que lado atuasse o direito, em primeiro lugar. Guido Calabresi e Douglas Malamed (1972) tomam a perspectiva oposta – o caso do custo de transação de alta. Primeiro, os autores mostram como os custos relativos dos mercados e tribunais determinam se uma regra de responsabilidade, direito de propriedade ou regra de inalienabilidade é usada para proteger um direito. Essencialmente, os direitos de propriedade são preferidos sobre normas de responsabilidade quando os custos de transação de mercado são baixos em comparação com os custos de transação do Tribunal; o inverso ocorre quando os custos de transação de mercado são relativamente elevados.

Calabresi e Malamed (1972) consideram as quatro combinações que surgem a partir dos direitos por dois direitos possíveis (por exemplo, o poluidor tem o direito de poluir ou o *pollutee* tem o direito de nenhuma poluição) e pelos dois primeiros meios de proteção do direito (obrigação ou direito de propriedade) e mostram porque um método é escolhido sobre os outros, mesmo que na ausência de custos de transação todos quatro produzam resultados idênticos. O papel da lei é importante porque ele mostra primeiro a simetria inerente aos vários métodos para controlar as externalidades e porque fornece uma explicação perspicaz para um dos métodos ser escolhido sobre os outros. Finalmente, demonstra-se a unidade da lei, mostrando como as mesmas considerações surgem nas áreas do direito que são ostensivamente diferentes (por exemplo, lei penal, propriedade e ato ilícito).

Robert Cooter (1982), ao formular o teorema de Hobbes, sugere que o papel da lei é minimizar a ineficiência dos resultados quando a negociação falha, restringindo as ameaças que as partes podem fazer umas contra as outras. Essa função é óbvia no direito penal, em que as ameaças de violência contra pessoas ou propriedade são punidas. Essa função no direito de propriedade é também aparente na efetivação de uma noção da função social da propriedade.

O teorema de Hobbes formulado por Robert Cooter (1982) é esclarecedor, pois sugere que os direitos legais devem ser estruturados para eliminar os resultados mais destrutivos. O comportamento estratégico às vezes resulta em resultados que não atingem a cooperação. O equilíbrio é racional no sentido de que a função de cada indivíduo é maximizar a utilidade esperada. As expectativas de todos são precisas, mas resultados de não cooperação ainda ocorrem.

As externalidades não vão ser sanadas por atitudes privadas, a menos que alguém coaja as partes a um acordo sobre o preço. A ausência de uma regra para dividir o excedente não irá alcançar o custo da negociação. A moderação das demandas a fim de aumentar a probabilidade de acordo não minimizam a ineficiência dos resultados quando a negociação mostra-se falha.

5.3 Perspectivas econômicas para a análise do direito à propriedade privada imóvel

A propriedade privada é direito constitucional fundamental que determinado titular exerce em face de um determinado bem, que lhe assegura direito de uso (utilização do bem como melhor lhe aprouver), de fruição (auferir lucro com o bem), de disposição (possibilidade de livre alienação da coisa de acordo com seu livre-arbítrio) e de sequela (direito de persecução do bem, onde quer que ele esteja). Nesse sentido, Leonardo Vizeu (2014) defende que a Constituição assegura aos agentes econômicos direito à propriedade dos fatores de produção e circulação de bens em seus respectivos ciclos econômicos, sendo instrumento garantidor da livre-iniciativa de empreendimentos privados.

Pietro Perlingieri (2007) assevera que o pluralismo econômico assume o papel de garantia do pluralismo também político e do respeito à dignidade humana. O direito fundamental à propriedade imóvel assume formas renovadas que se destinam "[...] a exercer a tutela dos direitos 'civis' em uma nova síntese – cuja consciência normativa tem importância histórica – entre as relações civis e aquelas econômicas e políticas" (Op. cit., p. 34).

Na perspectiva da análise econômica do direito, um direito fundamental, como o direito de ser livre, pode ser protegido por meio do direito de propriedade (a pessoa pode abdicar do direito voluntariamente, mas provavelmente isso ocorrerá somente se o preço pago compensar a perda do direito), por uma regra de responsabilidade (o direito pode ser involuntariamente retirado, mas um terceiro determina o valor da perda) ou por inalienabilidade (o direito não pode ser tirado). É nessa perspectiva que Guido Calabresi e Douglas Malamed (1972) defendem que só raramente a propriedade e a responsabilidade civil aproximam-se de uma perspectiva unificada. A tentativa de integrar as várias relações jurídicas tratadas por estes assuntos articulam conceitos de direitos que são protegidos por propriedade, responsabilidade ou regras de inalienabilidade.

Robert Cooter (1985) assinala que a teoria econômica é unificada porque seus teoremas são derivados de seus axiomas. Consequentemente, a análise econômica do direito deve ser capaz de ser unificada na medida em que é uma aplicação da teoria econômica. Identificar a unidade na análise econômica do direito é uma questão de encontrar a ordem correta de se fazerem hipóteses simplificadoras. O ponto de partida em contratos, delitos e propriedade é a relação entre a precaução contra ferimentos e a alocação dos custos das lesões.

A análise dessa interação é chamada de modelo de precaução. A situação habitual é um modelo no qual *injurers* e vítimas podem influenciar os prejuízos sofridos pelas vítimas. O *injurer* pode reduzir o dano por tomar precauções contra acidentes, impedindo que os eventos que causam violações de contrato, conservação em terras tomadas para fins públicos ou diminuir incômodos. Da mesma forma, a vítima pode reduzir o custo do prejuízo por tomar precaução contra acidentes, baseando-se menos em contratos, realizar investimentos para melhorar a propriedade que é susceptível de ser tirada de restrição ou evitando incômodos. Eficiência requer de ambas as partes equilibrar o custo da precaução adicional contra a consequente redução de dano e a agir em conformidade com as relações econômicas constitucionais; incentivos para agir dessa forma existem quando cada parte é responsável pelo custo do dano.

Armando Castelar Pinheiro e Jairo Saddi (2005) consideram que o movimento que relaciona o Direito e a Economia vem a ser uma corrente acadêmica de juristas e economistas que analisam as situações jurídicas sob um denominador comum baseando-se em princípios econômicos correlacionados com os jurídicos. Essa linha de pensamento, concebida originalmente como uma vertente das escolas econômicas liberais, analisa "o direito como um sistema que aloca incentivos e responsabilidades dentro do sistema econômico, e que pode e deve ser analisado à luz de critérios econômicos, como da eficiência" (Op. cit., p. 83). No que se refere à diferenciação entre Direito Econômico e Análise Econômica do Direito, Vítor Fernandes Gonçalves (2001, p. 129-130) estabelece que:

> Ao contrário do Direito Econômico, que se ocupa do estudo, de um ponto de vista jurídico, de temas de Economia, notadamente de Macroeconomia, como o controle da inflação, da livre-concorrência, do equilíbrio dos mercados e dos diversos sectores produtivos da sociedade, assim como com ciclos de crescimento e políticas de desenvolvimento econômico, a Análise Econômica do Direito – AED faz exatamente o oposto: cuida de analisar, de um ponto de vista econômico, a eficiência das regras jurídicas que regulam assuntos não visados diretamente pela Economia e pela Macroeconomia, e que se encontram dispostos nos diversos ramos do Direito. [...] AED revela-se mais um modelo de raciocínio, aplicável a todos os ramos do Direito, indistintamente. A propósito, aliás, a AED como que constitui uma certa especialização de uma matéria multidisciplinar denominada 'Direito e Economia' *(Law and Economics)*. Com um nítido caráter filosófico, o estudo de *Law and Economics* tem por finalidade avaliar e comparar como os arranjos sociais, políticos e econômicos de uma comunidade refletem ou não as respectivas ideologias adotadas, e em que extensão tais arranjos influem na elaboração das regras legais existentes nesta mesma comunidade. Muito mais restrita em seu objeto, a AED analisa, em termos econômicos, a eficiência das regras legais, a princípio sob o prisma do capitalismo e da livre circulação de riquezas, bem como tendo em conta conceitos econômicos de ampla aceitação, em relação aos quais não faz qualquer questionamento de ordem filosófica.

Ao proceder a AED à propriedade privada imóvel, leva-se em consideração o argumento de que o conceito de direitos de propriedade está intimamente ligado com o capitalismo e a sociedade industrial moderna. Martin Bailey (1992) considera que há também benefícios à propriedade observáveis nas sociedades indígenas que vivem não integralizadas. Na revisão de estudos antropológicos de 50 sociedades aborígines, Bailey (1992) descobriu certos padrões. Em geral, os direitos de propriedade na terra são mais alocados, provavelmente, quando atitudes individuais melhoram a produtividade da terra (por exemplo, limpando a terra ou fornecendo algum tipo de fertilizante). Em contraste, os direitos comunais são mais distribuídos, quando o grupo é composto de caçadores-coletores. Segundo o autor, os artigos de vestuário quase sempre são considerados propriedade privada.

Bailey (1992) considera ainda que, em contraste com a literatura relativamente rica, iluminada por muitos casos sobre direitos de propriedade nas sociedades modernas, a literatura correspondente a economistas sobre as sociedades indígenas é peremptória e desinformada por estudos interdisciplinares. A análise e a sua credibilidade podem ser melhoradas pelo uso de mais dados relevantes, cobrindo uma ampla variedade de casos. Para o autor, o estudo dos aborígenes pode esclarecer especialmente as vantagens de um tipo de direito de propriedade sobre outro porque, na maioria dos casos, essas pessoas viviam à margem da subsistência.

Bailey (1992) analisa que, sobre a terra ou presas, os seguintes atributos do recurso ou tecnologia favoreceram a propriedade comum sobre direitos de propriedade privada: (1) a baixa previsibilidade da presa ou planta de localização do território tribal; (2) o aspecto público bom de informação sobre a localização desse tipo de recurso alimentar imprevisível; (3) a alta variação de sucesso do indivíduo por causa de 1, 2 ou outras circunstâncias alheias à vontade do indivíduo; (4) a produtividade superior de técnicas de caça de grupo, tais como conduzir presa em emboscada ou sobre um penhasco; (5) a segurança de grandes predadores, especialmente quando trazem para casa o produto de uma viagem bem-sucedida para fora. Esses atributos ocorreram em várias combinações em diferentes grupos.

Martin Bailey (1992) sustenta a tese de que aquelas pessoas que se engajaram na horticultura ou agricultura em geral tendem a ter os direitos de propriedade privada (temporário ou a longo prazo) no uso da terra para a colheita. Esses direitos foram, em alguns casos, hereditários; e esse atributo prevaleceu mais confiantemente naqueles poucos grupos que souberam manter e melhorar a fertilidade do solo. Esses achados fornecem alimento para o pensamento sobre as prováveis interações das várias influências no período neolítico que levaram ao surgimento dos direitos de propriedade nossos próprios e de outras sociedades. Não era incomum para as famílias ter propriedade privada em terra com fronteiras reconhecidas para um recurso de comida mas não outro.

Na verdade, essa perspectiva estima que quase todos os povos aborígines engajados no grupo de caça, pesca ou coleta em seu território comum sem levar em conta os direitos de propriedade de qualquer família individual na terra para outros fins. Esta prática e a exclusividade dos territórios de grupo foram as características mais difundidas de direitos de propriedade aborígine. Propriedade privada em alimentos e outros bens pessoais era a norma. A pressão de sobrevivência, no entanto, algumas vezes levou as famílias separadas a subsistirem em parcelas individuais, ou não os viam como propriedade estritamente privada.

Robert Ellickson (1993) analisa que a questão mais fundamental em relação aos direitos de propriedade é se a terra deveria ser propriedade privada ou comunitária. Essa questão tem sido fundamental para as ideologias concorrentes do século XX – o capitalismo e o comunismo. Não só a produtividade física é afetada por essa escolha, mas também a comunidade e a privacidade.

Desse modo, a propriedade privada da terra reduz os custos de decisão coletiva e de monitoramento. A propriedade coletiva é viável a longo prazo somente quando os interesses são homogêneos e/ou quando existe uma clara hierarquia de controle. A legislação civil sobre propriedade privada imóvel mostra como a realidade do autointeresse determina a natureza das instituições básicas da sociedade. Ele fornece uma explicação muito profunda sobre o por que de não haver propriedade privada na terra e como isso afeta outras instituições sociais.

Devido aos seres humanos estarem fadados a viverem principalmente na superfície da terra, o padrão de direitos de uso de terra é uma questão central na organização social. Como sugerem as epígrafes, essa questão tem sido objeto de controvérsia ideológica feroz. Os defensores da propriedade privada da terra argumentam que ela promove a liberdade individual, a estabilidade política e prosperidade econômica. Para comentaristas tais como Marx e Engels, por outro lado, a criação da propriedade privada na terra é uma fonte de males, particularmente a desigualdade de riqueza e a fragmentação das comunidades mais orgânicas em atomizados, desconfiados ambientes sociais da competição individual.

Assim, Robert Ellickson (1993) argumenta que a mais geral das proposições positivas sobre propriedade privada é a tese de eficiência que afirma que as regras da terra dentro de um grupo muito coeso evoluem por forma a minimizar os custos dos seus membros. Esta proposição otimista prevê que pessoas em terra reconhecem que a propriedade na terra é um jogo de soma positiva e joga cooperativamente. Assim, um grupo muito coeso é uma entidade social dentro do qual o poder é amplamente disperso e os membros têm continuado interações face a face com o outro.

Nessa linha de raciocínio, desenvolveu-se a tese de que um grupo muito coeso tende a criar, por intermédio do costume e da lei, um regime de terra minimizando o custo que adaptativamente responde a alterações no risco, na tecnologia, na demanda e em outras condições econômicas. Ao fazer isso, o grupo mistura oportunamente terras particulares, grupos e acesso aberto. Ellickson (1993) assinala que a principal vantagem utilitária da posse privada da terra, em comparação com a propriedade coletiva, é que é muito mais simples monitorar os cruzamentos de fronteira que avaliar o comportamento dos indivíduos que têm o privilégio de estar onde eles estão.

Demonstra-se que mesmo atividades aparentemente não econômicas, como esportes amadores, e a atribuição de prioridade no trânsito têm regras eficientes. Por exemplo: as regras do esporte tendem a economizar os custos de transação de atribuição de direitos dentro do jogo, bem como o direito de jogar o jogo em primeiro lugar. Isto sugere que fenômenos culturais em geral podem ser explicados pelo mesmo raciocínio econômico que foi usado para explicar as normas jurídicas formais.

Donald Wittman (1982) considera que os economistas ignoraram as regras de ouro como um método de atribuição de direitos. Regras tais como "primeiro a chegar, primeiro a ser servido", "a pessoa tem o direito de passagem", e "regra da maioria" são utilizadas continuamente em nosso cotidiano e muitas vezes são impostas pela sanção legal. Regras são usadas como substitutos dos mercados econômicos comuns quando o sistema de preço envolve custos de transacção elevados e como alocadores iniciais de direitos a fim de facilitar o intercâmbio de direitos quando os custos de transação são baixos. Presumivelmente, as regras que sobrevivem são as eficientes.

Nesse sentido, discute-se que, se informação e tomada de decisão são gratuitas, todas as decisões que envolvem pesar todos os custos e benefícios, por exemplo, a decisão sobre qual carro deveria ter o direito de passagem em um cruzamento, depende de qual lado valorizado seria o mais certo; mas, pelo fato de que o processamento de informações e tomada de decisão não é gratuito, pode-se invocar algum método que economize sobre estes custos. Em mercados econômicos comuns, num sistema de preços, é muito eficaz obter informações sobre valor relativo. Infelizmente, em muitas situações, os custos de transações envolvidos em instituir certo sistema de preços superam os benefícios da revelação da demanda no sentido econômico de custos. Isso tende a ser o caso quando os custos de atribuição de direitos à pessoa errada são menores e quando o sistema de preços é menos bem-sucedido na revelação de demanda (por exemplo, quando há bens públicos).

Assim, caracterizam-se as regras gerais que também tendem a economizar em custos de decisão (não só para a pessoa tomar a decisão de alocar, mas também para as pessoas afetadas pela regra). Desse modo, as regras de ouro são um substituto para um sistema de preços e para uma investigação completa de valor relativo a cada situação particular. O argumento básico teórico é que apenas as regras mais eficientes serão usadas. Como na Economia, a análise baseia-se nos custos e benefícios. Essas regras que envolvem menos custos e proporcionam maiores benefícios serão utilizadas. Essa aplicação simples da Economia fornece respostas para perguntas como as seguintes: qual regra deve ser escolhida? Quando serão mais ou menos complexas as regras de ouro? Quais as condições em que diferentes grupos de pessoas usarão diferentes regras de ouro? Diferentes regras de ouro têm propriedades diferentes, incentivando, assim, a resultados diferentes e a ter configurações diferentes de custo. Dois tipos de custos são relevantes: custos associados à monitorização da regra de ouro; e incentivos inadequados criados pela regra. Uma regra de ouro é por natureza economizar em custos de informação.

Por sua vez, os custos dependem do problema à mão; por exemplo, quando o tempo é precioso, que é frequentemente o caso em segurança rodoviária, que, segundo as regras de ouro são desejáveis. A natureza e o montante das prestações também determinam o tipo de regras escolhido. Diferentes objetivos criam demandas diferentes, pois uma regra que incentiva a segurança na estrada é improvável que seja a mesma regra que incentiva emoções em eventos esportivos. Se os benefícios são substanciais, compensa ter regras mais complexas ou mais precisas, embora mais caras, mais metódicas. Donald Wittman (1982) argumenta que se as informações dos custos são muito elevadas, a regra de ouro já não está mantendo sua função adequada. Além disso, a regra não deve criar incentivos para o comportamento de afetação de recursos dispendiosos.

Paralelamente, Guido Calabresi e Douglas Malamed (1972) analisam aspectos do problema da poluição e de sanções penais para demonstrar como o modelo da AED permite perceber as relações que têm sido ignoradas por causa dos custos sociais. A primeira questão que deve ser enfrentada por qualquer sistema jurídico é a do direito. Sempre que um Estado se depara com os interesses conflitantes de duas ou mais pessoas, ou dois ou mais grupos de pessoas, ele deve decidir de que lado fica a favor. Ausente tal decisão, acesso a bens, serviços e à própria vida será decidido com base em "talvez faça certo" – quem for mais forte ou poderoso provavelmente obterá decisão favorável. Daí, a coisa fundamental que a lei deve disciplinar é possibilitar a decisão de em favor de qual das partes em conflito o direito vai prevalecer. Entrentanto, simplesmente definindo o direito não evita o problema do "poder tornar certo". Um mínimo de intervenção estatal é sempre necessário.

As noções convencionais formuladas por Guido Calabresi e Douglas Malamed (1972) facilitam compreender o que diz respeito à propriedade privada. Assim, os autores citam o seguinte exemplo: se Taney possui um pedaço de repolho e Marshall, que é economicamente mais forte, quer um repolho, Marshall terá este pedaço, a menos que o Estado intervenha. Mas não é tão óbvio que o Estado também deva intervir se ele escolher o direito oposto, propriedade comunal. Se Marshall cultivou alguns repolhos comunais e escolheu negá-los ao pequeno Taney, a ação do Estado levará a fazer valer o direito de Taney para os repolhos comunais. Aplica-se a mesma simetria com respeito à integridade física.

Guido Calabresi e Douglas Malamed (1972) consideram que a ausência total de intervenção do Estado gera o caos. O Estado não só tem que decidir quem possui o direito em casos de conflito, mas simultaneamente deve também fazer uma série de regulamentos uniformes para garantir decisões com segurança jurídica. Essas decisões vão para a maneira pelas quais os direitos são protegidos e se a um indivíduo é permitido transacionar sobre seu próprio direito. Em qualquer disputa determinada por um conflito entre proprietários privados, por exemplo, o Estado deve decidir não só qual lado obtém o direito sobre a propriedade, mas também o tipo de proteção a conceder e só direitos relacionados.

Nessa linha de raciocínio, analisam-se três tipos de direitos: direitos protegidos pelas regras de propriedade; direitos protegidos por normas de responsabilidade; e direitos inalienáveis. As categorias não são absolutamente distintas, mas a categorização é útil, pois revela algumas das razões que nos levam a proteger determinados direitos de certas maneiras. Um direito é protegido por uma regra de propriedade à proporção que alguém que deseja remover o direito de seu titular deve comprá-lo em uma transação voluntária, na qual o valor do direito é combinado entre os seus titulares. Essa é a forma de direito que dá origem ao mínimo de intervenção do Estado: uma vez que o direito original é decidido, o Estado não tenta decidir o seu valor. Cada uma das partes permite dizer quanto o direito vale para ele e dá ao vendedor um veto, se o comprador não oferece o suficiente.

Correlacionam-se a propriedade e as normas de responsabilidade, porque uma sociedade não pode simplesmente decidir com base em critérios rígidos. Deve, para tanto, responder aos seguintes questionamentos: receber qualquer determinado direito e depois deixar sua transferência ocorre somente por meio de uma negociação voluntária? Por que, em outras palavras, a sociedade limita a regra de propriedade absoluta? Para proteger e fazer valer os direitos aos iniciais de todos os ataques, talvez por meio de sanções penais e para impor contratos voluntários para sua transferência. Muitas vezes, o custo de estabelecer o valor de um direito inicial de negociação é tão grande que mesmo que uma transferência do direito beneficie todos os interessados, tal transferência não ocorrerá. Se ocorresse uma determinação coletiva do valor disponível em vez disso, a transferência benéfica ocorreria rapidamente.

Guido Calabresi e Douglas Malamed (1972) argumentam que, para empregar uma regra de responsabilidade ao invés de uma regra para proteger um direito de propriedade, a avaliação de mercado do direito é considerada ineficiente, ou seja, é indisponível ou muito caro em comparação a uma avaliação coletiva. Nesses casos, têm-se situações em que os mercados podem ser muito caros ou falhar onde as avaliações coletivas parecem mais desejáveis. Considerando inalienáveis certos direitos, foca-se na pergunta de quando a sociedade deve proteger um direito pelas regras de propriedade ou responsabilidade.

No entanto, há ainda muitos direitos que envolvem determinado grau, ainda maior, de intervenção social: a lei não só decide quem é dono de algo e que preço está a ser pago para isso, se ele é retirado ou destruído, mas também regula sua venda, por exemplo, prescrevendo as condições prévias para uma venda válida ou proibindo a venda por completo. Embora essas regras de inalienabilidade sejam substancialmente diferentes das regras de propriedade e responsabilidade, sua utilização pode ser analisada em termos da mesma eficiência e objetivos distributivos que fundamentam o uso das outras duas regras. Embora à primeira vista os objetivos de eficiência possam parecer minados por limitações na capacidade de se envolverem em transações, a análise sugere que há instâncias, talvez muitas, em que a eficiência econômica mais estreita é aproximada por tais limitações. Isso pode ocorrer quando uma transação possa levar a criar externalidades significativas – custos a terceiros.

Contextualmente, a contribuição de John Brown (1998) é uma versão de análise econômica do direito que considera situações com alta no mercado de custos de transação. Um exemplo proeminente é acidente de automóvel. Claramente, é impossível contratar com todas as vítimas potenciais antes de dirigir o carro pela cidade. Com custos de transacção elevados, a escolha da regra de responsabilidade faz a diferença no resultado. Brown, em primeiro lugar, mostra que o problema de minimizar o custo de acidentes e prevenção de acidentes é idêntico ao problema de produção padrão de escolher a quantidade ideal de capital e trabalho. Prevenção pelo potencial *injurer* (lesionado) deve ser realizada até o último dólar gasto em prevenção para reduzir danos por um dólar adicional. Este é o ponto ideal ou eficiente. A otimalidade (de Pareto) exige que, em geral, o *injurer* e os feridos empreendam medidas preventivas.

As normas de responsabilidade descrevem as circunstâncias sob as quais um tribunal concederá danos por lesões para si mesmo ou para os recursos. Normas de responsabilidade são distintas dos direitos de propriedade, que permitem excluir todos os outros do uso desse recurso. O comportamento econômico em questão é a extensão em que as partes tomam precauções dispendiosas mas que podem proteger os outros ou a eles próprios de danos.

A teoria econômica dos contratos e a execução do contrato envolvem considerações em que as partes têm um contrato com o outro, mas o contrato não cobre uma contingência que de fato ocorre; então, as partes podem ser consideradas como estranhos, e muitas vezes os conceitos de lei e ato ilícito podem fornecer estrutura e plano de fundo para qualquer análise jurídica ou econômica. Assim como as decisões sobre os cuidados devem ter em conta os riscos impostos a outros, as decisões sobre a quantidade de atividade arriscada devem então ser empreendidas. Seria melhor, então, se as regras de responsabilidade previssem incentivos em relação ao parâmetro adequado de atividade, bem como a noção adequada de cuidados.

A eficiência não pode ser alcançada por um regime de responsabilidade puramente objetivo ou um regime de nenhuma responsabilidade. Em vez disso, uma regra de negligência é necessária, por meio de que um lado é feito responsável se for negligente (que é atuando menos de forma otimizada). Se um lado é responsável apenas se negligente, então esse lado terá o incentivo para empreender a quantidade eficiente de precaução. Em seguida, o outro lado é totalmente responsável e terá, portanto, o parâmetro ideal de precaução, também. Regras de tipo de negligência são as regras padrão quando acidentes estão envolvidos, e o cálculo econômico demonstra a função econômica da lei ao ato ilícito.

John Brown (1998) considera que a teoria econômica das normas de responsabilidade é um corpo de análise das consequências econômicas das regras de responsabilidade extracontratual. Desde que lesiva, mal que pode ser evitado em algum grau por tomar precauções, a teoria econômica de responsabilidade baseia-se na economia de precauções.

Ato ilícito, contrato e direito de propriedade alocam o custo de danos. Coase (1960) e Brown (1998) demostram que, para muitos tipos de danos, uma medida de eficiência requer precaução tanto pelo responsável jurídico como pela própria vítima. Incentivos para precaução são eficientes quando ambas as partes são responsáveis pelos danos causados por suas reduções marginais na precaução. Isto é o que Robert Cooter (1985) rotulou de dupla responsabilidade à margem. Uma regra absoluta, como responsabilidade estrita, corrói os incentivos da vítima por precaução. Inversamente, uma regra de não responsabilidade corrói os incentivos do *injurer* por precaução.

O mecanismo para análise econômica do direito que Cooter (1985) considera é que os economistas são entusiásticos sobre ordens coercivas por razões que são desenvolvidas em cumprimento à crítica econômica do regulamento. No entanto, o direito de liminar pode ter efeitos econômicos desejáveis se ele for usado como moeda de troca, em vez de realmente exercido. Ao contrário de ordens coercivas, negociações de soluções têm propriedades econômicas desejáveis.

Robert Cooter (1985) argumenta que a liquidação dos danos ocasiona a execução do responsável para custear os danos previstos e a vítima por prejuízos reais. Se a propriedade for tomada posteriormente, o governo é responsável pelo preço estipulado e o proprietário é responsável pela perda real. Estipular danos ou estipular o preço de compra cria dupla responsabilidade, desde que o *injurer* arque com o custo estipulado e a vítima, com a perda real. Existem muitas simplificações nesse modelo; por exemplo: de resolução de litígios, presume-se ser gratuita; tomadores de decisão são assumidos como sendo de risco neutro; e se presume que todas as partes tenham a mesma informação. Não obstante essas simplificações, o modelo pode explicar a finalidade econômica de muitos recursos de lei.

Donald Wittman (1998) problematiza: mas e se o poluidor ou o poluente estavam na área primeiro? Isso deve afetar os cálculos de custo-benefício? A essa pergunta Donald Wittman procura responder argumentando que o primeiro que se fixa deve ser considerado em alguns casos, e em outros não, demonstrando que o que se denomina lei do incômodo reflete o pensamento econômico sobre o assunto.

Donald Wittman (1998) avalia que a análise econômica deverá ocorrer em duas etapas distintas. O primeiro passo é determinar o resultado ideal e o segundo passo é criar regras que levem a esse resultado. O *insight* básico é perceber o problema como questão de alocação de recursos ao longo do tempo e perguntar qual sequência é ideal. Ou seja, a determinação de quem deve ter o direito varia de acordo com os custos e benefícios do fluxo de renda total.

Nesse sentido, Steven Shavell (1984) considera que a análise implicitamente assume que os custos administrativos de uma responsabilidade governam os impostos pigouvianos do sistema, e o regulamento é zero. Steven Shavell (1984) explicitamente considera tais custos, que lhe permitem analisar a escolha entre regulamentação prévia e postar a responsabilidade. O principal problema com um sistema de responsabilidade é que o *injurer* pode ser prova de julgamento. Quando a responsabilidade da *injurer* excede os seus bens, maiores *degreed* de responsabilidade não têm um efeito dissuasor adicional.

A análise do Shavell (1984) demonstra que regulamento e responsabilidade são usados, mas em proporções adequadas para suas forças e fraquezas. A responsabilidade em ato ilícito e o regulamento de segurança representam duas abordagens diferentes para controlar as atividades que criam riscos de danos a outros. A responsabilidade extracontratual é privada na natureza e funciona não por comando social, mas sim indiretamente por intermédio de ações de danos que podem ser iniciados, uma vez que o dano ocorre, o efeito dissuasor. Normas, proibições e outras formas de regulamentação de segurança, em contrapartida, são públicas em caráter e modificam o comportamento de forma imediata por meio de exigências que são impostas antes ou, pelo menos, independentemente da real ocorrência do dano.

Para identificar e avaliar os fatores que determinam a conveniência social de responsabilidade e o regulamento, mostra-se necessário estabelecer medidas de bem-estar social; e nesse ponto a medida é assumida igualmente aos benefícios que derivam de partes de engajar-se em suas atividades, menos a soma dos custos das precauções, os danos feitos, e as despesas administrativas associadas com os meios de controle social. O problema formal é empregar os meios de controle para maximizar a medida de bem-estar.

A situação é alterada para pior se os tribunais são incapazes de adquirir informações suficientes para determinar o melhor parâmetro de devido cuidado. Steven Shavell (1984) propõe que o resultado ainda seria superior aos exequíveis nos termos do regulamento se as informações obtidas *ex post* no julgamento fossem melhores do que aquilo que um regulador poderia adquirir e agir de acordo com *ex ante*. Estas conclusões são invertidas, é claro, se as informações possuídas por um regulador forem superiores dos particulares e dos tribunais; o raciocínio inverso então mostra que o uso do regulamento direto seria mais atraente do que o de responsabilidade.

Em relação a esses custos, parece haver uma vantagem subjacente em favor da responsabilidade: para a maioria das suas despesas administrativas, é incorrida somente se o dano ocorre. Como isso geralmente é pouco frequente, os custos administrativos serão baixos. Com efeito, no caso extremo em que a perspectiva de responsabilidade induz as partes a tomarem cuidado apropriado e isto acontece removerem qualquer possibilidade de dano, haveria não ternos qualquer e, portanto, não há custos administrativos (à exceção de certos custos fixos).

Desse modo, Steven Shavell (1984) avalia que há duas razões para acreditar que, mesmo quando o dano ocorre, os custos não devem sempre ser grandes. Em primeiro lugar, para que uma regra de negligência funcione bem, os réus devem, em princípio, geralmente ter sido induzidos a tomarem o devido cuidado; as pessoas lesadas geralmente devem reconhecer isso e, portanto, não devem trazer roupa. Em segundo lugar, ternos geralmente devem ser passíveis de serem resolvidos a custos menores, em comparação ao custo de um julgamento. Uma vantagem de custo final do sistema de responsabilidade é que os recursos são naturalmente voltados para controlar o comportamento do subgrupo das partes mais suscetíveis de causarem danos; por serem, pois, mais susceptíveis de causarem dano (e presumivelmente mais prováveis de serem negligentes), eles são mais suscetíveis de serem processados.

Tendo-se como referência todo o contexto teórico acima apresentado, Elisberg Francisco Bessa Lima (2010, p. 361) demonstra a compatibilidade entre os fundamentos da Teoria da Análise Econômica do Direito e os preceitos constitucionais brasileiros acerca da propriedade privada de bem imóvel, argumentando que a alocação do direito de propriedade deve ser determinada tanto pela ordem jurídica como pelos postulados da Economia, valorizando-se a eficiência econômica como valor jurídico. "A Análise Econômica do Direito de Propriedade está constitucionalmente amparada, pois tem por objeto a segurança jurídica na alocação dos direitos de propriedade, que está garantida na própria Constituição Federal de 1988".

Nessa linha de raciocínio, tem-se que, ao positivar a propriedade privada como um direito constitucional fundamental, o texto constitucional reflete o valor econômico da propriedade. Essa situação torna a propriedade privada sobre bem imóvel devidamente permeada pelos conceitos e institutos da Análise Econômica do Direito. Assim, ao analisar as regras para proteger e regulamentar as relações constitucionais econômicas, muito do que é geralmente chamado propriedade privada pode ser visto como um direito protegido por uma regra de propriedade. Ninguém pode tirar o direito à propriedade privada do titular, a menos que o titular transfira, por vontade própria e com o preço pelo qual ele, subjetivamente, valoriza a propriedade.

As perspectivas da AED sobre a propriedade privada imóvel apontam que o direito à propriedade é protegido, economicamente, pelo que se chama de uma regra de responsabilidade: é utilizado um padrão externo com o objetivo de significar um valor que facilite a transferência do direito do titular para outra pessoa, mas com total segurança jurídica. Finalmente, em alguns casos não se permite a venda da propriedade, ou seja, ocasionalmente, manifesta-se o direito inalienável. Desse modo, devem-se considerar as circunstâncias em que a sociedade vai empregar as normas para resolver situações de conflito.

5.4 A função econômica do Registro de Imóveis no Brasil e sua relação com as relações constitucionais econômicas

O Registo de Imóveis no Brasil se insere no arcabouço de competências dos serviços concernentes aos registros públicos. Em relação a essas atividades, tem-se que não se pode precisar o momento histórico em que surgiram as atividades de notas e registro. "Pode-se afirmar, todavia, que a sua origem é remota, confundindo-se com a origem da própria sociedade humana" (MELO JÚNIOR, 2000, p. 103).

Maria Darlene Braga Araújo (2012) defende que o sistema de registro de imóveis brasileiro se inscreve em uma larga tradição, cujas origens remontam ao histórico de Portugal, com vestígios traçados, pelo menos, desde o século XIV. No caso específico do sistema registral imobiliário, "[...] sabe-se que o registro hipotecário brasileiro vem se insinuando nas discussões parlamentares, pelo menos desde 1830, quando os primeiros projetos foram sendo apresentados" (Op. cit., p. 16).

Ao problematizar sobre o que se espera de um sistema registral imobiliário, Luciano Lopes Passarelli (2013, p. 47) menciona as seguintes metas: (a) robustecer a segurança jurídica do tráfego jurídico-imobiliário; (b) publicizar as situações jurídico-reais imobiliárias; (c) ser instrumento de concretude da função socioeconômico-ambiental da propriedade imobiliária; (d) conferir autenticidade e eficácia aos atos e negócios jurídicos imobiliários; e (e) ser instrumento de profilaxia jurídico-social. As referidas metas refletem a função econômica do Registro de Imóveis no Brasil e sua ligação com as relações constitucionais econômicas, uma vez que se mostra evidente sua inserção no âmbito da atividade econômica e do diálogo entre o público e o privado.

No Brasil, o registro imobiliário tem como marco a Lei nº 601, de 1850, chamada Lei de Terras, e seu regulamento, o Decreto nº 1.318, de 1854. Com a Lei de Terras, a posse passou a ser reconhecida como propriedade perante o vigário da Igreja Católica. Por essa razão, a referida lei passou a ser conhecida pelo nome de "registro do vigário" ou "registro paroquial" (ERPEN; PAIVA, 1998, p. 42).

Na sequência, a Lei nº 1.237, de 1864, instituiu, no Brasil, o registro geral, sendo considerado o antecessor do Registro de Imóveis brasileiro, que vigorou nas décadas iniciais do século XXI, pois atraiu todos os direitos reais imobiliários para um registro único. "A lei debuxou as linhas mestras a que deveria obedecer pelo tempo afora e chegou a indicar os oito livros principais para a sua escrituração, os quais, com pequenas variantes e acréscimos, chegaram até os nossos dias" (CARVALHO, 1998, p. 4).

> Então, a lei de 1864 cria o registro geral, com base pessoal e abrigando todas as transmissões imobiliárias por atos entre vivos, além de direito a reais limitados. O sistema irá sobreviver sem grandes alterações até a promulgação da Lei 6.015 de 1973, a qual institui no Brasil a base real e a matrícula, deixando para trás o chamado regime da 'transcrição' e substituindo-o pelo registro (LAGO, 2008, p. 118).

Ressalte-se que, em 1890, o Brasil instituiu, através do Decreto n. 451-b, de 1890, um sistema registral imobiliário para conferir presunção absoluta de domínio: o Registro Tórrens; porém, admitiu-se o Registro Tórrens apenas para certos casos de regularização de imóveis rurais. Tratava-se de um processo depurativo do domínio que declarava judicialmente absoluta a propriedade privada imóvel ao final de um procedimento judicial específico.

O Registro Torrens sobre bem imóvel rural ocorre "[...] não havendo contestação por parte de terceiros, e após o regular processamento do feito, o juiz prolatava uma sentença, e com base nela promovia-se o registro, tornando-se a titularidade do imóvel inatacável *juris et de jure*" (ERPEN; PAIVA, 1998, p. 44). Marcelo Augusto Santana de Melo (2012, p. 180) argumenta que "o Sistema Torrens introduzido no final do século XVIII no Brasil, não ganhou a repercussão esperada pelos criadores, tendo, na prática, não logrado êxito".

Paralelamente, o Código Civil de 1916, Lei nº 3.071, de 1º de janeiro de 1916, inovou ao instituir um sistema registral imobiliário abrangendo todos os atos judicias e extrajudiciais. O sistema anterior ao Código Civil de 1916 voltava-se para os direitos reais de garantia, sendo que os atos judiciais estavam excluídos dos registros. A propósito, o artigo 237 do Decreto nº 370, de 2 de maio de 1890, excluía as transmissões *causa mortis* e os atos judiciais de terem acesso ao registro.

> No transcorrer do século XX, a expansão urbana, a explosão demográfica, a verticalização, o crescimento das cidades e o aparecimento das metrópoles fez com que a legislação contemplasse novas figuras jurídicas, como o loteamento de terrenos urbanos e rurais para venda a prestações, a promessa de compra e venda de imóvel loteado e não loteado, o contrato de penhor rural e o condomínio em unidades autônomas. As relações sociais foram se tornando cada vez mais complexas e existia a necessidade de implantar modificações no sistema de registro de imóveis, adaptando-o às novas dinâmicas sociais e à evolução tecnológica, sobretudo para empregar mais eficiência ao serviço. Assim, veio o Decr.-lei 1.000, de 21/11/1969, que atualizou as normas da legislação anterior (SALIM, 2014, p. 131).

O Decreto-lei nº 1.000, de 1969, foi revogado no ordenamento pátrio pela Lei nº 6.015, de 1973, que se encontra vigente e, em seu Título V, dispõe sobre a matéria relativa ao sistema de registro de imóveis no Brasil. Paralelamente, a Constituição da República de 1988 estabelece, em seu artigo 22, XXV, a competência privativa da União, para legislar sobre registros públicos; e, em seu artigo 236, estabelece que os serviços notariais e de registros serão exercidos em caráter privado, por delegação do Poder Público.

Neste sentido, cumpre ressaltar o entendimento do Supremo Tribunal Federal brasileiro de que a atividade notarial e de registro é, essencialmente, distinta da atividade exercida pelos poderes de Estado. O titular da serventia extrajudicial que atua no Sistema de Registro de Imóveis como oficial não é servidor, e com ele não se confunde.

> São, pois, atividades essencialmente distintas que não podem, em face da Constituição, ser equiparadas ou assemelhadas (mesmo que sob o rótulo de serventias mistas) por legislação infraconstitucional, sob pena de afronta à exigência de simetria funcional ou não recepção (MS 28.440-ED-AgR, voto do rel. min. Teori Zavascki, julgamento em 19/6/2013, Plenário, DJE de 7/2/2014).

A propósito, em relação ao regime jurídico dos serviços de registro de imóveis no Brasil, tem-se o entendimento jurisprudencial de que a delegação para exercer o serviço é de caráter privado e para pessoa natural.

> Regime jurídico dos servidores notariais e de registro. Trata-se de atividades jurídicas que são próprias do Estado, porém exercidas por particulares mediante delegação. Exercidas ou traspassadas, mas não por conduto da concessão ou da permissão, normadas pelo *caput* do art. 175 da Constituição como instrumentos contratuais de privatização do exercício dessa atividade material (não jurídica) em que se constituem os serviços públicos. A delegação que lhes timbra a funcionalidade não se traduz, por nenhuma forma, em cláusulas contratuais. A sua delegação somente pode recair sobre pessoa natural, e não sobre uma empresa ou pessoa mercantil, visto que de empresa ou pessoa mercantil é que versa a Magna Carta Federal em tema de concessão ou permissão de serviço público. Para se tornar delegatária do Poder Público, tal pessoa natural há de ganhar habilitação em concurso público de provas e títulos, e não por adjudicação em processo licitatório, regrado, este, pela Constituição como antecedente necessário do contrato de concessão ou de permissão para o desempenho de serviço público. Cuida-se ainda de atividades estatais cujo exercício privado jaz sob a exclusiva fiscalização do Poder Judiciário, e não sob órgão ou entidade do Poder Executivo, sabido que por órgão ou entidade do Poder Executivo é que se dá a imediata fiscalização das empresas concessionárias ou permissionárias de serviços públicos. Por órgãos do Poder Judiciário é que se marca a presença do Estado para conferir certeza e liquidez jurídica às relações interpartes, com esta conhecida diferença: o modo usual de atuação do Poder Judiciário se dá sob o signo da contenciosidade, enquanto o invariável modo de

atuação das serventias extraforenses não adentra essa delicada esfera da litigiosidade entre sujeitos de direito. [...] As serventias extrajudiciais se compõem de um feixe de competências públicas, embora exercidas em regime de delegação a pessoa privada. Competências que fazem de tais serventias uma instância de formalização de atos de criação, preservação, modificação, transformação e extinção de direitos e obrigações. Se esse feixe de competências públicas investe as serventias extrajudiciais em parcela do poder estatal idônea à colocação de terceiros numa condição de servil acatamento, a modificação dessas competências estatais (criação, extinção, acumulação e desacumulação de unidades) somente é de ser realizada por meio de lei em sentido formal, segundo a regra de que ninguém será obrigado a fazer ou deixar de fazer alguma coisa senão em virtude de lei (ADI 2.415, Rel. Min. Ayres Britto, julgamento em 10/11/2011, Plenário, DJE de 9/2/2012.). Vide: ADI 4.140, Rel. Min. Ellen Gracie, julgamento em 27/11/2008, Plenário, DJE de 20/9/2009.

No ano de 1973, quando houve a promulgação da Lei Federal nº 6.015 (LRP – Lei de Registros Públicos brasileira), reestruturou-se e reorganizou-se o sistema de registro de imóveis brasileiro. Antes da LRP havia a transcrição das transmissões, sendo que o método de registro era com base na pessoa. Depois da LRP, passou-se a adotar as matrículas imobiliárias, sendo que o método de registro passou a ser com base no imóvel que adquiriu um número próprio, conforme sua individualização em certa matrícula imobiliária. Daí se afirmar que antes da LRP tinha o sistema do fólio pessoal e que depois da LRP adotou-se o sistema do fólio real.

A grande novidade da LRP foi a instituição da matrícula imobiliária, que passou a tomar como elemento básico o próprio imóvel. Antes da LRP, o registro de imóveis se fundava, predominantemente, nos registros pessoais. Após a vigência da LRP, a matrícula deverá ser realizada antes de qualquer registro ou averbação, sendo que seu número inicial se preserva. Os registros e averbações subsequentes à abertura da matrícula receberão numeração cronológica e se vincularão ao número da matrícula-base.

Como mencionado antes, a LRP adota o sistema do fólio real (registro real). Diferentemente do fólio pessoal, o sistema do fólio real identifica e caracteriza o bem imóvel no momento da abertura da matrícula imobiliária com número único e específico. A partir do imóvel devidamente matriculado é que se registram ou averbam os elementos negociais que forem ocorrendo, conforme o caso. “Porém, o puro registro real encontra limitações e o indicador pessoal, devido a sua força histórica, ainda é importante fonte de referência para as buscas” (CENEVIVA, 2010, p. 46).

Para fins de matrícula e de registro de imóveis, a regra é a inscrição por extrato (inscrição resumida), ao invés da transladação integral. A inscrição por extrato consiste em retirar dos documentos que se apresentam ao registro de imóveis os elementos que a lei impõe como obrigatórios para a perfeita realização do registro; porém, em alguns casos, adota-se o sistema de transcrição (transladação integral), em que os títulos são transpostos em sua inteireza, como certos registros no Livro 3 Auxiliar.

A aquisição da propriedade imóvel ocorrerá por registro do título de transferência no registro de imóveis, por usucapião, por acessão e por direito hereditário. O registro de imóveis refere-se ao cadastro da propriedade imobiliária, bem como ao cadastro dos atos jurídicos que se relacionam com os direitos reais. No registro de imóveis, o conceito de imóveis associa-se à compreensão da propriedade como uma relação jurídica complexa. O Brasil se filia ao princípio da publicidade plena; permite-se o acesso ilimitado de qualquer pessoa aos dados que constam dos livros do registro de imóveis, que se nomeiam dados tabulares.

O sistema de registro de imóveis do Brasil é substantivo (e não abstrato, como o alemão). No registro de imóveis substantivo, a eficácia ou a ineficácia do negócio causal que deu origem ao ato repercutem na validade jurídica do registro. Daí se dizer que o registro de imóveis brasileiro gera presunção relativa de veracidade, admitindo prova em contrário.

De acordo com Gray e Gray (2008, p. 38), o objetivo do registo de imóveis é que "qualquer comprador em potencial de terra registrada deve sempre ser capaz de verificar, através de um simples exame do registro, a natureza exata de todos os interesses existentes em ou sobre a terra que ele propõe comprar." Ainda, o bem imóvel registrado contém disposições que processam o princípio do espelho, como aplicado para aterrar o registro. Essas disposições referem-se a direitos que a lei permite existir não registrados e que só podem ser conhecidos por intermédio de inspeção ocular real da terra. Além disso, existem outros interesses que não são obrigados a serem registrados, fora da lei, que podem substituir o registro, e podem todos ser agrupados como interesses menores.

Ao se proceder à análise do reflexo do registro imobiliário no crescimento econômico brasileiro, no século XXI, considera-se que ele serve como instrumento fomentador da atividade econômica e relaciona-se diretamente com a ordem econômica e financeira constitucional no prisma das relações constitucionais econômicas, tanto na esfera pública como na privada.

Nesse sentido, Darlene Braga Araújo (2012, p. 374) sustenta que "muito já foi feito, mas assim como as pessoas e as relações sociais não param de evoluir, há ainda muito a fazer no registro de imóveis brasileiro". Essa argumentação defende que se devem corrigir antigas deficiências jurídicas brasileiras de dialogar com seus institutos, com a perspectiva econômica, e suprir as necessidades que surgem da atividade econômica local e regional de se adequar a certo parâmetro global (mundial). Devem-se incentivar os estudos e os mecanismos que se relacionam ao sistema de registro de imóveis para fomentar a atividade econômica, e divulgá-los para as pessoas que lidam com o sistema jurídico, pois enquanto existir o desconhecimento sobre o sistema de registro de imóveis e a separação entre Direito das Obrigações e Direitos Reais, haverá o discurso desfavorável ao sistema de registro de imóveis.

> Ademais, perpetuando-se a problemática dos procedimentos registrais, maior será o coro em prol de outras formas de publicidade dos direitos reais, mesmo que o sistema registral pátrio seja um dos melhores do mundo em termos de segurança jurídica e benefícios econômicos e sociais. Com efeito, não resta dúvida da importância do registro imobiliário como agente transformador da sociedade. Justamente por isso, deve-se sempre buscar soluções e inovações que aprimorem a função do registro de imóveis não só no campo econômico, como também nas mais diversas esferas de sua atuação junto à sociedade. Enfim, a implantação efetiva do cadastro imobiliário público visa a possibilitar o ingresso de muitos imóveis no ordenamento jurídico-registral, fomentando o mercado imobiliário e, colaborando com o progresso econômico do país (ARAÚJO, 2012, p. 374).

Os estudos sobre os sistemas de registro de imóveis apresentam desafios teóricos e práticos que repercutem no prisma da atividade econômica. Deve-se compreender a relevância das relações proprietárias no âmbito das relações econômicas constitucionais, tencionando para as situações que necessitam de regularização fundiária e para o papel da função social na análise do conteúdo e da operacionalidade econômica da relação proprietária.

5.4.1 A perspectiva dos Sistemas de Registro de Imóveis internacionais para a função econômica do Sistema de Registro de Imóveis no Brasil

O Registro de Imóveis é um sistema que tem por objetivo gerar publicidade nos direitos reais sobre imóveis e nas transações imobiliárias; envolve aspectos de interesse público, com proteção aos interesses econômicos da sociedade; também envolve interesse privado, pois proporciona proteção aos proprietários e aos titulares dos direitos reais; e vincula *erga omnes*. Por isso, a importância da publicidade registral.

Os sistemas registrais de imóveis são mecanismos de publicidade imobiliária. O registro imobiliário pode ser constitutivo ou declaratório. Quanto aos efeitos, existem dois grandes sistemas que são base dos sistemas continentais europeus: o sistema francês e o sistema germânico. O Brasil adota o Sistema Eclético ou Romano; não se filia a nenhum dos dois anteriores. Quanto à forma de escrituração, pode-se adotar o Sistema da Transcrição ou o Sistema da Inscrição. Em regra, o Brasil adota o sistema da inscrição.

Em relação ao Sistema de Registro de Imóveis francês, sabe-se que a França é um país grande, que, apesar de ter uma unidade política mais ou menos antiga (monárquica), juridicamente, até à modernidade não tinha unidade. Até o advento do Código de Napoleão, havia, em cada região da França, um sistema jurídico específico.

Jacques Poumarède (2015) ensina que havia regiões, no centro e sul da França, que adotavam o sistema germânico (bárbaro). Em outras regiões vigoravam os direitos feudais. Nos locais que vigoravam os direitos dos povos bárbaros (no norte), havia, desde a Idade Média, um sistema para gerar publicidade nas transações que envolvessem imóveis (*nandissendnd* ou *apropriance*). Eram sistemas que tinham um grau rudimentar de publicidade, mas havia a preocupação de tornar público. Tendo em conta a importância econômica do bem imóvel foi que se aprimorou o sistema francês. Nas regiões da França que aplicavam o Direito Romano, a transmissão da propriedade sobre bens imóveis era feita por contrato e por tradição simbólica. A tradição como modo de aquisição era simbólica, não era visível.

O Direito Romano exige, tradicionalmente, uma formalidade para transferência de bens. O mero contrato não é válido para transferir a propriedade de bens móveis ou imóveis. O Direito Romano, na origem, paralelamente ao contrato, exigia para os bens móveis a *tradicio* (tradição) e para os bens imóveis (*resmans*) a *mancipacio* (balança). Na última fase do Direito Romano, houve uma Constituição Imperial que estabelecia que, independentemente da coisa que fosse transmitida (móvel ou imóvel), a coisa seria transmitida pela tradição.

Com o passar do tempo, as civilizações que aplicaram o Direito Romano acabaram simplificando ainda mais, de forma que a tradição passou a ser fictícia (simbólica); não era mais necessária a entrega física do bem, bastava a menção do contrato de que a coisa estava sendo entregue (tradição simbólica).

No século XVIII, surgiu, na França, uma forte corrente de pensamento jurídico que foi o jusnaturalismo racionalista, que teve como expoentes, no campo do direito privado, Tomas e Pontie (s/d), os quais preconizavam que o Direito tinha que ser, necessariamente, um corpo racional de normas, de modo sistemático e facilmente compreensível. O Direito deveria encaixar-se perfeitamente à luz da razão. Eles não achavam que houvesse um direito natural externo ao ser humano e que devesse o homem compreender esse direito externo. Para eles, a mente humana criava o proprietário.

Foi nesse contexto que as perspectivas francesas utilizaram-se do método de trabalho do jusnaturalismo racionalista: submeteram o Direito Romano à análise racionalista. Em algumas partes, mantiveram tal como era (obrigações), mas em alguns pontos não. Criticaram a exigência que o Direito Romano fazia a uma formalidade paralela ao contrato que, além do contrato em si, tivesse obrigatoriamente a tradição. Daí, surgiu a ideia de que o contrato em si é hábil para transferir a propriedade. O jusnaturalismo racionalista adota a perspectiva de que:

> se a afirmação do direito precede temporalmente a do dever ou se ocorre o contrário, eis um puro evento histórico, ou seja, uma questão de fato: [...] É absolutamente indiferente, com relação à substância do problema, que comecemos pelas obrigações de uns ou pelos direitos dos outros (BOBBIO, 1992, p. 9).

O Código de Napoleão (1804) surgiu, na França, no contexto do positivismo, mas seu conteúdo foi profundamente influenciado pela obra dos jusnaturalistas. Quando se estava discutindo o projeto do Código de Napoleão, um dos pontos mais discutidos foi a questão da transmissão da propriedade sobre os bens imóveis – questionava-se se bastaria o mero contrato ou se necessitaria uma forma de aquisição além do contrato.

No projeto original do Código de Napoleão, havia previsão da necessidade de uma publicidade dessa transmissão (gerada por um registro), algo escrito e acessível que pudesse ser consultado por qualquer pessoa; contudo, durante a tramitação do projeto, foi-se suprimido do Código esse dispositivo que previa a necessidade da publicidade. Alguns historiadores colocam como fundamento da exclusão um certo medo (receio) de que a publicidade revelasse o estado verdadeiro de alguns nobres decadentes, ou seja, que demonstrasse o estado verdadeiro do seu patrimônio.

Marie Gore (2007), ao analisar a evolução e diversificação do direito de propriedade na perspectiva francesa, explica que, na transação (contrato, venda, doações), só o contrato em si não bastava para a transferência da propriedade, exigia-se uma complementariedade que completava este contrato (formalidade). Essa formalidade tem origem feudal, como a proclamação de compra na missa de domingo, momento em que se tornavam públicas as transações. A fundamentação da concepção feudal de publicidade é que a terra não era particular, mas daquele grupo de pessoas, por isso a necessidade da concordância de todos, da necessidade do conhecimento de todos, algo coletivo que estava sendo passado ao particular: propriedade particular sobre o solo coletivo.

> Direito privado, individual ou coletivo, a propriedade é protegida como um valor econômico. Em 1804, a propriedade foi projetada como um direito individual fundamental, como a liberdade, que a declaração dos direitos humanos especifica como um direito inviolável e sagrado (GORE, 2007, p. 2, tradução própria).

Neste sentido, a evolução e diversificação do direito de propriedade, na perspectiva francesa, apontam para o projeto que o código civil de Napoleão teve, principalmente, por satisfazer a tendência natural à apropriação individual: o direito comum para a propriedade privada sobre bem imóvel.

O Código de Napoleão, ao ser publicado, surgiu com a ideia de que o contrato sozinho transferia a propriedade. Como o Código tinha o objetivo de unificar o direito francês, na França inteira passou a ser assim: o contrato seria hábil a transferir a propriedade de bens móveis ou imóveis; porém, a necessidade da publicidade imobiliária mostrou-se relevante por razões econômicas. Hipotecas sofreram um golpe duro: como saber se o bem assegura o crédito que ele vai garantir? Como saber se ele não sofreu outras hipotecas? Não tinha como. O credor tinha que confiar simplesmente naquilo que o devedor declarava.

No século XIX, houve a necessidade de gerar publicidade para as hipotecas (certeza e segurança para os credores hipotecários). Na França, houve uma explosão das alíquotas de juros, pois os bancos que emprestavam dinheiro começaram a exigir juros muito maiores para compensar o risco (também muito maior). Isso comprometeu a economia da França.

Jacques Poumarède (2015) menciona que um dos três pilares do edifício do direito privado francês é a propriedade, junto com a família e o contrato. Ao traçar a história política da propriedade por meio de um panorama de ideias e debates que se opuseram, através dos séculos, os defensores de uma propriedade coletiva das coisas e os promotores ou defensores da propriedade privada, o autor argumenta sobre o papel necessário de um sistema de registro, para viabilizar o aspecto econômico da propriedade. Assim, por um processo de história jurídica francesa, e em respeito às disposições contidas no Livro II do Código Civil de 1804, aprimorou-se o sistema francês relativo aos bens imóveis.

Nesse contexto, por volta de 1820 a 1830, começou-se a perceber que era urgente a criação de um sistema de publicidade para os imóveis da França. Em 1840, Poumarède (2015) demonstra que surgiu, na França, uma lei hipotecária que, finalmente, previu para aquele país um sistema de publicidade imobiliária e criou o "Regime da Transcrição" com os registros das transações imobiliárias (vendas, doações, hipotecas) que seriam mantidas, em cada compra, por meio da transcrição do contrato. Entretanto, existia um problema: os franceses eram muito fiéis ao Código de Napoleão e o mantiveram com muito orgulho. Argumentou-se ser muito útil a publicidade, mas que não se podia abrir mão da regra do Código de que o contrato, por si só, transferia a propriedade.

Para conciliar a necessidade econômica com as peculiaridades do Código de Napoleão, chegou-se ao seguinte: só se geram efeitos para os terceiros se o contrato que transferiu a propriedade for transcrito no Ofício criado, especialmente, para isso. Assim, não é pela transcrição que a propriedade é transmitida, a propriedade continua a ser transmitida pelo contrato, mas, para efeitos perante terceiros, ele precisa ser transcrito. Entre os terceiros, a transcrição só é necessária, para gerar efeitos perante aqueles que tenham interesses sobre o bem. Como exemplo, tem-se a situação, em que a pessoa, também, tenha comprado aquele bem ou, então, o credor o tenha comprado.

Em relação ao Sistema de Registro de Imóveis germânico, considera-se que a Alemanha teve uma unidade política recente, no final do século XIX. Até então, era uma região politicamente dividida em muitos pequenos estados (principados, reinos, ducados), cada um politicamente autônomo, aplicando-se direitos diferentes, a depender da região.

Ivan Jacopetti do Lago (2008) revela que, na Précia, aplicava-se o Direito Romano. O norte da Alemanha baseava-se no antigo direito feudal, sendo que existia um contrato com tradições simbólicas para transferir o bem. Noutras regiões da Alemanha, desde a Idade Média, as transmissões de imóveis deveriam ser registradas em livros que mantinham os registros das transações sobre imóveis.

No final do século XIX, criou-se, na Alemanha, um sistema que tinha por objetivo tornar, absolutamente, seguras e sólidas as transações que envolvessem imóveis. O fundamento era garantir ao comprador que as informações que constassem do Registro de Imóveis lhe dariam plena segurança. Instalou-se assim a "Presunção Absoluta de Veracidade", em que o registro imobiliário conferia fé pública absoluta aos livros de registro. Havia a certeza absoluta de que a informação que estava ali era verdadeira, não podendo ser contestada. É o que se denomina presunção absoluta da verdade do registro, denominada presunção *juris et de jure*, que não admite prova em contrário.

A transmissão da propriedade imóvel é, juridicamente, negócio abstrato. A noção de abstração decorre do princípio dos títulos de crédito. De acordo com sua evolução histórica, surge, na terceira etapa do histórico dos títulos de crédito, esssa noção de abstração da transmissão da propriedade privada imóvel.

Assim, em relação ao que se denomina de etapa alemã, consagrou-se, cientificamente, a ideia da abstração dos títulos de crédito para os títulos que fossem aptos a modificarem o registro imobiliário. A abstração é a desvinculação do título jurídico de um negócio anterior. Emitido um título, se o negócio for declarado nulo e o título já circulou, não importa, a nulidade não atinge o título. Como exemplo, tem-se a situação de alguém que assina certa nota promissória para comprar drogas (objeto ilícito, logo a regra seria para o negócio ser considerado nulo), porém, a nota promissória se desvincula do negócio e continua válida.

A transmissão da propriedade de imóvel, na Alemanha, é negócio jurídico abstrato, sendo o modo de aquisição independente do contrato que as partes fizeram. Assim, o registro de imóveis alemão é negócio jurídico formal e abstrato. Vai transmitir, independentemente do contrato anterior entre as partes, não importando se o contrato foi anulado, viciado juridicamente, se foi realizada a transmissão no ofício de registro ou se foi realmente transmitida a propriedade no mundo dos fatos. Paralelamente, há a previsão de um seguro para indenizar os terceiros que, porventura, venham a se prejudicar com o registro. Se do registro decorrer dano, o terceiro vai ser indenizado por este seguro, mas não vai mais haver o bem, salvo raras exceções, devidamente tipificadas na legislação alemã e que, em geral, relacionam-se com problemas no negócio abstrato.

No Cadastro Imobiliário da Alemanha, cada imóvel existente que se encontra cadastrado tem um número na repartição que administra esse imóvel; assim, conhecem-se todos os imóveis da Alemanha (tamanho, limites). Sabe-se exatamente qual é cada imóvel.

Contextualmente, no que se refere à diferença dos sistemas de registro de imóveis internacionais, quanto aos efeitos, tem-se que, no sistema francês, o Registro Imobiliário se dá pelo método da transcrição e não transfere a propriedade por si. Na França, o registro de imóveis, simplesmente, gera publicidade perante certos terceiros interessados no negócio jurídico que se realizou. A propriedade é transmitida pelo contrato, nos termos do Código de Napoleão, e não pelo registro do contrato.

Assim, diferentemente do ocorre na França, no sistema registral germânico, o Registro Imobiliário transfere a propriedade com certeza e segurança absoluta. Em outro contexto, verifica-se que, em Portugal, paralelamente ao registro do contrato, existe a previsão da tradição (entrega) do bem imóvel para que o negócio jurídico e o registro imobiliário surtam efeitos.

O Brasil adotou, desde o início de sua legislação, o sistema Romano ou Eclético. O decurso histórico brasileiro aponta que sempre houve a combinação de contrato mais modo de aquisição da propriedade para a validade do negócio jurídico relativo aos bens imóveis. Com o passar do tempo, a tradição do bem (entrega do bem imóvel) passou a ser prevista como uma cláusula do contrato. O Brasil não abandonou a formalidade portuguesa da tradição, ela simplesmente se tornou uma cláusula do contrato, ou seja, a tradição virou cláusula simbólica constante do contrato.

Assim, no Brasil, a tradição se tornou cláusula de estilo que, normalmente, se encontra em todos os contratos que transfem a propriedade e sinaliza para os efeitos jurídicos da posse sobre o contrato. Essa cláusula chama-se cláusula *constituti*. E, no âmbito das jurisprudências brasileiras, a cláusula *constituti* mostra-se como mecanismo jurídico importante na solução de litígios, em especial pelo Superior Tribunal de Justiça brasileiro.

No Brasil, até 1864, a transmissão da propriedade ocorria por cláusulas de estilo escritas no contrato (escrituras). Em 1864, foi criado, no País, o Registro Geral de Imóvel. O primeiro registro de imóveis no Brasil deu-se em 1846. Denominou-se Lei Hipotecária, a qual só previa o registro da hipoteca. Mas essa lei abordou a necessidade de previsão do contrato para a transmissão da propriedade. Quando surgiu a Lei, em 1864, houve uma discussão entre os civilistas, para saber se o Brasil era filiado ao sistema francês ou não. Autores defendiam que se criou uma transcrição dos imóveis nos moldes franceses. Acabou prevalecendo que o Brasil mantinha-se filiado à necessidade da tradição do bem. A transcrição do contrato, no Brasil, seria a tradição solene do bem, feita por escrito (registro).

Disso ocorreram duas consequências no Brasil: a) em nosso país, desde 1864, a transcrição tem o condão de transferir a propriedade do bem. "Quem não registra, não é dono", verdade desde 1864; transmissão só entre vivos; causa morte *saissine* (automática); e b) a tradição não saneia o título aquisitivo, não é abstrata (sistema alemão), ela é causal.

O registro, no Brasil, é causal e se mantém filiado, ligado ao título aquisitivo. Assim, se havia defeito no contrato anterior de aquisição de propriedade, o registro também vai ser defeituoso, pois são interligados, e o registro imobiliário não é independente. Nesse sentido, tem-se a máxima romana de que "ninguém pode transferir mais direitos do que possui".

Ivan Jacopetti do Lago (2008, p. 117) disserta que as peculiaridades brasileiras no estudo do sistema de registro de imóveis e, consequentemente, da história da publicidade imobiliária decorrem de marcos históricos; no entanto, a publicidade que se atinge pela instituição do registro de imóveis é "fenômeno complexo" que "possui duas faces, com normas jurídicas que se complementam, mas que, contudo, possuem natureza diversa: as normas de direito formal e as normas de direito material." Nessa linha de raciocínio, tem-se que:

> De um lado, a linha do direito material do registro, iniciando-se pela fase pré-publicidade, que vai desde o descobrimento do Brasil até a primeira Lei Hipotecária criada pela lei orçamentária 317, de 1843, e regulamentada pelo Decreto 482, de 1846. Passa-se, a seguir, a uma segunda fase, em que vigora a existência de uma publicidade relativa, destinada apenas às hipotecas, e que perdura até a criação do registro geral, em 1864. Nessa fase tem lugar uma grande discussão sobre o tema de ter-se adotado no Brasil o sistema francês, ou se, por outro lado, se mantivera vigente a necessidade da tradição para a transmissão da propriedade imobiliária, transfigurada na figura da transcrição. A próxima fase é inaugurada pelo Código Civil de 1916, o qual, se por um lado solucionou a disputa que havia no regime anterior, repelindo o sistema francês, por outro suscitou uma discussão ainda maior: se havia sido adotado o sistema alemão da fé pública. Após o choque por longo tempo entre dois grupos, ambos compostos por grandes juristas, prevaleceu o entendimento de que o Código não adotara o sistema alemão, mas mantivera a transcrição como uma tradição solene do bem, sendo, portanto, constitutiva na transmissão da propriedade. Essa corrente foi ratificada pelo Código Civil de 2002, que reconheceu que o agora 'registro' é constitutivo, gera presunção relativa de domínio, mas não o prova, carecendo, para tanto, da fé pública germânica (LAGO, 2008, p. 117).

No que se refere aos sistemas imobiliários quanto à forma (método) de escrituração, avalia-se que existem dois sistemas quanto aos efeitos que o registro de imóveis pode causar: a) forma do sistema francês: transcrição; (b) forma do sistema germânico: inscrição. Na transcrição adotada no sistema francês, a pessoa encarregada do registro vai se limitar a lançar, nos livros de registro, uma cópia do título que está sendo apresentado; copia tudo, copia o título. Na inscrição adotada no sistema da Alemanha, o profissional responsável pelo registro vai pegar o título e vai pinçar elementos que sejam necessários à escrituração do registro, como parte, objetos, preços, condições, datas. O registrador fará a análise seletiva (extrato seletivo), selecionando os elementos mais importantes que constam no contrato, conforme a lei, o que exige um trabalho muito mais sofisticado do que o da transcrição.

No Brasil, vigora o sistema da tradição solene (romano), que combina o título com o modo de aquisição (ou seja, o contrato mais o respectivo registro). O Brasil adota o sistema da inscrição desde o Decreto de 1928.

No nosso país, o registro pode ser constitutivo (efetivamente transfere a propriedade ou gera o direito real) ou declaratório. São exemplos de registro declaratório os de usucapião.

Pelo contexto teórico exposto, verifica-se que os sistemas registrais de imóveis desempenham funções essenciais numa economia de mercado. Essas funções referem-se não apenas ao desenvolvimento dos mercados creditícios hipotecários, mas também se referem ao funcionamento eficiente da atividade econômica, em seu contexto constitucional. Méndez González (2007, p. 571) assegura que a função econômica de qualquer sistema registral foi manifestada, explicitamente, pelos legisladores dos diversos países, quando começaram a gizar os respectivos sistemas registrais: fomentar o crédito territorial, ou seja, converter os direitos sobre bens imóveis em ativos econômicos com capacidade de servir de garantia ao crédito.

Os riscos de aumento de custos e de desequilíbrio econômico derivados da oponibilidade *erga omnes* da propriedade privada sobre bem imóvel aumentam, exponencialmente, para quem, não sendo titular de um direito real sobre determinada coisa, pretendesse tornar-se tal, desenvolvendo esforços nesse sentido. Daí, a necessidade para o crescimento da atividade econômica de dar publicidade aos direitos reais de forma permanente e mais eficiente, em especial para a propriedade privada sobre bem imóvel, pois ela representa, significativamente, fator capaz de gerar riqueza.

Tendo como referência o direito comparado, em especial, o sistema registral imobiliário de Portugal, Mónica Jardim (2014) analisou a eficácia do registro imobiliário no âmbito de fatos frequentes, em tempo de recessão econômica. Verificou, também, a eficácia do registro imobiliário, em fase de crescimento econômico. Em ambos os casos, "[...] a generalidade dos ordenamentos jurídicos passou a fazer depender a oponibilidade dos direitos reais sobre imóveis, em maior ou menor medida, da sua publicidade registal" (JARDIM, 2014, p. 232).

As normas que se relacionam ao sistema pátrio de registro de imóveis devem otimizar as condutas de pessoas públicas e privadas, em prol da concretização do direito fundamental da propriedade privada, "pilar de desenvolvimento econômico pátrio. Cabe ressaltar que, para tornar o conteúdo do registro imobiliário excelente, sob o ponto de vista dos reflexos econômicos porventura produzidos, é necessário ter a imposição de regras" (ARAÚJO, 2012, p. 358).

Nesse sentido, Maria Darlene Braga Araújo (2012, p. 366) defende que o registro imobiliário pleno e seguro pode atrair investidores na perspectiva global e garantir índices de crescimento representativo para a economia brasileira, em consonância com as diretrizes da ordem econômica constitucional e em respeito ao princípio econômico da propriedade privada. "Para isso, torna-se necessário facilitar os sistemas de entrada no registro e fortalecer seus efeitos para que as transações imobiliárias sejam plenamente seguras, e gerem efeitos que transcendam os interesses dos contratantes."

O crescimento demográfico dos núcleos populacionais e o aumento do tráfico imobiliário geram impactos significativos na atividade econômica, no âmbito das relações constitucionais. A necessidade de dar publicidade e conferir segurança jurídica aos titulares da propriedade privada imóvel se une com a necessidade do Estado de incentivar a atividade econômica de modo que a circulação das riquezas contribua para a própria manutenção do Estado e para a valorização racional da dignidade da pessoa humana, em que se tutela a honestidade.

O sistema de registro imobiliário brasileiro tem duas vertentes no âmbito das relações constitucionais econômicas. A primeira vertente é a individual, em que o titular da propriedade privada imóvel tem sobre ela assegurado o seu direito, o que inclui sua identidade jurídica patrimonial junto à atividade econômica. A segunda vertente é social, no âmbito do Estado Democrático de Direito, pois o sistema de registro de imóveis possibilita ao Estado um mecanismo seguro de publicidade e de transparência que confere maior credibilidade à atividade econômica, no sentido de que se individualiza o direito de propriedade sobre uma determinada coisa, o que possibilita a execução, o combate à corrupção e o incentivo à atividade econômica, com métodos que associem o âmbito público e privado; como ocorre no oferecimento de bens, em garantia das parcerias público-privadas.

Desse modo, verifica-se que a função jurídica do Registro de Imóveis no Brasil encontra-se diretamente relacionada com as relações constitucionais econômicas e que a segurança jurídica que o Sistema de Registro de Imóveis no Brasil proporciona é fundamental para o aprimoramento da atividade econômica nacional.

5.4.2 O Registro de Imóveis no Brasil como instrumento para o crescimento econômico e desenvolvimento humano: a regularização fundiária urbana

A tese, ao analisar a propriedade privada imóvel no âmbito do crescimento econômico, constatou que o registro de imóveis, no Brasil, é mecanismo jurídico essencial para o crescimento econômico e desenvolvimento humano. Dentro dessa perspectiva, analisa-se que a regularização fundiária urbana pode ser efetivada, por meio do sistema de registro de imóveis brasileiro.

Marcelo Augusto Santana de Melo (2010, p. 18) argumenta que o Registro de Imóveis é instituição que surgiu como a necessidade do Estado de controlar o direito de propriedade e como instrumento de segurança jurídica para o tráfego imobiliário. Daí, verificar-se seu perfeito encaixe nas relações constitucionais econômicas.

> Em razão da evolução do estudo do meio ambiente e a consequente transformação do direito de propriedade, que, após a Constituição Federal, deve atender a uma função social, tornou-se necessário também estudar essa nova característica do registro imobiliário brasileiro, principalmente na necessidade de sua adaptação às normas protetoras do meio ambiente e utilização de sua estrutura para tal finalidade (MELO, 2010, p. 18).

A propriedade privada imóvel se relaciona com a própria caracterização que se faz do direito de apropriação como forma mais fluida e fragmentada do que aquela que tem sido desenvolvida pela tradição jurídica. Constatou-se tal assertiva, ao se verificar a noção de "property rights" no Teorema de Coase, bem como a noção de "property rules", desenvolvida por Calabresi e Malamed. Assim, chega-se à conclusão de que a propriedade privada imóvel encontra, na questão da regularização fundiária urbana, a identificação do dilema social de elevadas proporções jurídicas, nas décadas iniciais do século XXI. Em especial, devido aos entraves jurídicos no acesso ao registro imobiliário das propriedades que compõem as diversas propriedades imóveis que se sobrepõem ao solo urbano.

Ao aplicar os postulados da Análise Econômica do Direito aos estudos sobre a propriedade privada imóvel, constata-se que a apropriação dessa propriedade privada se localiza, constitucionalmente, nas relações econômicas, como base de negociação e de articulação no acesso e na exploração de recursos comuns. O desafio jurídico é perceber a oportunidade do registro de imóveis, como base de legitimidade para a regularização fundiária urbana.

No âmbito das relações constitucionais econômicas, a Constituição Federal de 1988 consolida, em capítulo exclusivo sobre o desenvolvimento urbano, que a propriedade privada imóvel deve atender à função social estabelecida nas diretrizes legais para a elaboração de políticas públicas habitacionais que proporcionem o desenvolvimento urbano e garantam o acesso à moradia digna. Nessa vertente, o sistema de registro de imóveis, no Brasil, manifesta-se como instrumento para o crescimento econômico e desenvolvimento humano, possibilitando, juridicamente, a regularização fundiária urbana apta a promover impactos positivos na atividade econômica.

A regularização fundiária urbana encontra-se intimamente ligada às relações constitucionais privadas. Adilson José Paulo Barbosa (2006) argumenta que a regularização fundiária urbana dos bens imóveis é elemento fundamental para promoção da cidadania das pessoas, "que muitas vezes não conseguem negociar seu patrimônio possessório com as mesmas vantagens que outras detentoras da terra legalizada" (BARBOSA, 2006, p. 146). Assim, o sistema de registro de imóveis, no Brasil, deve possibilitar a implementação de políticas públicas que assegurem o cadastramento e o registro da propriedade privada sobre bem imóvel (propriedade imobiliária) de modo democrático e economicamente justo.

> A propriedade imobiliária na cidade contemporânea permite não apenas o reconhecimento de uma titularidade individual sobre um bem, mas implica na possibilidade de acesso de toda uma comunidade a uma quantidade significativa de bens e serviços econômicos e culturais. Representa para o seu titular o exercício de um novo *status*, possibilitando, assim, o exercício de outras faculdades e privilégios, como o crédito, a compra e venda legal e o exercício de direitos sucessórios e hereditários (BARBOSA, 2006, p. 145-146).

Contextualmente, o sistema de registro de imóveis, no Brasil, encontra-se associado à comunicação entre os subsistemas do direito, quando se verifica o direito à propriedade privada imóvel e à necessidade de publicidade registral. A perspectiva da função social transcende a autonomia privada e recebe nova roupagem comunicativa, quando o sistema de registro de imóveis produz publicidade registral. Tal situação favorece o que se denomina juridicamente de oponibilidade *erga omnes,* elemento essencial na proteção da confiança e, consequentemente, nas relações constitucionais econômicas. Nessa linha de raciocínio, extrai-se, das peculiaridades brasileiras, a natureza eminentemente instrumental do sistema de registro imobiliário de bens privados imóveis.

Luciano Lopes Passarelli (2013, p. 34) analisa "três ideias fundamentais" do sistema registral imobiliário. Para este autor, além da evidente questão da publicidade e da organização técnica do registro de imóveis, deve-se ter em consideração que o domínio e objeto do direito registral imobiliário não podem deixar de fora as matérias atinentes à organização dos serviços registrais. Assim, a primeira ideia fundamental trata da noção de "posição registral", que é a que o titular registral ostenta, quando detém a titularidade do bem imóvel, no sistema de registro de imóveis. A segunda trata da "aquisição da posição registral", que deve observar requisitos normatizados pelo direito registral imobiliário. A terceira discute a eficácia da posição registral, ou seja, os efeitos jurídicos e econômicos que derivam do alcance do instrumento registral imobiliário.

> O direito registral imobiliário terá que necessariamente deter-se sobre o que é a propriedade imobiliária, tanto privada quanto pública; sua evolução histórica; o papel que essa modalidade de propriedade exerceu no seio das várias teorias econômicas e formas de organização da sociedade, do estado e dos governos; o que se espera atualmente da propriedade imobiliária; suas "funções" social, econômica, ambiental, e outras porventura identificadas pelo investigador; os modelos adotados de direitos incidentes sobre a propriedade; os deveres atribuídos aos proprietários; os tributos incidentes; as formas de constituição, modificação, transmissão e extinção de direitos sobre a propriedade; as intervenções do Estado na propriedade privada; os modelos de organização estatal, ou mesmo privados, de registros de propriedade; os efeitos desses registros; a publicidade registral; a tensão dialética entre publicidade e direito à intimidade; o futuro desses registros, notadamente em face do advento da informatização (PASSARELLI, 2013, p. 30).

Nesse sentido, a tese defende que o sistema de registro de imóveis, no Brasil, é instrumento essencial para o crescimento econômico e desenvolvimento humano. Com o sistema de registro imobiliário democrático, a propriedade privada imóvel, no Brasil, poderá adquirir sua funcionalidade social, o seu caráter de estado de apropriação contingente às questões sociais, que a admitem como instrumento apto para conferir publicidade, autenticidade, segurança e eficácia aos negócios jurídicos que envolvem os bens imóveis no âmbito das relações constitucionais econômicas.

A Análise Econômica do Direito enfatiza que o sistema de registro de imóveis, no Brasil, é instrumento necessário para assegurar, juridicamente, que a apropriação com a titularidade do bem, por meio do registro de imóveis, é a base jurídica de negociação segura e de articulação dos recursos comuns sobre bem imóvel no âmbito da atividade econômica. Nessa perspectiva, pode-se verificar que o registro de imóveis utiliza-se do conceito de propriedade, para designar, praticamente, qualquer expediente de propriedade (público, privado, costumeiro, formal, informal, contratual, regulatório).

Porém, é através da matrícula imobiliária e do subsequente registro do título que envolve a propriedade privada imóvel que se procura dirimir, juridicamente, a tensão e divergência entre custos e benefícios individuais e sociais. Ao se estabelecer isso, atinge-se a funcionalização do Direito de propriedade que diverge, totalmente, da tradicional concepção absolutizadora da apropriação.

O Registro de Imóveis no Brasil como instrumento para o crescimento econômico e desenvolvimento humano não trata de subestimar, nem de contestar as potencialidades dos diferentes formatos que a propriedade, em si, pode assumir. Trata-se, na verdade, da possibilidade jurídica de funcionalizar e de relativizar os poderes conferidos pela titularidade da propriedade privada imóvel junto às possibilidades de fragmentação dos títulos que tratem da propriedade privada sobre bem imóvel. Possibilita a solução jurídica com segurança, quando existam interesses contrapostos no acesso e na exploração de recursos escassos. Assim, o registro de imóveis possibilita a ponderação das tensões entre legitimidades privadas e valores coletivos.

Ao se propor que as ciências jurídica e econômica incidam sobre o sistema de registro de imóveis, verificam-se as possibilidades de melhores condições de circulação de recursos no âmbito das relações constitucionais econômicas. A Análise Econômica do Direito aplicada ao registro de imóveis brasileiro demonstra que o registro imobiliário se mostra relevante para a promoção dos objetivos primordiais com eficiência social. Evita o regresso à absolutização dos direitos do proprietário ou à definição das suas prerrogativas como se fossem despóticas e sem atenção à função social.

A propriedade privada sobre bem imóvel, devidamente esculpida no registro imobiliário, serve, sobretudo, como baliza para a negociação de recursos, no âmbito da atividade econômica. Na impossibilidade dessa negociação, no âmbito das relações privadas, o registro de imóveis proporciona barreira jurídica para a definição de prerrogativas de uso coletivo, possibilitando a análise jurídica, de modo seguro, nas situações de disputa no acesso e no uso de recursos comuns.

Nesse sentido, a inclusão social se perfaz como desafio para o sistema de registro de imóveis brasileiro. Tal situação impacta na questão da regularização fundiária e envolve as políticas públicas. Denise Bittencourt Friedrich (2007) argumenta que o processo de urbanização brasileira foi impulsionado pela industrialização do setor produtor. Ao demonstrar a forma como as cidades brasileiras reagiram a sua rápida e feroz ocupação, e como os instrumentos de regularização fundiária contemplados no Estatuto da Cidade podem reverter a irregularidade/clandestinidade urbana e proporcionar a inclusão territorial bem como a inclusão nos demais sistemas sociais, verifica-se que o sistema de registro de imóveis é mecanismo jurídico apto, para proporcionar a inclusão social nos contornos que a propriedade privada imóvel assume para a atividade econômica.

> A inclusão social deve assentar-se nos direitos de cidadania. Nem mercado nem Estado assistencialista poderão promover uma sólida e duradoura inclusão social. Isso não quer dizer que a inclusão no mercado de trabalho pela redistribuição de riqueza e pelas medidas assistencialistas deva ser esquecida pelas políticas públicas. O que se quer dizer é que a cidadania organizada em torno de seus interessados, lutando pelo respeito a seus direitos humanos, poderá gerar inclusão social efetiva. A cidadania ativa/participativa é um forte instrumento de resistência ao processo de globalização e de exclusão social, ambos relegando uma parcela significativa da população (a maioria, em alguns casos) a uma condição de inferioridade e de privação de recursos indispensáveis à dignidade humana que tanto se discute (FRIEDRICH, 2007, p. 163).

Nesse sentido, "não se pode conceber uma cidadania ampla dissociada da esfera territorial" (FRIEDRICH, 2007, p. 163). O sistema de registro de imóveis no Brasil deve ser mecanismo apto a possibilitar a regularização fundiária urbana, que se apresenta como importante instrumento de inclusão social. A esfera territorial deve estar devidamente cadastrada, no sistema de registro de imóveis, de modo que se consiga promover o crescimento econômico em consonância com o desenvolvimento humano.

CONCLUSÃO

A propriedade, sob manifestação jurídica, relaciona-se aos direitos e garantias do indivíduo face ao poder do Estado. Seu desenvolvimento associa-se à própria evolução jurídica da noção de direito individual, sendo que o direito à propriedade privada se manifesta como mecanismo necessário para manter a viabilidade econômica do sistema jurídico constitucional no Estado Democrático de Direito.

O direito à propriedade privada representa mecanismo disponível à pessoa, de modo que assegure a sua liberdade e as faculdades inerentes ao seu patrimônio. Encontra-se ínsito às relações constitucionais econômicas, pois pode ser entendido como relação jurídica complexa e dinâmica. Nesse sentido, os entendimentos filosóficos lecionam que ela é mais que mera prerrogativa concedida pelo Estado, por intermédio do ordenamento jurídico.

A propriedade privada imóvel sujeita-se às limitações necessárias para a consecução dos fins do Estado e do bem comum nas relações privadas constitucionais. A caracterização da propriedade, na concepção de autores clássicos da filosofia, contribui para o entendimento de que a propriedade deve ter conceito jurídico plural, com conteúdo e alcance capaz de estabelecer limites nas relações econômicas que se estabelecem entre o Estado e as pessoas e também entre as próprias pessoas.

Com o desenrolar da tese, houve certo aprofundamento na temática do presente estudo (a propriedade privada imóvel), encontrando-se subsídios acadêmicos e profissionais para contribuir na construção do conhecimento jurídico que leve em consideração as vertentes introduzidas pela constitucionalização do direito privado, em especial, no que se refere à propriedade privada imóvel como mecanismo jurídico complexo e dinâmico que se permeia pelas relações constitucionais, no âmbito da Ordem Constitucional Econômica.

As construções teóricas sobre o direito de propriedade privada têm como referência o ser humano na sua evolução existencial (psicofísica) e sua situação junto ao meio social. Nos momentos iniciais do século XXI, a complexidade que a propriedade assume no âmbito do Estado Constitucional, nas relações da pessoa com as outras, implica que a determinação da relevância e do significado da existência da propriedade privada imóvel se efetua como coexistência, ou seja, existência simultânea no âmbito individual, econômico e social. Aí repousa o desafio jurídico da propriedade privada imóvel para o crescimento econômico do século XXI: reescrever, juridicamente, o direito de propriedade privada no âmbito das relações constitucionais econômicas, com referência expressa ao ser humano na sua evolução coexistencial.

Ao contextualizar a propriedade privada imóvel no âmbito da epistemologia jurídica, verifica-se que o estudo constitucional do direito de propriedade deve levar em consideração a análise econômica das relações privadas em sua historicidade local, regional e global (mundial/universal). Isso permite a individualização do papel e do significado da propriedade, na unidade e na complexidade da juridicidade, diante do fenômeno social.

O estudo do direito de propriedade privada se perfaz não por setores pré-constituídos, mas por problemas, com atenção às exigências emergentes, como a habitação, a regularização fundiária e a reforma agrária. Os problemas concernentes às relações constitucionais econômicas privadas devem ser reestruturados, para se apurar a matriz constitucional axiológica da dignidade humana, não somente no conjunto de normas jurídicas, mas também no sistema principiológico.

O direito à propriedade privada sobre bem imóvel localiza-se no arcabouço teórico dos direitos fundamentais, em sintonia com as relações constitucionais econômicas, precisando de maiores aberturas diante das demandas da atividade econômica. Deve ser sensível às influências da economia diante da relação que ela estabelece com o Estado Constitucional. Assim, se supera o pensamento de que o direito de propriedade é mera liberdade de cada um cuidar, por vezes arbitrariamente, dos próprios interesses.

É, nessa vertente, que a tese analisou que as concepções teóricas do contratualismo, com a passagem do estado de natureza para o estado de sociedade, tencionam para a análise da sociedade como poder da força e a propriedade privada imóvel como mecanismo intrínseco a este poder, não sendo criado por ele, mas antecedendo ao Estado como típico instrumento natural. A noção de força pressupõe opressão (relação dialética entre oprimido e opressor). A passagem do estado de natureza para o estado de sociedade operaciona-se por meio de um contrato social que representa a renúncia das liberdades naturais (com a posse natural de bens, riquezas e material bélico), para um ente soberano que possa fazer a gestão dos interesses sociais e amenizar as zonas de tensão que existam na sociedade.

Nesse contexto, coube diferenciar pensamento constitucional de constitucionalismo. O pensamento constitucional é o sentimento social do ser humano que, ao viver em sociedade, busca os princípios que garantam direitos fundamentais de liberdade e igualdade e a racionalização do uso do poder político. Já o constitucionalismo manifesta-se como um movimento histórico que objetiva legitimar mecanismos de limitação do exercício do poder político; associa-se aos desenvolvimentos históricos dos conceitos ocidentais de constituição. Assim, o constitucionalismo significa movimento político-social que deflagra certa constituição para organização do Estado.

O pensamento constitucional se perfaz em capilares e segue a dimensão humana de modo racional, dinâmico e dialético. Já o constitucionalismo se manifesta em dado momento, como movimento histórico que possibilita a imposição das *Razões de Estado*.

A relação constitucional do Estado não é algo que aconteceu, mas algo que acontece, que continua. A percepção da existência de continuidade ocasiona a dimensão das limitações constitucionais ao direito de propriedade privada. É a continuidade que justifica a diferenciação entre pensamento constitucional e constitucionalismo e que remete ao direito de propriedade como instrumento natural.

Tem-se, no Brasil, o Estado Democrático de Direito, em que se busca a efetiva participação dos diversos segmentos da sociedade, para consagrar a noção de democracia participativa, sendo que o Estado brasileiro deve observar e resguardar a legalidade nas relações constitucionais privadas econômicas. No âmbito constitucional, a propriedade privada imóvel necesita da segurança jurídica que se manifesta como garantia fundamental apta a proporcionar o respeito aos mecanismos de proteção e efetivação dos direitos fundamentais.

Tendo-se como referência a propriedade privada imóvel associada à Análise Econômica do Direito, percebe-se que a segurança jurídica é garantia fundamental que instrumentaliza o direito de propriedade e manifesta duas dimensões: uma objetiva e outra subjetiva. Na dimensão objetiva, a garantia é, prioritariamente, dirigida à proteção da pessoa com oponibilidade face ao Estado, pois as ações deste não podem comprometer o patrimônio jurídico daquela. Na dimensão subjetiva, a garantia tutela com foco na pessoa, para proteger a confiança de que os fatos e atos jurídicos, realizados à luz de determinada lei não serão afetados por outra superveniente, bem como não serão surpreendidos por alterações que comprometam as relações constitucionais econômicas privadas.

A ideia jurídica que relaciona a propriedade privada imóvel com a segurança jurídica desenvolve a percepção de que as mudanças que venham a ocorrer, posteriormente, não podem desconstituir o ato jurídico perfeito, a coisa julgada e o direito adquirido. Nas décadas iniciais do século XXI, busca-se estabilidade nas relações constitucionais econômicas privadas e, nesse sentido, a segurança jurídica manifesta-se como garantia que propicia a proteção e efetivação aos direitos fundamentais sobre a propriedade privada (dimensão objetiva), com nítido caráter instrumental. Também se salvaguarda a proteção à confiança (dimensão subjetiva), pois se busca a certeza de estabilidade da propriedade privada imóvel, nas relações constitucionais econômicas que se estabelecem.

Em sua delimitação constitucional, a segurança jurídica como instrumento para a efetivação do direito à propriedade privada imóvel é parte indissociável da concepção de Estado Democrático de Direito. Representa garantia fundamental que possibilita a tutela da dignidade humana no âmbito dos direitos e garantias fundamentais. Em seu nítido caráter instrumental, a segurança jurídica é a amálgama que protege e efetiva o direito à propriedade privada imóvel, na busca de operacionalizar juridicamente o crescimento econômico da nação em harmonia com o desenvolvimento humano. Assim, a segurança jurídica mostra-se essencial para a promoção do direito à propriedade privada no âmbito das relações constitucionais econômicas.

Nessa linha de raciocínio, a tese verificou que, em relação ao encaixe da propriedade privada no sistema constitucional econômico, mostra-se necessário ter o cuidado jurídico de perceber que a atividade econômica se relaciona com as *leis do mercado*, existindo a percepção para a necessidade de equilíbrio entre o público e o privado nas relações constitucionais privadas. Juridicamente, esse equilíbrio se situa na necessidade de aprofundar a aplicação da técnica de ponderação de interesses.

Assim, a tese remete à necessidade de maior operacionalização da liberdade nos contornos que o direito à propriedade privada imóvel adquire nas relações constitucionais econômicas. Indica-se que a Ordem Econômica e Financeira sinaliza que as relações constitucionais econômicas devem respeitar a boa-fé e a transparência na alocação dos recursos que se relacionam com as propriedades privadas sobre bens imóveis. Devem existir razoabilidade e proporcionalidade nos casos da intervenção do Estado na atividade econômica, em especial, quando se maneja com a propriedade privada imóvel, necessitando de fundamentação às atividades estatais que ocorram nesse sentido.

Nesse contexto, verificou-se que a propriedade privada sobre bem imóvel tem sua estrutura marcada pela norma jurídica e pelo *status* econômico. A relevância da propriedade privada para a manutenção do Estado pressupõe, necessariamente, a existência de ato, fato ou evento que se qualifique, juridicamente, sob o ponto de vista da Ordem Econômica.

Em relação à retrospectiva histórica constitucional do direito de propriedade no Brasil e sua relação com a Economia, constata-se que houve reflexão, desde a Constituição Imperial, sobre os institutos jurídicos que deveriam representar um *dever ser* de direitos e garantias fundamentais para nortear a organização do Estado brasileiro e escolha por aqueles que se mostravam *ideais* para as vicissitudes brasileiras de cada época constitucional.

Teve como base o procedimento racional da História do Brasil e de suas lutas políticas e de seus saberes.

Não existe concepção jurídica única de propriedade. Existem vidas reais, existem ideologias, existem disputas, existem valores sociais que levam certa pessoa a ser considerada como detentora de poder econômico e outra a ser considerada como vulnerável economicamente. Mas a humanidade é única, tentar fugir dela é como tentar fugir da maior certeza da vida (de que todos morremos).

A propriedade privada não é apenas conquista burguesa. O direito à propriedade privada não é apenas derivação da liberdade. A propriedade tem nítido caráter identificatório no seio social e cultural. Nesse sentido, o direito à propriedade privada imóvel no âmbito das relações constitucionais econômicas tem a função de proteger a liberdade e promover a igualdade.

O próprio Estado, como manifestação da vontade soberana do povo, necessita da propriedade para se manter. E, quando não a defende ou quando tolhe os direitos do povo de tê-la, causa mal não apenas a si mesmo, mas à própria coletividade. As pessoas necessitam de objetivo para seguir em frente, o Estado tem que entender e promover isso para sua própria manutenção, e o Direito necessita tornar isso algo aplicável.

Foi assim que se verificou que a solução ou amenização para os problemas que a necessidade de justiça social evidencia não se encontra na distribuição das propriedades privadas imóveis, mas, por outro lado, se encontra na promoção de oportunidades para que todos as tenham. Um modelo de justiça social às cegas é, além de muito perigoso, algo que compromete, de modo nítido, a estabilização e pacificação social.

A propriedade que consta da Constituição brasileira de 1988 pode ser vista como meta individual e social. Meta individual porque o direito de propriedade deve tutelar o direito do proprietário de possuir seus bens e de exercer o uso, o gozo, o dispor e o reaver. Meta individual porque o direito de propriedade não pode servir como desestímulo para quem deseja acumular riquezas. Meta social porque o direito de propriedade tem que evidenciar os bons acordos sociais. Meta social porque, acima do direito de propriedade, existe a cláusula geral de tutela da pessoa.

Nas insígnias da meta social e da individual, a chave para a compreensão da função social da propriedade privada imóvel encontra-se radicada na passagem do Estado liberal para o Estado social, e na assimilação da matriz da dignidade humana. O personalismo ético introduz, no discurso jurídico, certo elemento capaz de servir de ferramenta para a reelaboração do conceito clássico de propriedade privada sobre bem imóvel, presente na tradição oitocentista, mas que não pode ser simplesmente desconsiderado.

A função social da propriedade privada imóvel reflete para a própria origem da propriedade como instituição, por meio de teorias que atribuem sua criação, desde a vontade divina, passando pela valorização econômica, até a concepção materialista.

A positivação do princípio da função social da propriedade privada imóvel, pela Constituição, manifestou-se como inovação para o Direito Privado, caracterizando-se como desafio para os legisladores infraconstitucionais, para a doutrina e para os tribunais. Em especial, encontra-se o pensamento tradicionalista de apego à ideia individual da propriedade. A fruição plena dos direitos e garantias fundamentais é condição imprescindível para a construção e realização de uma sociedade justa e igualitária, na qual, cada indivíduo deve ser livre, para expressar sua vontade e exercer a cidadania de forma plena, a fim de que não prevaleçam os interesses de grupos e classes.

Esse ambiente, em que há liberdade e igualdade como, também, respeito aos direitos e garantias fundamentais, é que constitui o ponto de partida para a real efetivação da função social da propriedade no ordenamento jurídico. Denota-se, pois, uma confrontação da propriedade aos interesses sociais em jogo. A propriedade privada imóvel necessita configurar sua expressão social, de modo a desaguar sua função social no ordenamento jurídico. A constatação da importância dos debates em torno da função social reforça-se diante da expectativa de que o princípio da função social da propriedade cause forte impacto na realidade jurídica, efetivando a força normativa do texto constitucional.

De acordo com o tratamento dado à função social da propriedade privada imóvel na Constituição, ela funciona como fundamento legal para a concessão de tutela jurídica a interesses tendentes a realizarem o princípio da dignidade humana. Em outras palavras, a função social opera de maneira positiva, no sentido de legitimar a concessão de tutela jurídica a interesses que estão fora do sistema jurídico, não de maneira negativa, no sentido de negar tutela jurídica a interesses que são tutelados abstratamente pelo ordenamento jurídico.

Nessas condições, a função social da propriedade se relaciona com a função social do contrato, definindo novos limites para a autonomia negocial, de maneira que, concretamente, possa, inclusive, ampliar os poderes das partes contratantes, conforme ocorre, por exemplo, no caso dos "contratos de gaveta" que, à luz do ordenamento jurídico positivo, são negócio nulo e, apesar disso, desempenham função social relevante. Por isso, a tese reconhece os efeitos jurídicos do contrato translativo de propriedade imobiliária.

A constitucionalização ocasiona consequências de grande repercussão para os direitos civis. Os preceitos constitucionais que disciplinam os direitos fundamentais civis impõem-se a todos os poderes constituídos, até ao poder de reforma da Constituição e, consequentemente, aos diplomas normativos legais, como o Código Civil. No contexto dos direitos fundamentais, as normas jurídicas relativas aos direitos reais tencionam para a problemática de enquadrar a função social nos institutos civilistas clássicos, como a propriedade privada imóvel.

O advento do Estado Democrático de Direito pôs a pessoa em uma posição central, na relação que se estabelece entre o Estado Constitucional e a Economia. Paralelamente, em relação aos direitos fundamentais civis tem-se que a propriedade, antes vista como um direito real absoluto, assume pluralidades que denotam o fato de que não existe conceito constitucional estático de propriedade, sendo que as suas delimitações constitucionais devem ser, necessariamente, dinâmicas.

A amplitude da constitucionalização do Direito Civil impactou na compreensão constitucional da propriedade privada, para correlacioná-la com a noção de direitos fundamentais. Os contornos jurídicos que a função social da propriedade assume no âmbito da constitucionalização dos direitos fundamentais buscam uma repersonalização do direito à propriedade privada imóvel, daí se utilizar o termo propriedade adequada.

A propriedade privada sobre bem imóvel deve ser adequada ao desenvolvimento social e ao crescimento econômico e financeiro de um país, possibilitando o crescimento de todos os indivíduos que o compõem, tanto em uma esfera micro (relações privadas) como em uma esfera macro (relações públicas). A constatação da importância dos debates em torno da função social da propriedade reforça-se diante da expectativa que se tem de que a ampliação dos direitos subjetivos ocasionem fortes impactos na realidade jurídica, efetivando a força normativa do texto constitucional e promovendo segurança jurídica para o adimplemento de obrigações.

As perspectivas da propriedade adequada no contexto dos direitos fundamentais sinalizam que o direito real de propriedade privada não deve ser absoluto em si, mas sim adequado ao Estado Democrático de Direito. Sinalizam também a ampliação dos direitos subjetivos, relacionados à propriedade privada imóvel e para a valorização do trabalho humano em sistema de livre iniciativa.

A ampliação dos direitos subjetivos encontra, nos postulados da publicização dos direitos fundamentais, a viabilidade de delimitação constitucional sobre a propriedade, de modo que ela seja adequada à função social. A dimensão subjetivo-individual do direito de propriedade assegura ao titular da propriedade as possibilidades de exercer as prerrogativas institucionais da propriedade (usar, gozar, dispor e reaver), mas esse exercício deverá ocorrer de modo adequado, dentro da função social da propriedade de valorização do trabalho humano na livre iniciativa, apto a erradicar a pobreza e a marginalização e, até mesmo, a reduzir as desigualdades sociais e regionais.

Do individualismo à socialização, da busca por uma percepção neutra aos postulados da publicização dos direitos fundamentais civis, entende-se que a propriedade privada é adquirida pelo ser humano para usá-la de forma racional e programática, com metas pessoais e alcances patrimoniais sociais. Assim, a propriedade assume seu caráter de relação jurídica complexa e dinâmica e mostra-se como um instituto que permite segurança jurídica para as transações econômicas, otimizando custos e promovendo o crescimento econômico.

O direito à propriedade privada sobre bem imóvel encaixa-se nos direitos fundamentais, para ser utilizado dentro de sua finalidade de valorização do trabalho humano, apto a garantir o desenvolvimento nacional com a livre iniciativa. Um dos grandes desafios jurídicos da constitucionalização dos direitos fundamentais é a compreensão de que a propriedade privada possa ser considerada como uma relação jurídica complexa e dinâmica, justamente para permitir uma ampliação dos direitos subjetivos que atenda à função social.

Rompe-se com uma perspectiva unicamente liberal ou unicamente social para se buscar harmonização jurídica entre direitos subjetivos e função social. O amadurecimento do alcance da função social da propriedade privada mostra-se viável para o estabelecimento de perspectivas jurídicas que concretizem e protejam a dignidade humana, para se promover desenvolvimento social e econômico, tanto na esfera individual (micro) como na esfera social (macro).

A atividade econômica é aspecto da realidade social organizada. A tendência normativo-cultural do direito à propriedade privada no âmbito das relações constitucionais econômicas se evidencia, juridicamente, como opção que se situa entre personalismo e patrimonialismo. O personalismo representa a superação do individualismo e o patrimonialismo representa a superação da patrimonialidade fim em si mesma. O direito fundamental à propriedade privada no âmago das relações constitucionais econômicas não se projeta para reduzir o conteúdo patrimonial. A divergência em relação à função social tem como referência o momento econômico e a disponibilidade de atribuir uma justificativa plausível de suporte ao crescimento econômico.

Desse modo, possibilita-se o livre e digno desenvolvimento da pessoa em que o pluralismo econômico assume o papel de garantia do pluralismo também social, com respeito à dignidade humana. Ao se proceder a retrospectiva histórica, verifica-se que o direito de propriedade no prisma constitucional reafirma-se em renovadas formas da sua originária vocação de *jus civile*, sendo que sua consciência normativa tem importância no desenvolvimento nacional.

A estrutura da propriedade privada é a ligação entre situações subjetivas. A propriedade é tida como relação complexa e dinâmica que sinaliza para a situação de que, se existe uma pessoa titular de situação de propriedade, existem outras (não um sujeito determinado, mas a coletividade) que têm o dever de respeitá-la, não de nela ingerir. A ligação essencial do ponto de vista estrutural é aquela entre centros de interesses econômicos.

A tese corrobora a fundamentação jurídica da propriedade privada imóvel no âmibito das relações constitucionais econômicas como situações subjetivas. A pessoa é elemento interno e externo da relação que envolve a propriedade. No entanto, não é indispensável fazer referência à noção de pessoa para individualizar o núcleo da relação que envolve a propriedade. Nela, o que é sempre presente é a ligação entre interesses e, consequentemente, entre situações determinadas ou determináveis. Assim, a tendência mundial é aprimorar e valorizar o Registro de Imóveis (ou de Direitos) como instrumento de desenvolvimento econômico e social.

O Estado brasileiro deve procurar atuar como agente normativo e regulador da atividade econômica, exercendo as funções de fiscalização, incentivo e planejamento. Entretanto, o exercício dessas funções deve ser determinante para o setor público e indicativo para o setor privado, buscando um desenvolvimento nacional equilibrado. A reversão da situação de desigualdade que domina o atual quadro social brasileiro só será possível a partir do momento em que o Estado assuma o compromisso de adotar uma posição proativa em defesa dos valores fundamentais de todos os seres humanos, sem distinções de nenhuma espécie, nem discriminações de qualquer tipo. É, neste sentido, que deve ser promovido o direito à propriedade privada sobre bem imóvel.

Através da Análise Econômica do Direito, aplicada à propriedade privada imóvel na realidade constitucional brasileira, a tese conclui que o Sistema de Registro de Imóveis no Brasil é essencial para o desenvolvimento humano e crescimento econômico. Está relacionado com a análise econômica da propriedade privada, evidenciando a questão da publicidade. Assim, a eficácia da posição registral, ou seja, os efeitos jurídicos e econômicos que derivam do alcance do instrumento registral imobiliário mostra-se como elemento vital para o fortalecimento do Estado Constitucional no século XXI.

As perspectivas jurídicas para o direito à propriedade privada sobre bem imóvel devem assegurar espaços de desenvolvimento local, com atenção à dimensão humana. O local pelo regional e o regional pelo global. Saber como se desenvolve o regional e, do regional, promover o desenvolvimento global são desafios que devem ser encarados pelo Sistema de Registro de Imóveis.

A tese vislumbra que a humanidade carece de desenvolvimento e que busca por um dia em que o "ser" valha mais que o "ter". Não negando o "ter", mas valorizando, suficientemente, o "ser" de modo que ele possa vir a "ter", por liberdades e por igualdades. Enfim, pelo simples pressuposto de viver e de perceber que "ter" e "ser" não devem ser encarados como palavras opostas. Mas palavras que se permeiem e se completem.

CONCLUSION

The property, in legal manifestation, relates to the rights and guarantees of the individual against the power of the state. Its development is associated with its own legal evolution of individual rights notion, and the right to private property is manifested as a necessary mechanism to maintain the economic viability of the constitutional legal system in a democratic state.

The right to private property is a mechanism available to the person in order to safeguard their freedom and inherent colleges in their assets. It is inserted to economic constitutional relations, and it can be understood as a complex legal and dynamic relationship. In this sense, the philosophical understandings teach that it is more than a mere prerogative granted by the State.

The privately owned property subject to the limitations is necessary to achieve the purposes of the state and the common property in the constitutional relationship private. The characterization of the property, in the design of classic authors of philosophy contributes to the understanding that the property should have plural legal concept, with content and scope able to set limits on economic relations established between the state and the people and among the people themselves.

The development of the thesis showed some refinement in the theme of this study (a privately owned property), finding academic grants and professionals to contribute to the construction of the legal knowledge that takes into account the aspects introduced by the constitutionalization of private law, in particular, and in relation to private property still as a complex and dynamic legal mechanism that permeates the constitutional relations within the framework of Economic Constitutional Order.

The theoretical constructions of private property rights make reference to the human being in its existential evolution (psychophysical) and in its situation with the social environment. In the early years of the 21th century, the complexity of the property taken in the Constitutional State and in the person's relationships implies that the determination of the relevance of private property ownership takes place as a coexistence, that is, a simultaneous existence in the individual, economic and social context. There lies the legal challenge of private property ownership to the economic growth of the 21th century: rewriting in a legal way the right of private property under the economic constitutional relations, with specific reference to the human being in his coexistential evolution.

By contextualizing the private owned property within the legal epistemology, there is the constitutional study of property rights that should take into account the economic analysis of private relations in their local historicity- regional and global (universal). This allows the individualization of the role and significance of the property, in unity and complexity of legality before the social phenomenon.

The study of the right of private property is not total for pre-made sectors, since problems with attention to emerging needs, such as housing, land tenure and agrarian reform may be raised. The problems concerning the constitutional private economic relations should be restructured to establish the axiological constitutional matrix of human dignity, not only in the set of legal rules, but also in a logical principle system.

The right to private ownership of immovable property located in the theoretical framework of fundamental rights, in line with the constitutional economic relations, needs larger openings on the demands of economic activity. It must be sensitive to the influence of the economy on the relationship that it establishes with the constitutional state. Thus, it overcomes the thought that the property right is a mere freedom mechanism sometimes arbitrary, of their own interests.

In this aspect, the thesis analyzed the theoretical conceptions of contractualism. With the transition of the state of nature to the state of society, they intend to analyze the society as a power and privately owned property as an intrinsic mechanism to this power, not being created by him, but predating the state as a typical natural instrument. The strength of concept assumes a kind of oppression (dialectical relationship between oppressed and oppressor). The mentioned transition works through a social contract that is the renunciation of natural liberties (with the natural ownership of assets, wealth and war material) to a sovereign entity that can make the management of social interests, and making ease the tension zones that exist in society.

In this context, it is important to differentiate constitutional thought from constitutionalism. The constitutional thought is the social sense of the human being, to live in society, seeking the principles that guarantee fundamental rights of freedom and equality and the rational use of political power. Constitutionalism, in turn, manifests itself as a historical movement that aims at legitimizing limitation mechanisms of the exercise of political power and joins the historical developments of Western concepts of constitution. Therefore, constitutionalism means political and social movement that triggers certain constitution to state organization.

The constitutional thought makes up in capillary and follows the human dimension of rational, dynamic and dialectical. Already constitutionalism manifested at some point, as a historical movement that allows the imposition of *Reasons of State.*

The State constitutional relationship is not something that happened, but something that happens, that continues. The perception of the existence of its continuity causes the size of the constitutional limitations on the right of private property. The continuity justifies the distinction between constitutional thought and constitutionalism and refers to the right to property and natural instrument.

In Brazil, there is the Democratic State of Right, which seeks the effective participation of various segments of society, to enshrine the notion of participatory democracy, and the Brazilian State should observe and safeguard the legality in the economic private constitutional relations. In the constitutional framework, private property still needs the legal certainty that is manifested as a fundamental guarantee able to provide respect to protection mechanisms and enforcement of fundamental rights.

If taking as a reference the privately owned property associated with the Economic Analysis of Law, it is clear that the legal certainty is a fundamental guarantee that exploits the property rights and expresses two dimensions: one objective and the other subjective. In the objective dimension, the guarantee is primarily directed to the protection of the person enforceability against the State, for the actions of this cannot compromise the legal heritage of that. In the subjective dimension, the protection guarantee is focused on the person, to protect the trust that the facts and legal acts carried out in the light of certain law will not be affected by other incidental and will not be surprised by changes that compromise the private economic constitutional relations.

The legal idea that relates to privately owned property with legal certainty develops the perception that the changes that may occur later cannot deconstruct the perfect legal act, and so, the *res judicata* and granted. In the early decades of the century, stability is sought in private economic constitutional relations and, accordingly, legal certainty is manifested as a guarantee that supports the protection and realization of fundamental rights on private property (objective dimension) with crisp instrumental character. Also, reliable protection to safeguard it (subjective dimension), seeks certain stability of privately owned property in economic constitutional relationships established.

In its constitutional boundaries, legal certainty as a tool for the realization of the right to private property ownership is an integral part of the design of Democratic State of Right. It is the fundamental guarantee that enables the protection of human dignity in the context of fundamental rights and guarantees. In its crisp instrumental character, legal certainty is the glue that protects an effective the right to private property ownership, seeking to legally operationalize the nation's economic growth in harmony with human development. Thus, legal certainty appears to be essential for the promotion of the right to private property within the constitutional economic relations.

In this line of reasoning, the thesis found that, regarding to the private property fitting the economic constitutional system, it is shown necessary to have the legal care to realize that economic activity relates to the laws of the market and there is the perception of the balance between the public and the private in private constitutional relations. Legally, this balance lies in the need of deepening the implementation of the interests weighting technique.

Thus, this thesis refers to the need of a greater operational freedom in the places that the right to private property acquires property in economic constitutional relations. It indicates that the Economic and Financial Order, and that economic constitutional relations should respect the good faith and transparency in the allocation of resources that relate to private property in real estate. There must be reasonableness and proportionality in cases of state intervention in economic activity, especially when it copes with the privately owned property, requiring reasons to state activities that occur accordingly.

In this context, it was found that the private ownership of the property has a structure marked by the rule of law and the economic status. The importance of private property for state maintenance presupposes the existence of the act, fact or event that qualifies it in a legal way from the point of view of the economic order.

Regarding to the constitutional historical retrospective of property law in Brazil and its relation to economy, it appears that there was a reflection from the Imperial Constitution on legal institutions that should represent fundamental rights and guarantees to guide the Brazilian State organization and choice for those who showed ideal for Brazilian setbacks of every constitutional period. It was based on the rational procedure of Brazil's history and its political struggles and their knowledge.

There is no single legal conception of property. There are real lives, ideologies, disputes, and social values that lead the person to be considered as having economic power and another to be considered as vulnerable economically. However, humanity is one, and trying to run away from it is like trying to escape from the greater certainty of life (that all of us will die).

Private property is not only bourgeois achievement. The right to private property is not only derivation of freedom. The property has a clear identifying character in the social and cultural breast. In this sense, the right to private property ownership within the constitutional economic relations has the function of protecting the freedom and promoting equality.

The state itself, as a manifestation of the sovereign will of the people, needs to keep the property. And when it does not advocates or when it hinders the people rights to have it, it causes harm not only to himself, but to his own community. People aim at moving forward, the state has to understand and promote it for their own maintenance, and the law needs to make it something applicable.

Thus, the solution of problems that need social justice is not evident in the distribution of private estate properties, but, on the other hand, promotes opportunities for everyone to have it. A social justice model is blind, and very dangerous, something that compromises a clear way to stabilization and social peace.

The property contained in the 1988 Constitution can be seen as individual and social goal. Individual goal because property rights should protect the owner's right to own their property and to exercise the use, enjoyment, disposal and recover; individual goal because the property rights cannot serve as a disincentive for those who want to accumulate wealth; social goal because property rights have to show good social agreements; social goal because, above right to property, there is a general principle of protection of the person.

In the insignia of the social goal and the individual, the key to understand the social function of private property ownership is rooted in the transition of the liberal state to the social state, and the assimilation of human dignity matrix. Ethical personalism introduces the legal discourse, a certain element that can serve as a tool for reworking of the classic concept of private ownership of the property, present in 18th century tradition, and that cannot simply be disregarded. The social function of private property reflects the very origin of property as an institution through theories that attribute its creation, from the divine will through the economic recovery, to the materialistic conception.

The assertiveness of social function principle of private property ownership and the Constitution, manifested as innovation to the Brazilian Civil Law are characterized as challenge for infraconstitutional legislators to the doctrine and to the courts. In particular, it is the traditionalist thought of attachment to individual property idea. The full enjoyment of fundamental rights and guarantees is an indispensable condition for the construction and accomplishment of a just and equalitarian society in which every individual should be free to express their will and exercise their citizenship fully, so with groups and classes. Interest should not prevail.

This environment, where there is freedom and equality as respect for fundamental rights and guarantees, is the starting point for the actual accomplishment of the property's social function in the legal system. It seems, therefore, a confrontation of property with social interests. The privately owned property needs to set up its social expression, in order to pour its social function in the legal system. The realization of the debate relevance on the social function is strengthened on the expectation that the principle of the property's social function cause strong impact on the legal reality, effecting the normative force of the Constitution.

According to the treatment of the property's social function in the Constitution, it works as a legal basis for granting legal protection to interests seeking to realize the principle of human dignity. In other words, the social function operates in a positive way in order to justify the granting of legal protection to interests that are outside the legal system, not in a negative way, to deny legal protection to interests that are protected abstractly by law.

Under these conditions, the property's social function relates to the social function of the contract, setting new limits for business autonomy, so that in particular, can even expand the powers of the contracting parties, as occurs, for example, in the case of "contracts drawer" that, in the light of positive law, they are null and, nevertheless, play an important social function. Therefore, the thsis recognizes them as the consequences of a transmissive contract of real estate.

The constitutionalization causes great impact on civil rights. The constitutional provisions governing the fundamental civil impose to all the powers that be, to the power of reform of the Constitution and the legal regulatory instruments consequently, such as the Civil Code. In the context of fundamental rights, legal rules concerning property rights intend to frame the issue of social function in classical civilists institutes, such as the privately owned property.

The advent of Democratic State of Right put the person in a central position in the relationship established between the constitutional state and the economy. At the same time, with respect to civil fundamental rights we have that property, before seen as a real absolute right, takes pluralities denoting the fact that there is no static constitutional concept of property, and its constitutional boundaries must necessarily be dynamics.

The constitutionalization extent of civil law impacted the constitutional understanding of private property, and it is possible to correlate it with the notion of fundamental rights. The legal outlines of the social function of property taken in the context of the fundamental rights constitutionalising seek a repersonalization of the right to private property ownership, then using the term appropriate property.

The private ownership of immovable property should be adequate to social development and economic and financial growth of a country, enabling the growth of all the individuals that compose it, both on a micro sphere (private relations) as on a macro one (public relations). The perception of the importance of the debate on the social function of property reinforces the expectation that the extension of legal rights causes strong impacts on the legal reality, effecting the normative force of the Constitution and promoting legal security for due performance of obligations.

The prospects of the appropriate property in fundamental context of rights indicate that the real right of private property should not be absolute in itself, but appropriate to the Democratic State of Right. In addition, they signal the expansion of legal rights related to private property and property to the value of human labor in the free enterprise system.

The subjective rights expansion is the feasibility of constitutional delimitation of the property in publicizing the postulates of fundamental rights, so that it is appropriate to the social function. The subjective-individual dimension of property rights ensures the holder of the property possibilities of exercising the institutional prerogatives of the property (use, enjoy, dispose of and recover), but this exercise should take place in an appropriate manner within the social function of the value of property human work in free enterprise, being able to eradicate poverty and marginalization and even to reduce social and regional inequalities.

From individualism to socialization, the search for a neutral perception to publicizing the postulates of fundamental civil, it is understood that private property is acquired by human to use it rationally and programmatically with personal goals and social equity ranges. Thus, the property takes its complex legal relationship of character and dynamics and is shown as an institute that allows legal security for economic transactions, optimizing costs and promoting economic growth.

The right to private ownership of the property fits the fundamental rights, and it is to be used within its purpose of enhancement of human labor, able to guarantee national development with free enterprise. One of the greatest legal challenges of the constitutionalization of fundamental rights is the perception of private property as considered as a legal complex and dynamic relationship, precisely to allow an expansion of legal rights that can meet the social function.

It breaks up with a uniquely liberal or solely social perspective to seek legal harmonization between legal rights and social function. The maturation of the reach of private property social function appears to be feasible for the establishment of legal perspectives and for materializing and protecting human dignity, to promote social and economic development in both the individual level (micro) as in the social sphere (macro).

Economic activity is an organized aspect of social reality. The normative-cultural tendency of the right to private property in the context of constitutional economic relations is evident in a legal way as an option that is between personalism and patrimonialism. The personalism is the overcoming of individualism and patrimonialism is the overcoming patrimonial condition end in itself. The fundamental right to private property at the heart of constitutional economic relations is not projected to reduce the equity content. The divergence from the social function has reference to the economic times and the availability to assign a plausible justification to support the economic growth.

Thus, the free and dignified person's development becomes possible, in which economic pluralism assumes the role of also ensuring social pluralism, with respect for human dignity. When the historical retrospect proceeds, it appears that the right of property in the constitutional prism reaffirms in renewed forms of its original vocation *jus civile*, and its normative consciousness is important in national development.

Private ownership's structure is the link among subjective situations. The property is seen as a complex and dynamic relationship that signals to the situation in which if there is a person holding ownership situation, there are other (not a given subject, but the community) who have the duty to respect it, not swallow it. The essential link from a structural point of view is that between economic interests' centers.

This thesis corroborates with the legal basis of private property ownership within the constitutional economic relations as subjective situations. One is internal and external element of the relationship that surrounds the property. However, it is not necessary to refer to the notion of person to individualize the core of the relationship. In it, the link among interests is always present and hence between certain situations or determinable. Thus, the global trend is to improve and enhance the Real Estate Registry (or rights) as a tool for economic and social development.

The Brazilian government should seek to act as a normative and regulating agent of economic activity, exercising supervisory, incentive and planning functions. However, the exercise of these functions should be bound to the public sector and indicative for the private sector, seeking a balanced national development. The reversal of the situation of inequality that dominates the current Brazilian social framework will only be possible from the moment that the state undertakes to adopt a proactive stance in defense of the fundamental values for all human beings, without distinction of any kind or discrimination. The private ownership of the property right should be promoted.

Through the Law of Economic Analysis applied to privately owned property in the Brazilian constitutional reality, the thesis concludes that the property registration system in Brazil is essential for human development and economic growth. It is related to the economic analysis of private property, highlighting the issue of advertising. Thus, the effectiveness of registers position, that is, the legal effects and economic factors that stem from the scope of real estate register instrument shows up as a vital element in strengthening the constitutional state in the 21th century.

The legal prospects for the right to private ownership of immovable property must ensure local development areas, paying attention to the human dimension, and to the movement that goes from the local to the regional and from thee regional to the global. Knowing how to develop regional and from the Regional, promote global development are challenges that must be faced by the real estate registry system.

The thesis believes that humanity lacks development and search for a day when "being" will be better than "having". It is not denying the "having", but appreciating sufficiently the "being", so that he can come to "have" for freedoms and equalities. Finally, the simple assumption of living and realizing that "having" and "being" should not be seen as opposite words.

REFERÊNCIAS

ACCHINI NETO, Eugênio. Reflexões histórico-evolutivas sobre a constitucionalização do direito privado. In: SARLET, Ingo Wolfgang (Org.). **Constituição, direitos fundamentais e direito privado**. 2. ed. Porto Alegre: Livraria do Advogado, 2006.

ALENCAR, José. **A propriedade**. Rio de Janeiro: B. L. Garnier, 1883.

ALEXY, Robert. **Teoria dos direitos fundamentais**. São Paulo: Malheiros, 2008.

ALMEIDA, C. R. S.; PETRAGLIA, Izabel (Org.). **Estudos de complexidade**. São Paulo: Xamã, 2006.

ALVES, Francisco de Assis. **Constituições do Brasil**. Brasília: Instituto dos Advogados de São Paulo, 1985.

AMARAL, Francisco. **Direito civil**: introdução. 6. ed. rev. e atual. Rio de Janeiro: Renovar, 2006.

ARANHA, Márcio Nunes. **Segurança jurídica stricto sensu e legalidade dos atos administrativos**: convalidação do ato nulo pela imputação do valor de segurança jurídica em concreto à junção da boa-fé e do lapso temporal. Brasília, DF, 34, n. 134, abr./jun. 1997. Disponível em: <http://repositorio.unb.br/bitstream/10482/9636/1/ARTIGO_SegurancaJuridi caStricto.PDF> Acesso em: 17 jul. de 2013.

ARAÚJO FILHO, Clarindo Ferreira. **Constitucionalização das atividades notarial e de registro e a relação entre o princípio da eficiência e a responsabilidade civil**. 2011. Dissertação (Mestrado Acadêmico em Direito Constitucional). Instituto Brasiliense de Direito Público, Brasília: IBDP, 2011.

ARAÚJO, Fernando. **A tragédia dos baldios e dos antibaldios**: o problema econômico do nível ótimo de apropriação. Portugal: Almedina, 2008.

ARAÚJO, Luiz Ernani Bonesso de. **O acesso à terra no Estado Democrático de Direito**. Florianopólis: UFSC, 1998.

ARAÚJO, Maria Darlene Braga. **Sistema de registro imobiliário**: instrumento de efetivação da propriedade privada: críticas ao sistema vigente e sugestões de aprimoramento: uma análise do reflexo do registro imobiliário no desenvolvimento econômico brasileiro no Século XXI, com base na ordem econômica constitucional. 2012. 445 f. Tese (Doutorado em Direito Constitucional) – Programa de Pós-Graduação em Direito Constitucional, Universidade de Fortaleza, Fortaleza, 2012.

ARENDT, Hannah. **A Condição Humana**. 12. ed. rev. Tradução: Roberto Raposo. Rio de Janeiro: Forense Universitária, 2014.

ARONNE, Ricardo. **Propriedade e domínio** – reexame sintético das noções nucleares de Direitos Reais. Rio de Janeiro: Renovar, 2006.

ÁVILA, Humberto. "Neoconstitucionalismo": entre a "ciência do Direito" e o "Direito da ciência". In: SOUZA NETO, Cláudio Pereira de; SARMENTO, Daniel; BINENBOJM, Gustavo. **Vinte anos da Constituição Federal de 1988**. Rio de Janeiro: Lumen Juris, 2009. p. 187-202.

AWAD, Fahd Medeiros. **Crise dos direitos fundamentais sociais em decorrência do neoliberalismo**. Passo Fundo: UPF, 2005.

BAILEY, Martin. Property rights in aboriginal societies. **Journal of Law and Economics**, Chicago, v. 35, p. 183-198, 1992.

BAKHTIN, Mikhail Mikhailovitch. **Marxismo e filosofia da linguagem**. São Paulo: Hucitec, 2007.

BALEEIRO, Aliomar. **Constituições brasileiras**: 1891. Brasília: Senado Federal e Ministério da Ciência e Tecnologia – Centro de Estudos Estratégicos, 1999.

BANDERI, Luis María. Derechos fundametales ¿Y deberes fundamentales? In: LEITE, George Salomão; SARLET, Ingo Sarlet Wolfgang; CARBONELL, Miguel (Org). **Direitos, deveres e garantias fundamentais**. Salvador: JusPodivm, 2011. p. 211-244.

BARBOSA, Adilson José Paulo. **A aplicação do princípio da função social da propriedade às políticas públicas de regularização fundiária nas cidades brasileiras**: a partir da Constituição Federal de 1988: o caso da estrutural – Brasília-DF. 2006. 155f. (Dissertação: Mestrado em

Direito) Faculdade de Estudos Sociais Aplicados, Universidade de Brasília. Brasília, 2006.

BARCELLOS, Ana Paula de. Neoconstitucionalismo, direitos fundamentais e controle das políticas públicas. In: SARMENTO, Daniel; GALDINO, Flavio (Org.) **Direitos fundamentais**: estudos em homenagem ao professor Ricardo Lobo Torres. Rio de Janeiro: Renovar, 2006. p. 31-60.

BARROSO, Luis Roberto. Judicialização, ativismo judicial e legitimidade democrática. In: SILVA, Christine Oliveira Pater da; CARNEIRO, Gustavo Ferraz Sales. **Controle de constitucionalidade e direitos fundamentais** – Estudos em homenagem ao prof. Gilmar Mendes. Rio de Janeiro: Lumen Juris, 2010. p. 241-254.

BASTOS, Celso Ribeiro. **Curso de direito constitucional**. 14. ed. Rio de Janeiro: Forense, 1992.

BAUMAN, Zygmunt. **Globalização**: as consequências humanas. Rio de Janeiro: Jorge Zahar, 1999.

______. **Modernidade e ambivalência**. Tradução de Marcus Penchel. Rio de Janeiro: Jorge Zahar, 1999.

______. **Modernidade líquida**. Rio de Janeiro: Jorge Zahar, 2001.

______. **O mal-estar da pós-modernidade**. Rio de Janeiro: Jorge Zahar, 1998.

BEÇAK, Rubens. A dimensão ético-moral e o Direito. **Revista Brasileira de Direito Constitucional – RBDC** n. 9 – jan./jun. 2007. p. 307-320. Disponível em http://esdc.com.br/seer/index.php/rbdc/article/view/133 Acesso em 9 set. 2013.

______. **A Soberania, o Estado e sua Conceituação**. R. Fac. Dir. Univ. São Paulo v. 108 p. 343-351 jan./dez. 2013. Disponível em: <http://www.revistas.usp.br/rfdusp/article/view/67988>. Acesso em: 12 maio de 2015.

______. **Democracia**: Hegemonia e Aperfeiçoamento. São Paulo: Saraiva, 2014.

BECKER, Alfredo Augusto. **Teoria geral do direito tributário**. 5. ed. São Paulo: Noesis, 2010.

BERCOVICI, Gilberto. O estado de exceção econômico e a periferia do capitalismo. **Pensar**, v. 11, p. 95-99. Fortaleza, fev. 2006.

______. Política econômica e direito econômico. **Pensar**, v. 16, n. 2, p. 562-588. Fortaleza, jul.-dez. 2011.

BERMUDES, Sérgio. Coisa julgada ilegal e segurança jurídica. In: ROCHA, Carmem Lúcia Antunes (Org.). **Constituição e segurança jurídica**: direito adquirido, ato jurídico perfeito e coisa julgada: estudos em homenagem a José Paulo Sepúlveda Pertence. Belo Horizonte: Fórum, 2004.

BEVILAQUA, Clóvis. **Direito das coisas**. v. 1. Rio de Janeiro: Freitas Bastos, 1941.

BOBBIO, Noberto. **Estudos sobre Hegel**: direito, sociedade civil, estado. 2. ed. São Paulo: UNESP/Brasiliense, 1991.

______. **O positivismo jurídico**. 10. ed. São Paulo: Icone, 2006.

______. **A era dos direitos**. Rio de Janeiro: Campus, 1992.

BOBBIO, Norberto et al. **Dicionário de política**. v. 1. Brasília: UnB, 2000.

BÖCKENFÖRDE, Ernst-Wolfgang. **Escritos sobre derechos fundamentales**. Baden-Baden: Nomos Verlagsgesellschaft, 1993.

BONAVIDES, Paulo. **Curso de direito constitucional**. 11. ed. rev. atual. e ampl. São Paulo: Malheiros, 2001. (Em apêndice texto da Constituição Federal de 1988, com as EC até a de n. 31, de 14/12/2000).

______. **Curso de direito constitucional**. 21. ed. São Paulo: Malheiros, 2007.

______. **Do Estado liberal ao Estado social**. 4. ed. Rio de Janeiro: Forense, 1980.

______. Federalismo regional num país periférico. In: CONGRESSO IBEROAMERICANO DE DERECHO CONSTITUCIONAL. **Anais...** Universidad de Sevilla, 2003.

BONAVIDES, Paulo; ANDRADE, Paes de. **História constitucional do Brasil**. 5. ed. Brasília: OAB, 2004.

BORGES, Tormimn. **Institutos básicos do direito agrário**. 4. ed. São Paulo: Saraiva, 1983.

BORN, Roger. **A construção de saberes de gestores estratégicos**: Possibilidades na pós-modernidade. 2009. 242f. Tese (Doutorado em Educação). Pontifícia Universidade Católica do Rio Grande do Sul. Porto Alegre, 2009.

BOROWSKY, Martin. **La estructura de los derechos fundamentales**. Bogotá: Universidad Externado de Colombia, 2003.

BOURGEOIS, Bernard. **Hegel**: os atos do espírito. São Leopoldo: Unisinos, 2004.

BRANCO, Paulo Gustavo Gonet. **Juízo de ponderação na jurisdição constitucional**: pressupostos de fato e teóricos reveladores de seu papel e de seus limites. 393f. Tese (Doutorado em Direito), Universidade de Brasília. Brasília: UnB, 2008.

______. Noções introdutórias. In: MENDES, Gilmar Ferreira; BRANCO, Paulo Gustavo Gonet. **Curso de direito constitucional**. 6. ed. rev. e atual. p. 43-116. São Paulo: Saraiva, 2011.

BRASIL. Presidência da República. Câmara da Reforma do Estado. **Plano Diretor da Reforma do Aparelho do Estado**. Brasília, 1995. Disponível em: <http://www.bresserpereira.org.br/documents/mare/planodiretor/planodiretor.pdf>. Acesso em: 23 jun. de 2015.

BRAUDEL, Fernand. **O espaço e a história no mediterrâneo**. São Paulo: Martins Fontes, 1988.

BRESSER-PEREIRA, Luiz Carlos. A reforma do estado dos anos 90: lógica e mecanismos de controle. **Caderno MARE**, Brasília, v. 1, 1997. Disponível em: <http://www.planejamento.gov.br/secretarias/upload/Arquivos/publicacao/seges/PUB_Seges_Mare_caderno01.PDF>. Acesso em: 20 maio de 2015.

BRITO, Edvaldo Pereira de. Jurisdição constitucional: controle de constitucionalidade no Direito Brasileiro: inconstitucionalidades das Reformas: efetividade dos direitos Fundamentais. **Revista Erga Omnes**, Salvador, ano 5, n. 7, p. 35-52, ago. 2013.

BRITO, Miguel Nogueira de. **A justificação da propriedade privada numa democracia constitucional**. Coimbra: Almedina, 2007.

______. **Propriedade privada**: entre o privilégio e a liberdade. Lisboa: Fundação Francisco Manuel dos Santos, 2010.

BROWN, John . Economic theory of liability rules. In: NEWMAN, Peter. **The New Palgrave Dictionary of Economics and the Law**. London: MacMillan, 1998.

BULOS, Uadi Lammêgo. **Cláusulas pétreas na Constituição de 1988**. Disponível em: <http://www.suigeneris.pro.br/direito_dc_petreas.htm> Acesso em: 5 fev. de 2005.

______. **Constituição Federal anotada**. 8. ed. São Paulo: Saraiva, 2008.

CAETANO, Marcelo. **Direito constitucional**. 2. ed. Rio de Janeiro: Forense, 1987.

CALABRESI, Guido. Some thoughts on risk distributions and the Law of torts. **The Yale Law Journal**, v. 70, n. 4, p. 499-553, march 1961. (Yale Law School Legal Scholarship Repository, Faculty Scholarship Series, paper 1979). Disponível em: <http://digitalcommons.law.yale.edu/cgi/viewcontent.cgi?article=3035&context=fss_papers>. Acesso em: 25 jul. de 2015.

CALABRESI, Guido; MALAMED, Douglas A. Property rules, liability rules and inalienability: One View from the Cathedral. **Harvard Law Review**, Cambridge, n. 85, n. 6, p. 1089-1128, april 1972.

CALDEIRA, Jorge et al. **Viagem pela história do Brasil**. São Paulo: Companhia das Letras, 1997.

CALMON, Eliana. **Aspectos constitucionais do direito da propriedade urbana**. [2015?]. Disponível em: <http://www.stj.jus.br/internet_docs/ministros/Discursos/0001114/Aspectos %20Constitucionais%20do%20Direito%20da%20Propriedade%20Urbana.doc>. Acesso em: 5 fev. de 2015.

CAMINHA, Uinie; LIMA, Juliana Cardoso. Contrato incompleto: uma perspectiva entre direito e economia para contratos de longo termo. **Rev. direito GV**, São Paulo, v. 10, n. 1, jan./jun., 2014. Disponível em: <http://www.scielo.br/scielo.php?script=sci_arttext&pid =S1808-24322014000100007> Acesso em: 26 maio de 2015.

CAMPOS, Hélio Sílvio Ourem. O Brasil: uma breve visão histórica do Estado, das Constituições e dos tributos. **Revista ESMAFE**, Escola de Magistratura Federal da 5ª Região, Recife, n. 6, p. 75-123, abr. 2004.

CANARIS, Claus-Wilhelm. **Pensamento sistemático e conceito de sistema na ciência do direito**. 3. ed. Lisboa: Fundação Calouste Gulbenkian, 2002.

CANOTILHO, J. J. Gomes. **Direito constitucional e teoria da constituição**. Coimbra: Almedina, 2000.

______. **Direito constitucional**. 6. ed. Coimbra: Almedina, 1993.

CARBONNIER, Jean. **Flexible droit**: pour une sociologie du droit sans riguer. 9. ed. Paris: LGDJ, 1998.

CARVALHO, Afrânio de. **Registro de imóveis**. 4. ed. Rio de Janeiro: Forense, 1998.

CARVALHO, José Murilo. **Cidadania no Brasil**: o longo caminho. Rio de Janeiro: Civilização Brasileira, 2008.

CARVALHO, Kildare Gonçalves. **Direito constitucional**: Teoria do Estado e da constituição. Direito constitucional positivo. 12. ed. rev. e atual. Belo Horizonte: Del Rey, 2006.

CARVALHO, Orlando de. **A teoria geral da relação jurídica**: Seu sentido e limites: Para uma teoria geral da relação jurídica. 2. ed. v. 1. Coimbra: Centelha, 1981.

CARVALHO, Paulo de Barros. **Curso de direito tributário**. 23. ed. São Paulo: Saraiva, 2011.

CENEVIVA, Walter. **Lei dos Registros Públicos comentada**. 20. ed. São Paulo: Saraiva, 2010.

CHACON, Vamireh. **Vida e morte das constituições brasileiras**. Rio de Janeiro: Forense, 1987.

CHAMBERS, Iain. **Cities without maps**. p. 188-197. New York: Routledge,1993.

CHEMERIS, Ivan Ramon. **A funcão social da propriedade**: o papel do Judiciário diante das invasões de terras. São Leopoldo: UNISINOS, 2003.

CHOMSKY, Noam. **O lucro ou as pessoas**? Neoliberalismo e a ordem global. 3. ed. Rio de Janeiro: Bertrand Brasil, 2002.

CHRISTINO, Sérgio Batista. **A constituição da propriedade no direito abstrato de Hegel**. 2010. 85f. Dissertação (Mestrado em Filosofia). Instituto de Sociologia e Política, Universidade Federal de Pelotas. Pelotas, 2010.

COASE, Ronald. The problem of social cost. **Journal of Law and Economics**, Chicago, v. 3, p. 1-44, oct. 1960.

COMPARATO, Fábio Konder. **A afirmação histórica dos direitos humanos**. 2. ed. São Paulo: Saraiva, 2001.

COOTER, Robert. The cost of Coase. **Journal of Legal Studies**, n.11, p. 1-29, 1982.

______. Unity in tort, contract and property: the model of precaution. **California Law Review**, n. 73, p. 1-45, 1985.

COOTER, Robert; ULEN, Thomas. **Law & economics**. 5. ed. Boston: Pearson/Addison-Wesley, 2008. Disponível em: <http://Works.Bepress.Com/Cgi/Viewcontent.Cgi?Article =1056&Context=Robert_Cooter>. Acesso em: 13 ago. de 2015.

CORREIA, Edmar Ramiro. **A função social do contrato**. 2009. 115f. Dissertação (Mestrado em Direito). Universidade Estadual do Rio de Janeiro, Rio de Janeiro, 2009.

CORVAL, Paulo Roberto dos Santos. **Exceção permanente**: Introdução a uma categoria para a teoria constitucional no século XXI. 2007. 156f. Dissertação (Mestrado em Direito) Departamento de Direito, Pontifícia Universidade Católica do Rio de Janeiro, Rio de Janeiro, 2007.

COSTA, Ramón Valdés. **Instituciones de derecho tributário**. Buenos Aires: Ediciones Deopalma, 1996.

COTRIM, Gilberto. **História global, Brasil e geral**. 8. ed. São Paulo: Saraiva, 2005.

CRUZ, Carla; RIBEIRO, Uirá. **Metodologia científica**: teoria e prática. Rio de Janeiro: Axcel Books, 2009.

CUNHA, Aércio S. **Os impostos e a história**. Série Textos para Discussão. Universidade de Brasília. Departamento de Economia. Texto n. 258, Brasília, nov. 2002.

CUNHA, Paulo Ferreira de. **Sustentabilidade, democracia e direito**. Portugal: Universidade do Porto, 2014. Disponível em: <http://works.bepress.com/cgi/viewcontent.cgi?article =1320&context=pfc> Acesso em: 1º out. de 2014.

DALLARI, Dalmo de Abreu. **A constituição na vida dos povos**: Da Idade Média ao século XXI. São Paulo: Saraiva, 2010.

DIAS, Ana Carolina Papacosta Conte de Carvalho. **Interpretação e aplicação do direito tributário**: Fundamentos jurídicos da decisão. Tese (Doutorado). Pontifícia Universidade Católica de São Paulo. São Paulo: PUC, 2010.

DIP, Ricardo Henry Marques. **Segurança jurídica e crise pós-moderna**. São Paulo: Quartier Latin, 2012.

DIPPEL, Horst. **Soberania popular e separação de poderes no constitucionalismo revolucionário da França e dos Estados Unidos da América**. Brasília: Faculdade de Direito, 1998.

DROMI, José Roberto. La reforma constitucional: El constitucionalismo del "porvenir". In: ENTERRÍA, Eduardo García de; ARÉVALO, Manuel Clavero (Coord.). **El derecho público de finales de siglo**: Una perspectiva iberoamericana. Madrid: Fundación Banco Bilbao Vizcaya/Civitas, 1997.

DUBBER, Markus D. **Critical analysis of Law**: Interdisciplinarity, contextuality and the future of legal studies. June, 2012. Disponível em: <http:// individual.utoronto.ca/ dubber/CAL.pdf>. Acesso em: 12 fev. de 2015.

DWORKIN, Ronald. **O império do direito**. São Paulo: Martins Fontes, 2003.

DYE, Thomas D. **Understanding public policy**. Englewood Cliffs: Prentice-Hall, 1984.

ELLICKSON, Robert. Property in Land. **Yale Law Journal**, New Haven, v. 102, p. 1315-1400, jan. 1993.

ENGELS, Friedrich. **A origem da família, da propriedade privada e do Estado** (Der Ursprung der familie, des privateigentaums und des staats). Tradutor: Leandro Konder. São Paulo: Best Bolso, 2014.

ENGISCH, Karl. **Introdução ao pensamento jurídico**. Lisboa: Fundação Calouste Gulbenkian, 2001.

ERP, Sjef van. From "classical" to modern European property Law? In: KERAMEUS, Konstantinos D. **Essays in honour of Konstantinos D. Kerameus**. Athens: Ant. N. Sakkoulas; Brussels: Bruylant, 2009. v. I. p. 1-21. (versão eletrônica disponibilizada pelo autor Sjef van Erp). Disponível em: <http://csecl.uva.nl/binaries/content/assets/subsites/ centre-for-the-study-of--european-contract-law/map-1/prof-van-erp.pdf>. Acesso em: 5 mar. de 2015.

ETCHEVERRY, Kátia Martins. **O fundacionismo clássico revisitado na epistemologia contemporânea**. 2009. 102f. Dissertação (Mestrado em Filosofia). Faculdade de Filosofia e Ciências Humanas, Pontifícia Universidade Católica do Rio Grande do Sul, Porto Alegre, 2009.

FABIAN, Eloi Pedro. **A aproximação de Popper com a epistemologia evolucionária**. 2008. 158f. Tese (Doutorado em Filosofia). Faculdade de Filosofia e Ciências Humanas, Pontifícia Universidade Católica do Rio Grande do Sul. Porto Alegre, 2008.

FACHIN, Luiz Edson. **A função social da posse e a propriedade contemporânea**: Uma perspectiva da usucapião imobiliária rural. Porto Alegre: Sergio Antonio Fabris, 1988.

______. **Estatuto jurídico do patrimônio mínimo**: À luz do novo Código Civil brasileiro e da Constituição Federal. 2. ed. atual. Rio de Janeiro: Renovar, 2006.

FALCONI, Luiz Carlos. **O uso inadequado das áreas de preservação permanente e reserva legal como causa de desapropriação da propriedade imobiliária rural no Brasil**. Tese (Doutorado em Ciências Ambientais). Universidade Federal de Goiás. Goiânia: UFG, 2005.

FAORO, Raymundo. **Os donos do poder**: Formação do patronato político brasileiro. 15. ed. São Paulo: Globo, 2000.

FARAH, Marta Ferreira Santos. Administração pública e políticas públicas. **Revista de Administração Pública (RAP) da Fundação Getúlio Vergas**, Rio de Janeiro, v. 45, n. 3, p. 813-36, maio/jun. 2011.

FARIAS, Edilsom Pereira de. **Colisão de direitos**: A honra, a intimidade, a vida privada e a imagem versus a liberdade de expressão e informação. Porto Alegre: Sergio Antônio Fabris, 1996.

FERNANDES, Edésio. **Reformulando a ordem jurídico-urbanística no Brasil**. Brasília: Conferência Nacional de Habitação, 2005.

FERNANDES, Marcel Sena. **Do direito linear ao direito complexo**: Contribuições da epistemologia da complexidade para a crítica ao positivismo jurídico nos manuais de ensino do Direito. 117f. Dissertação (Mestrado em Educação). Universidade Nove de Julho. São Paulo, 2010.

FERRAJOLI, Luigi. **Derechos y garantías**: La ley del más débil. 4. ed. Madrid: Trotta, 2004.

FIANI, Ronaldo. Teoria dos custos de transação. In: KUPFER, David; HASENCLEVER, Lia (Org.). **Economia industrial**: Fundamentos teóricos e práticas no Brasil. p. 267-286. Rio de Janeiro: Elsevier, 2002.

FIGUEIREDO, Leonardo Vizeu. **Lições de direito econômico**. 7. ed. Rio de Janeiro: Forense, 2014.

FILIPE, António. Do constitucionalismo monárquico à constituição democrática de 1976. **História**. Edição 305. Mar./abr. 2010. Disponível em: <http://www.omilitante.pcp.pt/pt/305/ Historia/401/Do-constitucionalismo-monárquico-à-Constituição-democrática-de-1976.htm.>. Acesso em: 3 fev. de 2015.

FIORAVANTI, Maurizio. **Constitución**: de la antiguedad a nuestros días. Madrid: Trotta, 2001.

FIORI, José L. **Em busca do dissenso perdido**: ensaios sobre a festejada crise do Estado. Rio de Janeiro: Insight, 1995.

FONTES, André R. C. Limites constitucionais ao direito de propriedade. In: TEPEDINO, Gustavo. **Problemas de direito civil constitucional**. Rio de Janeiro: Renovar, 2000.

FOUCAULT, Michel. **A ordem do discurso**. 11. ed. São Paulo: Loyola, 2004.

FRANCO, Afonso Arinos de Melo. **Direito constitucional**: Teoria da constituição e as constituições do Brasil. 2. ed. Rio de Janeiro: Forense, 1981.

FREITAS, Luiz Fernando Calil de. **Direitos fundamentais**: Limites e restrições. Porto Alegre: Livraria do Advogado, 2007.

FREYRE, Gilberto. **Casa-grande e senzala**: formação da família brasileira sob o regime da economia patriarcal. 48. ed. rev. Introdução à história da sociedade patriarcal no Brasil; 1. São Paulo: Global, 2003.

FRIEDRICH, Denise Bittencourt. **Inclusão social**: Um desafio para as políticas públicas de regularização fundiária. Dissertação (Mestrado em Direito). Universidade de Santa Cruz do Sul – UNISC. Santa Cruz do Sul, 2007.

FUKUYAMA, Francis. **Construção de estados**: Governo e organização mundial no século XXI. Rio de Janeiro: Rocco, 2005.

FUMERTON, Richard. Speckled hens and objects of acquaintance. In: HAWTHORNE, J. (ed.). **Philosophical Perspectives**, v. 19, Epistemology, p. 121-138. Malden: Blackwell Publishers, 2005b.

FURTADO, Celso. **Formação econômica do Brasil**. 10. ed. São Paulo: Companhia Nacional, 1970.

GALUPPO, Marcelo Campos. Os princípios jurídicos no Estado Democrático de Direito: Ensaio sobre o seu modo de aplicação. **Revista de Informação Legislativa**, Brasília, ano 36, n. 143, p. 191-209, jul./set. 1999.

GARCÍA, Antonio Roman. **La tipicidad en los derechos reales**: Autonomía privada en la creación, modificación y extinción de relaciones jurídico-reales: sistema de números apertus; sistema de números clausus. Madrid: Montecorvo, 1994.

GARSON, Samy. **A viabilidade da desjudicialização do processo de execução**. Lisboa: Almedina, 2012.

GERALDO, Pedro Heitor Barros. A ciência nova em Edgar Morin e as contribuições à ciência do direito: uma abordagem metodológica. In: CONPEDI, 14. Fortaleza. **Anais...**, Fortaleza, 2005. Disponível em: <http://www.conpedi.org.br/manaus/arquivos/anais/XIV Congresso/134.pdf> Acesso em: 8 out. de 2014.

GIDDENS, Anthony. O positivismo e seus críticos. In: BOTTOMORE, Tom; NISBET, Robert (Org.). **História da análise sociológica**. Rio de Janeiro: Jorge Zahar, 1978.

GODOY, Arnaldo Moraes. Notas sobre o direito tributário na Grécia clássica. **Revista de informação legislativa**, Brasília, v. 36, n. 142, p. 5-7, abr./jun.1999.

GOLDMANN, Lucien. **Dialética e cultura**. Rio de Janeiro: Paz e Terra, 1979.

GOLDSMITH, Raymond W. **Brasil 1850-1984**: desenvolvimento financeiro sob um século de inflação. São Paulo: Harper & Row do Brasil, 1986.

GOMES, Orlando. **Direitos reais**. 17. ed. Rio de Janeiro: Forense, 2000.

GOMES, Rosângela Maria de Azevedo. **A usucapião administrativa**: Breves considerações. Cadernos de Pesquisa da UERJ. Rio de Janeiro: UERJ, 2012.

GONÇALVES, Vítor Fernandes. A análise econômica da responsabilidade civil extracontratual. **Revista Forense**, São Paulo, v. 357, p. 129-163, set./out. 2001.

GONDINHO, André Osório. Função Social da Propriedade. In: TEPEDINO, Gustavo (Coord.). **Problemas de direito civil-constitucional**. p. 397-433. Rio de Janeiro: Renovar, 2000.

GONZÁLEZ, Méndez. Registro de la propiedad y desarrollo de los mercados de crédito hipotecario. **Revista Critica de Derecho Inmobiliario**, Madrid, n. 700, 2007.

GORE, Marie. **L'évolution et la diversification du droit de propriété**. Pékin, 2007. Disponível em: <http://www.fondation-droitcontinental.org/fr/wp-content/uploads/2014/01/ table_ronde_2.pdf>. Acesso em: 17 mar. de 2015.

GRAHN, Richard. **Grã Bretanha e o início da modernização no Brasil**. São Paulo: Brasiliense, 1973.

GRANTHAM, Silvia Resmini. **O direito fundamental à segurança jurídica no Estado Democrático de Direito e suas implicações (algumas) no Regime Geral da Previdência Social Brasileira**. Dissertação (Mestrado em Direito). Universidade do Vale do Rio dos Sinos, São Leopoldo, 2005.

GRAU, Eros Roberto. **A ordem econômica na Constituição de 1988 (Interpretação e crítica)**. 7. ed. São Paulo: Revista dos Tribunais, 2002.

GRAY, Kevin; GRAY, Susan Francis. **Elements of land Law**. 5. ed. London: OUP, 2008.

GUERRA FILHO, Willis Santiago. **Autopoiese do direito na sociedade pós-moderna**: Introdução a uma Teoria Social Sistêmica. Porto Alegre: Livraria do Advogado, 1997.

HÄBERLE, Peter. **Hermenêutica constitucional**: A sociedade aberta dos intérpretes da Constituição: Contribuição para a interpretação pluralista e "procedimental" da Constituição. Porto Alegre: S. A. Fabris, 1997.

HABERMAS, Jurgen. **Mudança Estrutural da Esfera Pública -** Investigação sobre uma categoria da sociedade burguesa. Tradução e apresentação Denilson Luíus Werle. São Paulo: UNESP, 2014.

HABERMAS, J. A. Revolução e a necessidade de revisão na esquerda: O que significa socialismo hoje? In: BLACKBURN, R. (Org). **Depois da Queda**: O fracasso do comunismo e o futuro do socialismo. 3. ed. São Paulo: Paz e Terra, 2005.

HAURIOU, Maurice. **Principios de derecho público y constitucional**. Madrid: Reus, 1927.

HEGEL, G. W. F. **Filosofia da história**. 2. ed. Brasília: Universidade de Brasília, 2008.

HELLER, Agnes. **O quotidiano e a história**. Rio de Janeiro: Paz e Terra, 1972.

HESPANHA, António Manuel. O constitucionalismo monárquico português – Breve síntese. **História Constitucional**, Lisboa, n. 13, p. 477-526, 2012.

HESSE, Konrad. **A força normativa da constituição**. Porto Alegre: Sergio Antonio Fabris, 1991.

HOBBES, Thomas. **Leviatã ou matéria, forma e poder de um Estado eclesiástico e civil**. 3. ed. São Paulo: Abril Cultural, 1983.

HONESKO, Vitor Hugo Nicastro. Hans Kelses e o Neopositivismo Jurídico: aspectos de uma teoria descritiva da ciência do Direito. **Revista Jurídica da UNIFIL**, Londrina, ano I, n. 1. Disponível em: <http://web.unifil.br/docs/juridica/01/Revista%20Juridica_01-13.pdf> Acesso em: 10 maio de 2015.

IGLÉSIAS, Francisco. **Constituintes e constituições brasileiras**. São Paulo: Brasiliense, 1985.

JANSEN, Letácio. Uma breve introdução à economia jurídica. **Revista Forense**, Rio de Janeiro, n. 99, v. 369, p. 140-150, set./out. 2003.

JARDIM, Mónica. A eficácia do registo no âmbito de factos frequentes em tempo de recessão econômica e em fase de crescimento econômico. **Revista de Direito Imobiliário**, São Paulo, ano 37, v. 76, jan./jun. 2014.

JELLINEK, Georg. **Teoría general del Estado**. Buenos Aires: Albatros, 1970.

KATAOKA, Eduardo Takemi. Declínio do Individualismo e Propriedade. In: TEPEDINO, Gustavo (Coord.). **Problemas de Direito Civil-Constitucional**, p. 457-466. Rio de Janeiro: Renovar, 2000.

KELSEN, Hans. **O que é justiça**? Tradução de Luís Carlos Borges. 3. ed. São Paulo: Martins Fontes, 2001.

KEYNES, John Maynard. **A teoria geral do emprego, do juro e da moeda**. (Os economistas). São Paulo: Atlas, 1996. Disponível em: http://www.afoiceeomartelo.com.br/posfsa/Autores/Keynes,%20John/Keynes%20-%20Os%20economistas.pdf. Acesso em: 18 maio de 2015.

KRUGMAN, Paul; WELLS, Robin. **Microeconomia**: Uma abordagem moderna. Rio de Janeiro: Elsevier/Campus, 2015.

KOJÈVE, Alexandre. **Introdução à leitura de Hegel**. Trad. Estela dos Santos Abreu. Rio de Janeiro: UERJ, 2002.

LABARRIERE, Pierre-Jean. Hegel: Une philosophie du droit. **Communications**, Paris, v. 26, n.1, p. 159-167, 1977.

LAGO, Ivan Jacopetti do. **História da publicidade imobiliária no Brasil**. 2008. 133f. Dissertação (Mestrado em Direito) – Faculdade de Direito da Universidade de São Paulo. São Paulo, 2008.

LARENZ, Karl. **Derecho civil**: Parte general. Trad. y notas de Miguel Izquierdo y Macías-Picavea. Madrid: Revista de Derecho Privado, 1978.

______. **Metodologia da ciência do direito**. 3. ed. Lisboa: Fundação Calouste Gulbekian, 1997.

LASWELL, H. D. **Politics:** Who Gets What, When. How. Cleveland: Meridian Books, 1958.

LEAL, Hamilton. **História das instituições políticas do Brasil**. Brasília, DF: Ministério da Justiça, 1994.

LEAL, Roger Stiefelmann. A propriedade como direito fundamental: Breves notas introdutórias. **Revista de Informação Legislativa**, Brasília, ano 49, n. 194, p. 53-64, abr./jun. 2012.

LESSIG, Lawrence. Institutional corruptions. **Edmond J. Safra Working Papers**, n. 1. 2013. Disponível em: <http://dx.doi.org/10.2139/ssrn.2233582>. Acesso em: 6 maio de 2014.

LIMA, Elisberg Francisco Bessa. Análise econômica do direito de propriedade e a ordem constitucional brasileira. In: ENCONTRO NACIONAL DO CONPEDI, 14, 2010, Fortaleza. **Anais**, Fortaleza: CONPEDI, 2010. p. 345-362. Disponível em: <http://www.conpedi.org.br/ manaus/arquivos/anais/fortaleza/3133.pdf>. Acesso em: 16 jan. de 2015.

LIMA, Martonio Mont'Alverne Barreto. Constituição e política: a impossibilidade da realização da Constituição sem a política na Jurisdição Constitucional. **Atualidades Jurídicas**, Brasília, v. 1, p. 11, 2008. Disponível em: <http://www.oab.org.br/editora/ revista/users/revista/1205505815174218181901.pdf>. Acesso em: 14 nov. de 2012.

LIMA, Martônio Mont'Alverne Barreto; PINTO, Eduardo Régis Girão. Escravidão, Bacharelismo e Razões de Estado: Elementos do pensamento constitucional no Império. In: ENCONTRO PREPARATÓRIO PARA O CONGRESSO NACIONAL DO CONPEDI. **Anais...** p. 45-70. Florianópolis: Fundação Boiteux, 2008.

LOCKE, John. **Carta acerca da tolerância**: Segundo tratado sobre o governo. Ensaio acerca do entendimento humano. São Paulo: Abril Cultural, 1979.

______. **Ensaio acerca do entendimento humano**. São Paulo: Nova Cultural, 1999.

______. **Segundo tratado sobre o governo**. São Paulo: Martin Claret, 2002.

LOEWENSTEIN, Karl. **Teoría de la constitución**. Barcelona: Ariel, 1986. (orig. Verfassungslehre, J. C. Mohr [Paul Siebeck], Tübingen, 1959).

LOPES, Ana Maria D´Ávila. **Os direitos fundamentais como limites ao poder de legislar**. Porto Alegre: Sergio Fabris, 2001a.

______. Hierarquização dos direitos fundamentais? **Revista de Direito Constitucional e Internacional**, São Paulo, Revista dos Tribunais, v. 9, n. 34, p. 168-183, 2001b.

______. Mecanismos constitucionais de proteção dos direitos fundamentais perante os (ab)usos da internet. In: CONGRESSO NACIONAL DO CONSELHO NACIONAL DE PÓS-GRADUAÇÃO EM DIREITO (CONPEDI), 14, 2005, **Anais...** Florianópois: CONPEDI, 2005. Disponível em: <http://www.conpedi.org.br/manaus/arquivos/Anais/Ana%20Maria%20DAvila%20Lopes.pdf>. Acesso em: 20 jul. de 2013.

LOUREIRO, Francisco Eduardo. **A propriedade como relação jurídica complexa**. Rio de Janeiro: Renovar, 2003.

LÖWY, Michael. **As aventuras de Karl Marx contra o Barão de Münchausen**: Marxismo e positivisto na sociologia do conhecimento. 9. ed. São Paulo: Cortez, 2007.

LUNDGREN, Pedro Capanema Thomaz. **A reabilitação do conflito no pensamento constitucional contemporâneo**. 2012. 65f. Dissertação (Mestrado em Direito). Departamento de Direito da Pontifícia Universidade Católica do Rio de Janeiro. Rio de Janeiro, 2012.

LUÑO, Antonio Enrique Perez. **Los derechos fundamentales**. Madrid: Tecnos, 1997.

______. **Manual de direito constitucional**: Direitos fundamentais. 2. ed. t. 4. Coimbra: Coimbra Editora, 1993.

______. Seguridad jurídica y sistema cautelar. **Doxa**: Publicaciones periódicas, Alicante, n. 7, p.327-349, 1990. Disponível em: <www.cervantesvirtual.com/servlet/SirveObras/01371630233495944102257/cuaderno7/doxa7_12.pdf>. Acesso em: 17 maio de 2013.

______. **Teoría del derecho**: Una concepción de la experiencia jurídica. 4. ed. Madrid: Tecnos, 2005.

LYCNH, Christian Edward Cyril. **O momento monarquiano**: O poder moderador e o pensamento político imperial. 421f. Tese (Doutorado em Ciência Política). Instituto Universitário de Pesquisas do Rio de Janeiro (IUPERJ). Rio de Janeiro: IUPERJ, 2007.

LYOTARD, J. F. **A condição pós-moderna**. 7. ed. Rio de Janeiro: José Olympio, 2002.

MACHADO, Hugo de Brito. **Princípios jurídicos da tributação na constituição de 1988.** 4. ed. São Paulo: Dialética, 2001.

MADERS, Angelita Maria; DUARTE, Isabel Cristina Brettas. **A complexidade de Edgar Morin e sua contribuição para a compreensão dos "novos" direitos**. Disponível em: <://srvapp2s.urisan.tche.br/seer/index.php/direitosculturais/article/viewFile/26/20>. Acesso em: 1 out. de 2014.

MARINS, Vinicius. O Estatuto da Cidade e a constitucionalização do direito urbanístico. **Revista de Direito da UFSC**. Florianópolis: UFSC, 2012.

MARQUES, José Frederico. **Manual de direito processual civil**. 2. ed. v. 3. São Paulo: Millennium, 2000.

MARTÍNEZ, Gregório Peces-Barba. **Lecciones de derechos fundamentales**. Madrid: Dyckson, 2004.

MARTINS, Eduardo. **A assembleia constituinte de 1823 e sua posição em relação à construção da cidadania no Brasil**. 2008. 201f. Tese (Doutorado em História). Faculdade de Letras. Universidade Estadual Paulista. Assis, 2008.

MARTINS, Ives Gandra da Silva. Sistema constitucional tributário. In: MARTINS, Ives Gandra da Silva (Coord.). **Curso de direito tributário**. 8. ed. p. 9-53. São Paulo: Saraiva, 2001.

MARX, Karl. **O Capital – Crítica da Economia Política**. Livro Primeiro. O Processo de Produção do Capital. Tradução Regina Sant'Anna. 26. ed. v. II. Rio de Janeiro: Civilização Brasileira, 2013.

______. **Crítica da filosofia do direito de Hegel**. Tradutores: Rubens Enderle e Leonardo de Deus. 3. ed. São Paulo: Boitempo, 2013.

MATIELO, Fernanda Demarchi. **Ponderação e direitos fundamentais**: A questão do controle de racionalidade. 118f. 2007. Dissertação (Mestrado em Direito). Universidade Luterana do Brasil. Canoas, 2007.

MAZZUOLI, Valerio de Oliveira. **Curso de direito internacional público.** 4. ed. São Paulo: Revista dos Tribunais, 2010.

MELLO, Leonel Itaussu Almeida. **O individualismo liberal**. São Paulo: Ática, 2002.

MELNIK, Stefan. **Liberdade e propriedade**. São Paulo: Instituto Friedrich Naumann, 2009. Disponível em: <http://ffn-brasil.org.br/novo/PDF-ex/Publicacoes/Liberdade_Propriedade-Stefan_Melnik.pdf>. Acesso em: 13 jun. de 2015.

MELO JÚNIOR, Regnoberto Marques de. O notariado na Antiguidade, no direito canônico e na Idade Média. **Revista de Direito Imobiliário**, São Paulo, v. 48, p. 93-124, jan./jun, 2000.

MELO, Marcelo Augusto Santana de. Registro Torrens. **Revista de Direito Imobiliário**, São Paulo, ano 35, v. 73, p. 177-186, jul./dez. 2012.

MELO, Marco Aurélio Bezerra de. **Direito das coisas**. 3. ed. rev. amp. atual. Rio de Janeiro: Lumen Juris, 2009.

MENDES, Gilmar Ferreira. **Jurisdição constitucional**. São Paulo: Saraiva, 1998.

MENDES, Gilmar Ferreira; BRANCO, Paulo Gustavo Gonet. **Curso de direito constitucional**. 6. ed. rev. e atual. São Paulo: Saraiva, 2011.

MÉNDEZ GONZÁLEZ, Fernando P. Registro de la propiedad y desarrollo de los mercados de crédito hipotecario. **Revista Critica de Derecho Inmobiliario**, Madrid, ano 83, n. 700, p. 571-618, 2007.

MILKER, Terry; KIM, Anthony B.; HOLMES, Kim R. **Índice de liberdade econômica 2014**. Washingotn: Heritage Foundation; New York: Wall Street Journal, 2014. Disponível em: <http://forumdaliberdade.com.br/wp-content/uploads/2014/04/Index2014_Highlights-Port-final.pdf>. Acesso em: 13 fev. de 2015.

MINAYO, Maria Cecília de Souza. **O desafio do conhecimento**. Rio de Janeiro: Abrasco, 2007.

MIRANDA, Jorge. **Teoria do estado e da constituição**. Rio de Janeiro: Forense, 2002.

______. Direitos e deveres fundamentais do homem. **ANIMA** - Revista Eletrônica do Curso de Direito da Opet. Disponível em: <http://www.anima-opet.com.br/segunda_edicao/ Jorge_Miranda.pdf>. Acesso em: 3 mar. de 2015.

______. Direitos e deveres fundamentais do homem. **Anima** – Revista Eletrônica, Curitiba, v. 2, n. 2, p. 369-392, 2010. Disponível em: <http://www.anima-opet.com.br/segunda_edicao/ Jorge_Miranda.pdf>. Acesso em: 2 jan. 2015.

MIRANDA, Pontes. **Comentários à constituição de 1946**. 2. ed. Rio de Janeiro: Max Limonad, 1953. v. 4.

MIRANDA, Thiago Alves. Uma ciência com consciência: a responsabilidade do pesquisador perante a sociedade e o homem, de Edgar Morin. **Âmbito Jurídico**, Rio Grande, ano XIV, n. 93, out. 2011. Disponível em: <http://www.ambito-juridico.com.br/site/index.php?n_link=revista_artigos_leitura&artigo_id=10417>. Acesso em: 21 set. de 2014.

MONTEIRO, Washington de Barros. **Curso de direito civil**: direito das coisas. Rev. e atual. por Carlos Alberto Dabus Maluf. São Paulo: Saraiva, 2003.

MONTES, Angel Cristóbal. **Direito imobiliário registral**. Trad. Francisco Tost. Porto Alegre: IRIB/Sergio Antonio Fabris, 2005.

MONTUORI, Alfonso. **Complex thought**: An overview of Edgar Morin's intellectual journey. [S.l.]: Metaintegral Foundation Resource Paper, 2013. Disponível em: <https://foundation.metaintegral.org/sites/default/files/Complex_Thought_FINAL.pdf>. Acesso em: 18 jan. de 2015.

MORAES, Maria Celina Bodin de. A caminho de um direito civil constitucional. **Revista de Direito Civil**, Rio de Janeiro, n. 65, 2011.

MOREIRA, José Davi Cavalcante. **Aspectos da segurança jurídica no Brasil**. 164f. Dissertação (Mestrado em Direito). Faculdade de Direito da Universidade Federal do Ceará. Fortaleza, 2010.

MOREIRA, Vital Martins. Economia e constituição: Para o conceito de constituição econômica. **Separata do Boletim de Ciências Econômicas**, Coimbra, n. 17, 2. ed., 1979.

MORIN, Edgar. **Para sair do Século XX**. Rio de Janeiro: Nova Fronteira, 1986.

______. **O homem e a morte**. 2. ed. São Paulo: Imago. 1997.

______. **Ciência com consciência**. 10. ed. São Paulo: Bertrand Brasil, 1998.

______. **Complexidade e transdisciplinaridade**: A reforma da universidade e do ensino fundamental. Natal: EdufRN, 1999.

______. **Os sete saberes necessários à educação do futuro**. Trad. Catarina Eleonora F. da Silva e Jeane Sawaia. São Paulo: Cortez, 2000.

______. **A cabeça bem feita**: Repensar a reforma, reformar o pensamento. Trad. Eloá Jacobina. 7. ed. Rio de Janeiro: Bertrand Brasil, 2002.

______. **Ninguém sabe o dia em que nascerá**. São Paulo: UNESP, 2002.

______. **Introdução ao pensamento complexo**. Trad. Eliane Lisboa. Porto Alegre: Sulina, 2005a.

______. **O método 1**: A natureza da natureza. Trad. Juremir Machado da Silva. Porto Alegre: Sulinas, 2005b.

______. **O método 2**: A vida da vida. Trad. Juremir Machado da Silva. Porto Alegre: Sulinas, 2005c.

______. **O método 3**: o conhecimento do conhecimento. Trad. Juremir Machado da Silva. Porto Alegre: Sulinas, 2005d.

______. **O método 4**: As ideias habitat, vida, costumes . Trad. Juremir Machado da Silva. Porto Alegre: Sulinas, 2005e.

______. **O método 5**: A humanidade da humanidade: Identidade humana. Trad. Juremir Machado da Silva. Porto Alegre: Sulinas, 2005f.

______. **O método 6**: a ética. Trad. Juremir Machado da Silva. Porto Alegre: Sulinas, 2005g.

MORIN, Edgar; LE MOIGNE, Jean-Louis. **A inteligência da complexidade**. Trad. Nurimar Maria Falci. São Paulo: Peirópolis, 2000.

MÜLLER, Friedrich. **Métodos de trabalho de direito constitucional**. 3. ed. Rio de Janeiro: Renovar, 2005.

MURPHY, Liam; NAGEL, Thomas. **O mito da propriedade privada**: Os impostos e a justiça. Tradução Marcelo Brandão Cipolla. São Paulo: Martins Fontes, 2005.

NEVES, A. Castanheira. **Metodologia jurídica**: Problemas fundamentais. Boletim da Faculdade de Direito da Universidade de Coimbra. Coimbra: Coimbra Editora, 1993.

NOGUEIRA, Marco Aurélio. **Um Estado para a sociedade civil**: Temas éticos e políticos da gestão democrática. São Paulo: Cortez, 2004.

NOVAIS, F. A.; ALENCASTRO, L. F. (Org.). **História da vida privada no Brasil**. São Paulo: Cia. das Letras, 1997.

NOZICK, Robert. **Philosophical explanations**. Harvard: University Press, 1981.

______. **The nature of rationality**. Princeton: University Press, 1993.

NUNES, Antonio Carlos Ozório. **A cooperação internacional como instrumento jurídico de prevenção e combate à corrupção**. Dissertação (Mestrado em Direito) Pontifícia Universidade Católica de São Paulo. São Paulo, 2008.

NUNES, Antônio José Avelãs. **Uma leitura crítica da actual crise do capitalismo**. Coimbra: Almedina, 2011.

OLIVEIRA, Felipe Faria de. **Direito tributário e direitos fundamentais**: Uma revisão do princípio da tipicidade junto ao Estado Democrático de Direito. Belo Horizonte: Arraes, 2010.

OLIVEIRA, Manfredo Araújo de. **Reviravolta linguístico-pragmática na filosofia contemporânea**. São Paulo: Loyola, 1996.

OPITIZ, Oswaldo; OPITIZ, Silvia C. B. **Tratado de direito agrário**. v. 1. São Paulo: Saraiva, 1983.

PACHECO, Cláudio. **Novo tratado das constituições brasileiras**. São Paulo: Saraiva, 1990.

PALAZZOLI, Mara Selvini. **The hidden games of organizations**. New York: Routledge, 1990.

PASSARELLI, Luciano Lopes. Da autonomia do direito registral imobiliário. **Revista de Direito Imobiliário**, São Paulo, ano 36, v. 75, p. 15-74, jul./dez. 2013.

PEREIRA, Caio Mário da Silva. **Instituições de direito civil**: Direito reais. 19. ed. v. 4. Rio de Janeiro: Forense, 2010.

PEREIRA, Jane Reis Gonçalves. **Interpretação constitucional e direitos fundamentais**: Uma contribuição ao estudo das restrições aos direitos fundamentais na perspectiva da teoria dos princípios. Rio de Janeiro: Renovar, 2006.

PEREIRA, Potyara A. P. A política social no contexto da seguridade social e do Welfare State: A particularidade da assistência social. **Serviço Social & Sociedade**, ano XIX, n. 56, São Paulo, mar. 1998.

PERLINGIERI, Pietro. **Perfis do direito civil**: Introdução ao direito civil constitucional. 3. ed. Trad. Maria Cristina de Cicco. Rio de Janeiro: Renovar, 2007.

PETERS, B. G. **The politics of bureaucracy**. White Plains: Longman Publisher, 1995.

PETERS, Edson Luiz. **Meio ambiente e propriedade rural**. Curitiba: Juruá, 2003.

PIAGET, Jean. **Para onde vai a educação**? São Paulo: José Olympio, 2009.

PILATI, José Isaac. Conceito e classificação da propriedade na pós-modernidade: A era das propriedades especiais. **Revista Sequência:** Estudos jurídicos e políticos, Florianopólis, n. 59, p. 89-119, dez. 2009.

PINDYCK, Robert S.; RUBINFELD, Daniel L. **Microeconomia**. 5. ed. Trad. e rev. tec. Eduardo Prado. São Paulo: Prentice Hall, 2002.

PINHEIRO, Armando Castelar; SADDI, Jairo. **Direito, economia e mercado**. Rio de Janeiro: Elsevier, 2005.

PLATÃO. **A República**. (Coleção Clássicos). Rio de Janeiro: Editora Martin Claret, 2005.

POLIN, R. **La politique morale de John Locke**. Paris: Presses Universitaires de France, 1960.

POMPEU, Gina Vidal Marcílio (Org.). **Atores do desenvolvimento econômico e social do século XXI**. Fortaleza: Universidade de Fortaleza, 2009.

______. La dimensione internazionale della crisi finanziaria e i suoi riflessi sul piano delle istituzioni di cooperazione sovranazionale e sui rapporti tra queste e gli ordinamenti nazionali. In: GIORNATE ITALO-SPAGNOLO--BRASILIANNE DI DIRITTO COSTITUZIONALE, 5, 2012, Lecce. **Anales Lecce**, 2012. Disponível em: <http://www.gruppodipisa.it/wp-content/uploads/2012/09/Pompeu1.pdf>. Acesso em: 20 out. de 2014.

POPPER, K. R. **Conhecimento objetivo**. São Paulo: Universidade de São Paulo, 1975.

POUMARÈDE, Jacques. **Histoire du droit privé**: La propriété. Paris: UNJF, 2015.

POURTOIS, Jean-Pierre; DESMET, Huguette. **A educação pós-moderna**. São Paulo: Instituto Piaget, 1997.

PRADO JÚNIOR, Caio. **História econômica do Brasil**: Atualização: 1970. São Paulo: Brasiliense, 2004.

PRATA, Ana. **A tutela constitucional da autonomia privada**. Coimbra: Almedina, 2010.

PROGRAMA DAS NAÇÕES UNIDAS PARA O DESENVOLVIMENTO - PNUD. **O que é desenvolvimento humano?** Disponível em: <http://www.pnud.org.br/idh/Desenvolvimento Humano.aspx?indiceAccordion=0&li=li_DH>. Acesso em: 18 maio de 2015.

RAWLS, John. **Justiça como equidade**: Uma reformulação. Tradução de Claudia Berliner. São Paulo: Martins Fontes, 2003.

REALE, Giovanni; ANTISERI, Dario. **História da filosofia**: Do Humanismo a Kant. v. 2. São Paulo: Paulus, 1990.

REALE, Miguel. **Filosofia do Direito**. São Paulo: Saraiva, 2002.

______. **Teoria tridimensional do Direito**. 5. ed. São Paulo: Saraiva, 1994.

REICH, Robert B. **Supercapitalismo**: Como o capitalismo tem transformado os negócios, a democracia e o cotidiano. Rio de Janeiro: Elsevier, 2008.

RIBEIRO, Guilherme. **Espaço, tempo e epistemologia no século XX**: A Geografia na obra de Ferdnand Braudel. 308f. Tese (Doutorado em Geografia). Centro de Estudos Gerais, Instituto de Geociências, Niterói, 2008.

ROBLES, Gregório. **Os direitos fundamentais e a ética na sociedade atual**. Tradução de Roberto Barbosa Alves. Barueri: Manole, 2005.

ROCHA, Cármen Lúcia Antunes. O Princípio da Coisa Julgada e o Vício da Inconstitucionalidade. In: ROCHA, Carmem Lúcia Antunes (Org.). **Constituição e segurança jurídica**: Direito adquirido, ato jurídico perfeito e coisa julgada: Estudos em homenagem a José Paulo Sepúlveda Pertence. Belo Horizonte: Fórum, 2004.

ROCHA, Leonel Severo. **Epistemologia jurídica e democracia**. São Leopoldo: Unisinos, 1998.

RODOTÀ, Stefano. **Il diritto di avere diritti**. Roma-Bari: Laterza, 2012.

RODRIGUES JÚNIOR, Otávio Luiz. **Propriedade e Função Social**: exame crítico de um caso de "constitucionalização" do Direito Civil. Disponível em <http://www.direitocontemporaneo.com/wp-content/uploads/2014/01/Propriedade-e--Fun%C3%A7%C3%A3o-Social-Exame-Cr%C3%ADtico-de-um-Caso-de-Constitucionaliza%C3%A7%C3%A3o-do-Direito-Civil.pdf>. Acesso em: jul. de 2015.

RODRIGUES, Francisco Luciano Lima. **Patrimônio cultural**: a propriedade dos bens culturais no Estado Democrático de Direito. Fortaleza: Universidade de Fortaleza, 2008.

RODRIGUES, Sílvio. **Novo código civil**: Nota ao artigo 188. São Paulo: Saraiva, 2002.

ROSENFIELD, Denis. **Política e liberdade**. São Paulo: Brasiliense, 1983.

ROSSANO, Pecoraro. **Os Filósofos** - Clássicos da Filosofia - De Sócrates a Rousseau, v. I. Rio de Janeiro: Vozes, 2013.

ROUSSEAU, Jean-Jacques. **O contrato social**. São Paulo: Cultrix, 1971.

______. **Discurso sobre a origem das desigualdades entre os homens**. São Paulo: Nova Cultural, 1987.

______. Textos seletos. In: SALINAS-FORTES, Luis Roberto. **Rousseau, o bom selvagem**. São Paulo: FTD, 1989.

______. **Discurso sobre as ciências e as artes, discurso sobre a origem e os fundamentos da desigualdade entre os homens**. São Paulo: Martins Fontes, 2005.

SAGÜÉS, Nestor Pedro. **Elementos de derecho constitucional**. t. 2. Buenos Aires: Ástrea de Alfredo y Ricardo Depalma, 1993.

SALDANHA, Nelson. **A formação da teoria constitucional**. Rio de Janeiro: Renovar, 2000.

SALIM, Phelipe de Monclayr Polete Calazans. A suscitação de dúvida no registro de imóveis. **Revista de direito imobiliário**, São Paulo, n. 76, p. 117-190, 2014.

SAMPAIO, Francisco Alberto Leite. **Anterioridade constitucional tributária como garantia fundamental e contributo para segurança jurídica**. 2010. 179f. Dissertação (Mestrado em Direito Constitucional). Centro de Ciências Jurídicas da Universidade de Fortaleza. Fortaleza, 2010.

SANCHÍS, Luis Prieto. **Justicia constitucional y derechos fundamentales**. Madrid: Trotta, 2003.

SANDRONI, Paulo (Org.). **Novíssimo dicionário de economia**. São Paulo: Best Seller, 1999. Disponível em: <http://sinus.org.br/2014/wp-content/uploads/2013/11/FMI.BMNov% C3%ADssimo-Dicion%C3%A1rio-de-Economia.pdf >Acesso em: 14 abril de 2015.

SANTOS, Ezequias Estevam dos. **Manual de métodos e técnicas de pesquisa científica**. 8. ed. Rio de Janeiro: Impetus, 2008.

SARAVIA, Enrique. Introdução à teoria da política pública. In: SARAVIA, Enrique; FERRAREZI, Elisabete. **Políticas públicas** – Coletânea. Brasília: ENAP, 2006. v. 1. p. 21-42.

SARLET, Ingo Wolfgang. A eficácia do direito fundamental à segurança jurídica: Dignidade da pessoa humana, direitos fundamentais e proibição do retrocesso social no direito constitucional brasileiro. In: ROCHA, Carmen Lúcia Antunes (Org.). **Constituição e segurança jurídica**: direito adquirido, ato jurídico perfeito e coisa julgada: estudos em Homenagem a José Paulo Sepúlveda Pertence. Belo Horizonte: Fórum, 2004.

______. **A eficácia dos direitos fundamentais**: uma teoria geral dos direitos fundamentais na perspectiva constitucional. 10. ed. rev. atual. e ampl. Porto alegre: Livraria do Advogado, 2009. Disponível em: <http://www.egov.ufsc.br/portal/sites/default/files/anexos/15197-15198-1-PB.pdf> Acesso em: 20 jun. de 2013.

______. **Dignidade da pessoa humana e direitos fundamentais na Constituição Federal de 1988**. 5. ed. rev. e atual. Porto Alegre: Livraria do Advogado, 2007.

SARMENTO, Daniel. A vinculação dos particulares aos direitos fundamentais: o debate teórico e a jurisprudência do STF. In: SARLET, Ingo Wolfgang; SARMENTO, Daniel (Org.). **Direitos Fundamentais no Supremo Tribunal Federal**: Balanço e crítica, p. 131-165. Rio de Janeiro: Lumen Juris, 2011.

______. As lacunas constitucionais e sua integração. **Revista de Direitos e Garantias Fundamentais**, Vitória, n. 12, p. 29-58, jul./dez. 2012.

SAY, Jean-Baptiste. **Tratado de economia política**. São Paulo: Abril cultural, 1983. (Os economistas). Disponível em: <http://www.libertarianismo.org/livros/jbstdep.pdf >. Acesso em: 21 fev. 2015.

SCHMITT, Carl. **Teologia política**. Belo Horizonte: Del Rey, 2006.

______. **Teoría de la constitución**. Madrid: Alianza, 2003. (Presentación de Francisco Ayala. Primera edición en Alianza Universidad Textos, 1982. Cuarta reimpresión en Alianza Universidad Textos).

SCHULTZ, Sérgio Ricardo. **Propriedade, propriedade negada e negação predicativa**: Aspectos lógicos e ontológicos da negação. 191f. Tese (Doutorado em Filosofia). Pontifícia Uniersidade Catatólica do Rio de Janeiro. Rio de Janeiro, 2010.

SEGURADO, Milton Duarte. **O direito no Brasil**. São Paulo: Universidade de São Paulo, 1973.

SHAVELL, Steven. Liability for harm *versus* regulation of safety. **Journal of Legal Studies**, Chicago, v. 13, n. 2, p. 357-374, 1984.

SICCA, Gerson dos Santos. Isonomia tributária e capacidade contributiva no Estado contemporâneo. **Revista de Informação Legislativa**, Brasília, ano 41, n. 164, p. 213-235, out./dez. 2004.

SILVA FILHO, José Carlos Moreira. Tranformações jurídicas nas relações privadas. In: ROCHA, Leonel Severo; STRECK, Lenio Luiz. **Anuário do Programa de Pós-Graduação em Direito – Mestrado e Doutorado – 2003**. São Leopoldo: Unisinos, 2003.

SILVA, Almiro do Couto e. O Princípio da Segurança Jurídica (Proteção à Confiança no Direito Público Brasileiro e o Direito da Administração Pública de Anular seus Próprios Atos administrativos: o prazo decadencial do art. 54 da lei do processo administrativo da União (Lei n. 9.784/99). **Revista Eletrônica de Direito do Estado**, Salvador, Instituto de Direito Público da Bahia, n. 2, abr./mai./jun. 2005.

SILVA, Fernanda Duarte Lopes Lucas da. **Princípio constitucional da igualdade**. Rio de Janeiro: Lúmen Júris, 2001.

SILVA, José Afonso da. **Curso de direito constitucional positivo**. 22. ed. rev. atual. São Paulo: Malheiros, 2003.

SILVEIRA, Júlio César Costa da. **Da prescrição administrativa e o princípio da segurança jurídica**: Significado e sentido. 403f. Tese (Doutorado em Direito). Setor de Ciências Jurídicas da Universidade Federal do Paraná. Curitiba, 2005.

SLAIBI FILHO, Nagib. **Direito constitucional**. 2. ed. Rio de Janeiro: Forense, 2006.

SMITH, Adam. **A riqueza das nações**: Investigação sobre sua natureza e suas causas. Tradução Luiz João Baraúna. São Paulo: Nova Culural, 1996. v. 1. (Os economistas). Disponível em: <http://www.afoiceeomartelo.com.br/posfsa/Autores/Smith,%20Adam/A%20 Riqueza%20das%20Na%C3%A7%C3%B5ees,%20Investiga%C3%A7%C3%A3o%20Sobre%20Sua%20Natureza%20e%20Suas%20 Causas%20-%20Vol.%20I.pdf>. Acesso em: 16 dez. de 2014.

SOARES, Rafael Machado. **Direitos fundamentais e expectativas normativas**: O caso da função social no direito de propriedade. Porto Alegre: S. A. Fabris, 2012.

SOUZA JÚNIOR, Cezar Saldanha. **Constituições do Brasil**. Porto Alegre: Sagra Luzzatto, 2002.

SOUZA, Celina. Políticas públicas: Uma revisão de literatura. **Sociologias**, Porto Alegre, ano 8, n. 16, p. 20-45, jul./dez. 2006.

SOUZA, Nali de Jesus de. **Desenvolvimento econômico**. 5. ed. rev. São Paulo: Atlas, 2005.

STABILE, C. A. Pós-modernismo, feminismo e Marx: Notas do abismo. In: WOOD, E.; FOSTER, J. B. (Org.). **Em defesa da história**: Marxismo e pós-modernismo. Rio de Janeiro: Jorge Zahar, 1999.

STANFORD ENCYCLOPEDIA OF PHILOSOPHY - SEP. **The economic analysis of law**. Disponível em: <http://plato.stanford.edu/entries/legal-econanalysis/>. Acesso em: 20 maio de 2015.

TAVARES, André Ramos. **Curso de direito constitucional**. 8. ed. São Paulo: Saraiva, 2010.

______. **Direito constitucional econômico**. São Paulo: Método, 2003.

TEIZEN JÚNIOR, Augusto Geraldo. **A função social no código civil**. São Paulo: Revista dos Tribunais, 2004.

TEPEDINO, Gustavo. Notas sobre a função social dos contratos. In:

TEPEDINO, Gustavo; FACHIN, Luiz Edson (Coord.). **O direito e o tempo**: Embates jurídicos e utopias contemporâneas: Estudos em homenagem ao professor Ricardo Pereira Lira. Rio de Janeiro: Renovar, 2008.

______. Premissas metodológicas para a constitucionalização do direito civil. **Revista da Faculdade de Direito da Universidade Estadual do Rio de Janeiro**, Rio de Janeiro, n. 5, 1997.

______. **Temas de direito civil**. 3. ed. Rio de Janeiro: Renovar, 2011.

TEPEDINO, Gustavo; SCHREIBER, Anderson. A garantia da propriedade no direito brasileiro. **Revista da Faculdade de Direito de Campos**, Campos, ano 6, n. 6, jun. 2005.

THE WORLD BANK GROUP. **Corruptions**. Disponível em: <www.worldbank.org>. Acesso em: maio de 2014.

THIELEN, Helmut. **Além da modernidade?** Para a globalização de uma esperança conscientizada. Petrópolis: Vozes, 1998.

TILICH, Paul. **Teologia da cultura**. São Paulo: Fonte, 2013.

UBILLOS, Juan María Bilbao. ¿En que medida vinculan a los particulares los derechos fundamentales? In: SARLET, Ingo Wolfgang (Org.). **Constituição, direitos fundamentais e direito privado**. Porto Alegre: Livraria do Advogado, 2010. p. 263-93.

VALDÉS, Roberto Blanco. **El valor de la constitución**. Madrid: Alianza, 1998.

VANOSSI, Jorge Reinaldo Agustín. **El estado de derecho en el constitucionalismo social**. Buenos Aires: Universitária, 1982.

VARELA, Laura Beck. **Das sesmarias à propriedade moderna**: Um estudo de história do direito brasileiro. Rio de Janeiro: Renovar, 2005.

VARIAN, Hal R. **Intermediate microeconomics**: A modern approach. 8. ed. New York: W. W. Norton & Company, 2010. Disponível em: <http://lms.unhas.ac.id/claroline/backends/ download.php?url=L01pY3JvZWNvbm9taWNzX0guVmFyaWFuXzIwMTAucGRm&cidReset=true&cidReq=136A113_004>. Acesso em: 26 jan. de 2015.

VARSANO, Ricardo. **A evolução do sistema tributário brasileiro ao longo do século**: Anotações e reflexões para futuras reformas. Rio de Janeiro: IPEA, 1996. Disponível em: <http://repositorio.ipea.gov.br/bitstream/11058/1839/1/td_0405.pdf>. Acesso em: 10 mar. de 2014.

VASAK, Karel. **As dimensões internacionais dos direitos do homem**. Lisboa: Portuguesa de Livros Técnicos e Científicos/Unesco, 1983.

VASCONCELLOS, Marco Antonio; GARCIA, Manuel E. **Fundamentos de economia**. 2. ed. São Paulo: Saraiva, 2006.

VASCONCELOS, Arnaldo. **Direito, humanismo e democracia**. São Paulo: Malheiros, 1998.

_______. Que é uma teoria jurídico-científica? **Revista da OAB-CE**, Fortaleza, ano 27, n. 4, p. 27-45, jul./dez. 2000.

VIEIRA, José Ribas. **Teoria constitucional norte-americana contemporânea**. Rio de Janeiro: Lumen Juris, 2011.

VIEIRA, José Ribas. Verso e reverso: A judicialização da política e o ativismo judicial no Brasil. **Revista Estação Científica (Ed. Especial Direito),** Juiz de Fora, v. 1, n. 4, p. 44-57, out./ nov. 2009.

VIEIRA, José Ribas; BRASIL, Deilton Ribeiro. A delimitação de competência do supremo tribunal federal provocada pelo seu experimentalismo institucional após a emenda constitucional n. 45/2004. In: ENCONTRO PREPARATÓRIO DO CONPEDI, 14., 2007, Campos. **Anais**..., Campos, 2007. Disponível em: <http://www.conpedi.org.br/manaus/arquivos/anais/campos/deilton_ribeiro_brasil-2.pdf>. Acesso em: 17 jan. de 2015.

VISCUSI, W. Kip. Valuing life and risks to life. In: Peter Newman (ed.). **The new palgrave dictionary of economics and the Law**. MacMillan: London, 1998.

WALZER, Michael. **Esferas da justiça**: Uma defesa do pluralismo e da igualdade. São Paulo: Martins Fontes, 2003.

WEBER, Max. **Ciência e política**: Duas vocações. São Paulo: Martin Claret, 2005.

WITTMAN, Donald. Efficient Rules of Thumb in Highway Safety and Sports Activity. **American Economic Review**, Pittsburgh, v. 72, n. 1, p. 78-90, mar. 1982.

______. Coming to the nuisance. In: NEWMAN, Peter. **The new palgrave dictionary of economics and the Law**. London: MacMillan, 1998.

YASBEK, Maria Carmelita. **Classes subalternas e assistência social**. São Paulo: Cortez, 2003.

ZIMMERMANN, Augusto. **Curso de direito constitucional**. 2. ed. Rio de Janeiro: Lúmen Júris, 2002.

SOBRE O AUTOR

Manoel Valente Figueiredo Neto

Pela Universidade de Fortaleza (UNIFOR, CE): Doutor em Direito Constitucional (Registro número 65, Livro 01, folha 11v, processo 1613887199, data do registro 16/03/2016).

Pela Universidade Federal do Piauí (UFPI, PI): Mestre em Políticas Públicas (bolsista CAPES/CNPQ/UFPI; Registro 798, Livro 001, fls. 406 – UFPI).

Pela Faculdade Integrada da Grande Fortaleza (FGF, CE): Especialização em Direito Constitucional (Registro ID 9d08cf89860c4d78960b8f914ba88b20); Especialização em Direito Administrativo (Registro ID 43a41e72873446ffb852998669148b6a); Especialização em Direito Processual Civil (Registro ID 296e4b6295184ac5b2028598cdb439d6); Especialização em Direito Penal e Processo Penal (Registro ID 1fb8a9d6af424960aef1c19960664a74).

Pela Universidade Cândido Mendes (UCAM, RJ): Especialização em Direito Civil (Registro 722-90511/WDIR-12); Especialização em Direito Notarial e Registral (Registro 723-82491/WDIR-12); Especialização em Direito Comercial (Registro 884-90512/WDIR-12); Especialização em Direito do Trabalho (Registro 790-96424/WDIR-12); Especialização em Direito da Tecnologia da Informação (Registro 721-96425/WDIR-12).

Pelas Faculdades Integradas de Jacarepaguá (FIJ, RJ): Especialização em Direito Civil (Registro TE0020409002, Livro 04); Especialização em Direito Empresarial (Registro IM0810611001, Livro 04); Especialização em Direito de Família e Sucessões (Registro PP0690111001, Livro 04); Especialização em Direito Educacional (Registro MR0590611001, Livro 04); Especialização em Direito Tributário (Registro TE0100111001, Livro 04); Especialização em Gestão Pública (Registro TE0221208006, Livro 04).

Pelo Centro de Ensino Unificado de Teresina (CEUT, PI): Bacharel em Direito (bolsista CEUT; Registro 344, Livro 2, fls. 172 – DAA, UFPI).

Pela Universidade Federal do Piauí (UFPI, PI): Licenciado em Letras com habilitação em Língua Portuguesa e Literaturas Brasileira e Portuguesa (Registro 702, Livro 18, fls. 351 – DAA, UFPI).

Endereço eletrônico para elogios, críticas e sugestões: manoelvalentefn@icloud.com ou manoelvalentefn@yahoo.com.br

SOBRE O LIVRO
Tiragem: 1000
Formato: 16 x 23 cm
Mancha: 12 X 19 cm
Tipologia: Times New Roman 11,5/12/16/18
Arial 7,5/8/9
Papel: Offset 90g (miolo)
Royal Supremo 250g (capa)